M wie Mädchen

Evelyn Lattewitz

M wie Mädchen

Franckh'sche
Verlagshandlung
Stuttgart

Schutzumschlag von Aiga Rasch unter Verwendung eines Fotos von Wilhelm Lattewitz
97 Fotos, davon Wilhelm Lattewitz (82); Bavaria-Verlag, Gauting (5); Keystone-Pressedienst, Hamburg (4); Stern-Archiv, Hamburg (5); Ullstein-Bilderdienst, Berlin (1)

CIP-Kurztitelaufnahme der Deutschen Bibliothek

M wie Mädchen/hrsg. von Evelyn Lattewitz. –
1. Aufl., 1. – 9. Tsd. – Stuttgart: Franckh,
1977.
  ISBN 3-440-04404-1
NE: Lattewitz, Evelyn [Hrsg.]

Franckh'sche Verlagshandlung, W. Keller & Co., Stuttgart / 1977
LH 9-EI
ISBN 3-440-04404-1 / Printed in Germany / Imprimé en Allemagne
Gesamtherstellung: Konrad Triltsch, Würzburg

Für W.

M wie Mädchen

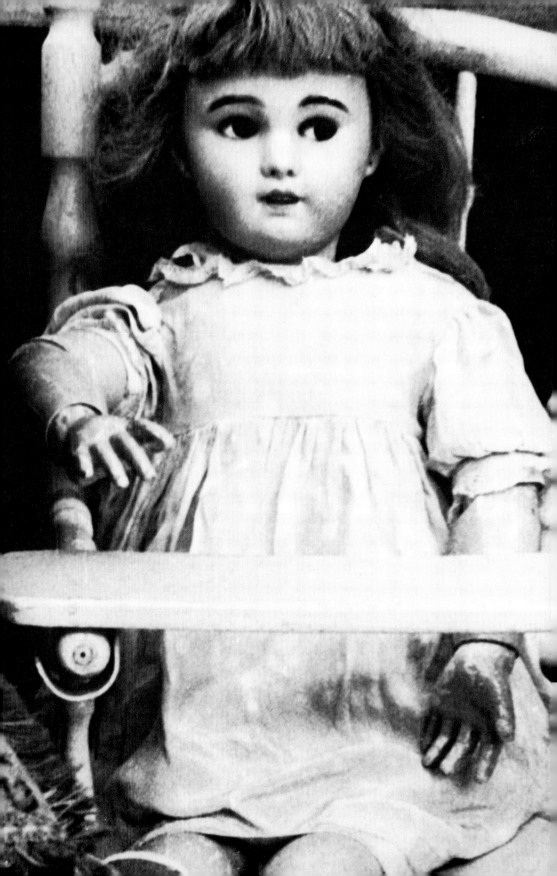

Wenn es schon sein muß

»Partyvorschläge«, »Popstars«.
»Etwas über Berufe, und welche Berufe für Mädchen zu schwierig sind«.
»Mädchenfußball«.
»Hobby«, »Etwas über Kakteenzucht«.
»Rätsel, Witze und kurze Geschichten«.
»Wie man mit den Eltern reden kann«.
»Was soll ich wann anziehen?«
»Kochrezepte, Mode zum Selberschneidern, Bastelvorschläge«.
»Ärger mit den Lehrern«.
»Auf keinen Fall etwas über Mode, Kosmetik und so«.
»Berichte über große Männer«.
»Wie stimmt man Kleid- und Lidschattenfarbe aufeinander ab?«
»Verhütungsmittel«.
»Roman«.
»Auf keinen Fall gutes Benehmen und so was«.
»Aussteuer – was braucht man?«
»Erziehung zur eigenen Meinung und Kritikfähigkeit«.
»Mal was anderes als solche albernen Mädchengeschichten«.
»Mädchenbücher sind überflüssig«.
Meinungen, Vorstellungen, Erwartungen zum Stichwort »Mädchenbuch« – geäußert von Mädchen zwischen zwölf und fünfzehn. Und eines von diesen Mädchen begann seine Themenvorschläge mit der resignierten Einleitung »Wenn es schon sein muß . . .«

Da sitzt man dann als Herausgeberin und Mitautorin zwischen sämtlichen Stühlen. Und die anfängliche Begeisterung, mal ein »anderes« Mädchenbuch zu machen – die ist erst einmal weg. Herausfinden, was »die« Mädchen interessiert – und dann die wichtigsten und am häufigsten genannten Themen herausfischen – so hatte ich mir das Ergebnis meines Versuchsballons »Mädchenbefragung« vorgestellt. Nun saß ich da mit meinem geplatzten Versuchsballon, vor einer Liste der widersprüchlichsten Vorstellungen, die Mädchen so haben. Denn daß es »die« oder gar »das« Mädchen gibt – diese Illusion war mir gründlich zerstört worden. Glücklicherweise. Wie soll man das Interesse am passenden Lidschatten unter einen Hut bringen mit »auf keinen Fall etwas über Mode und Kosmetik«? Kann es da überhaupt Kompromisse geben? Sollte man es nicht besser ganz sein lassen – es muß ja nicht sein? »Mädchenbuch« – und das in einer Zeit, wo alle Mädchen doch schon so ungeheuer emanzipiert sind, daß sie ein Mädchenbuch höchstens von außen betrachten, weil es ihnen von

Tante Emma auf den Geburtstagstisch gelegt wurde? Tante Emma hat es ja schließlich gut gemeint – und bedanken muß man sich auch noch dafür. Immerhin – eine dekorative Ergänzung für das Bücherregal.

»Es wurden nur Artikel aufgenommen, die Mädchen wirklich interessieren« – das stand auf dem Umschlag eines Mädchenbuches, das ich kürzlich in die Hand bekam. Und wer sagt *mir*, was Mädchen wirklich interessiert? Ein anderes Buch kam im Vorwort zu dem Schluß, daß nur Erfahrungen überzeugen können. Das half mir auch nicht weiter. Denn ich finde, daß Erfahrungen anderer nicht überzeugen können. Erfahrungen muß man selber machen, und auch dann ist das mit der Überzeugung oft noch so eine Sache für sich. Sollte ich mich also an den paar Aussagen festklammern, die nach Erziehung zu eigener Meinung und Kritikfähigkeit verlangten? Erzogen wird doch sowieso schon überall, in der Schule und im Elternhaus zum Beispiel.

Endergebnis: Ein Mädchenbuch machen wollen ist das eine – es so zu machen, daß Autoren und Leser zufrieden sind, das ist das andere. Und das weitaus schwierigere. »Das« Mädchenbuch kann es gar nicht geben. Und damit war der erste Ansatz geboren, ein Mädchenbuch zu machen, das von vornherein manche Mädchen enttäuschen wird. Wer seinen Lidschatten unbedingt auf die Kleiderfarbe abstimmen will – der wird hier vergeblich suchen und blättern. Wer Bastelvor-schläge und Geschenktips sucht, ebenfalls. Dies wird ein unfertiges Buch sein, ein Buch, das keine endgültigen Antworten gibt auf irgendwelche Fragen. Weil es Fragen behandelt, auf die man die Antwort selber finden muß. Das ist ungefähr so wie beim Turnen am Barren. Da steht ja auch jemand, der einem Hilfestellung gibt – drüberkommen muß man trotzdem alleine. Hilfestellung – übertragen auf dieses Buch hört sich das so ein bißchen nach Lebenshilfe an. Das wäre allerdings ein zu hoher Anspruch. Und eine Verantwortung, die ein Buch kaum übernehmen kann. Hilfestellung zum Nachdenken – das kommt der Sache vielleicht schon ein bißchen näher.

Wenn man Kakteen züchten will, kann man sich eine genaue Anleitung kaufen. Wenn man den passenden Lidschatten sucht, kann man eine Kosmetikerin fragen. Wenn man wissen will, ob man mit fünfzehn schon intime Beziehungen zu einem Jungen haben darf, dann kann man zwar auch fragen, aber man wird die unterschiedlichsten Antworten bekommen, und entscheiden muß man letzten Endes allein. Besser gesagt: man darf oder noch besser: man kann letztlich nur allein entscheiden.

Das wäre dann also Punkt eins meiner Vorstellung von einem Mädchenbuch: Themen aufgreifen und ansprechen, über die es sich lohnt nachzudenken. Zum Beispiel über das Verhältnis zu den Lehrern, über Liebe und Sexualität, über Suchtprobleme. Wenn einem die heißgeliebten Kakteen (nur um beim Beispiel zu bleiben) eingehen, wenn man statt eines Make-up immer nur eine Kriegsbemalung zustande bringt –.sind das nicht auch Probleme? Sicher, für den einzelnen schon. Aber erstens sind es Probleme, auf die sich doch sachlich eindeutige Antworten, Lösungen finden lassen, zweitens sind es Probleme, die gemessen an der Vielzahl von Mädchen immer nur einen kleinen Kreis interessieren. Diese Probleme werden hier außer acht gelassen. Genau besehen ist es also auch ein autoritäres Buch, ein Buch, bei dem Erwachsene darüber entschieden haben, welche Probleme die meisten Mädchen – und nicht nur die Mädchen – interessieren müßten. Früher oder später. Mancher wird mit dem, was er hier zu lesen bekommt, gar nicht einverstanden sein. Aber wenn man sagt »Ich bin hier ganz anderer Meinung!«, dann fängt man ja schon an nachzudenken. Gegen etwas sein – das ist vielleicht sogar einer der besten Ansätze, zu einem eigenen Standpunkt zu finden.

Ein Buch voller Probleme also? Breitgetreten und mit dem üblichen Wir-waren-ja-auch-mal-jung-Verständnis Erwachsener garniert? Vielleicht empfindet es mancher so – gewollt ist es nicht.

Und überhaupt – die Beiträge über das Lesen, übers Fernsehen und Verreisen, über Pop und Schlager – das sind doch keine Probleme, oder? Auf den ersten Blick sicher nicht. Es sind eher »Konsumthemen«. Kosmetika kaufen, Bücher lesen, fernsehen, Musik hören – das tut schließlich jeder. Und wenn in den entsprechenden Beiträgen diese Themen einmal anders angegangen werden, wenn man zum Beispiel etwas über den Hintergrund des Showgeschäfts erfährt oder jemand sich Gedanken darüber macht, warum und was man liest oder fernsieht, dann soll das weder unnötige Problematisierung sein noch Miesmacherei. Es soll eine Aufforderung sein, auch einmal über das nachzudenken, was man so ganz selbstverständlich jeden Tag tut.

Besonders wichtig ist es auch, Entscheidungen rechtzeitig zu überdenken, die man eines Tages wird treffen müssen – auch wenn es vielleicht bis dahin noch gute Weile hat: Entscheidungen über Schul- und Berufsausbildung. Hier stand im Vordergrund der Gedanke, so viel Information wie irgend möglich zu geben. So viel wie irgend möglich heißt, daß keine individuellen Fragen zur Sprache kommen, sondern mehr die allgemeinen, die alle angehen.

Etwas gibt es in diesem Buch nicht: Unterhaltung um der Unterhaltung willen. Also keine Geschichten, Witze, Rätsel oder gar Romane. Witze erfährt man sowieso, Rätsel gibt's in jeder Zeitschrift, Romane und Geschichten kann man in Hülle und Fülle in jeder Buchhandlung kaufen (oder auch in der Bibliothek ausleihen). Das soll nicht heißen, daß in diesem Buch nur Dinge zur Sprache kommen, über die noch nichts geschrieben wurde. Im Gegenteil – über alle Themen kann man an anderen Stellen mehr lesen, über alle ist schon ausführlich geschrieben worden. Das heißt aber andererseits nicht, daß hier nur wiedergekäut wird, was man woanders ausführlicher und vielleicht besser finden könnte. Wenn aber der eine oder andere Beitrag dazu verführt, sich

11

mit dem Thema weiter zu beschäftigen, dann wäre ein Ziel des Buches erreicht. Sich Gedanken machen über das, was einen selbst und was die anderen angeht, mit denen man zusammenlebt – sich nicht als Nabel der Welt zu betrachten, um den sich alles dreht, das ist die Absicht dieses Buches.

Im Grunde beneide ich die Autoren oder Autorinnen früherer Mädchenbücher. Als man noch genau wußte oder zu wissen meinte, was Mädchen interessiert. Diese Bücher haben zu ihrer Zeit ihren Sinn gehabt, und sie wurden im gleichen guten Glauben, mit dem gleichen guten Willen geschrieben wie dieses. Hätte es die Mädchenbücher früherer Jahre nicht gegeben, wäre auch dieses Buch, das anders, zeitgemäßer sein soll, nicht geschrieben worden.

Und wenn irgendwann, früher oder später, irgend jemand meint, daß es nun endlich an der Zeit sei, einmal etwas Neues und ganz anderes zu machen, dann hat dieses Buch noch einen weiteren Zweck erfüllt: Zwischenstufe zu sein in einer Entwicklung, bei der es von Schritt zu Schritt immer ein bißchen besser wird.

Evelyn Lattewitz

Zwei Briefe

Irmela und Eva-Maria Brender

Eva schreibt an ihre Mutter. Sie schreibt, was ihr zu Hause nicht so recht paßt, und sie berichtet, welche Schwierigkeiten andere Mädchen mit ihren Eltern haben – besonders mit den Müttern! Was wird Evas Mutter auf diesen Brief antworten?

Liebe Mams,
jetzt bin ich schon seit zwei Wochen bei Ulla und hab Dir immer noch nicht geschrieben.
Gestern abend sind wir eine halbe Stunde zu spät nach Hause gekommen, und jetzt hat Ulla eine Woche Ausgehverbot. Wir haben uns wahnsinnig darüber geärgert und versucht, mit ihrer Mutter zu sprechen, aber sie ist dabei geblieben, daß wir nach dem Abendessen das Haus nicht mehr zu verlassen haben. Verärgert gingen wir dann in Ullas Zimmer und haben uns darüber unterhalten. Wir besprachen dann noch andere Probleme, die wir mit unseren Eltern haben. Du verurteilst mich zwar nicht zu Hausarrest, aber ich darf nicht so lange wegbleiben wie meine Klassenkameraden und Freunde. Fast alle dürfen länger wegbleiben als ich. Und die, die es nicht dürfen, haben sehr altmodische Eltern. Findest Du es nicht falsch, wenn ein fünfzehnjähriges Mädchen schon um neun Uhr daheim sein muß? Sonst bist Du doch auch nicht so altmodisch! Ullas Mutter z. B. bestimmt, was Ulla anziehen muß und welche Poster sie an die Wand ihres Zimmerchens hängen darf. Ich finde, das geht ein bißchen zu weit! Da hat man ja gar kein Privatleben mehr. Das ist bei uns Gott sei Dank noch nicht ganz so weit gekommen. Dafür regst Du Dich schon auf, wenn ich meine Musik ein bißchen lauter laufen lasse, als Ihr es tut. Dabei gehört es doch zum Beat, daß er ein bißchen laut ist. Und Ihr seid auch nicht gerade leise, wenn Ihr Freunde eingeladen habt. Und das ist meistens dann, wenn ich gerade schlafen will. Dabei hört man bei Euch vor lauter Reden und Gelächter nicht einmal mehr die Musik, die Ihr nebenher noch laufen laßt. Das ist reine Stromverschwendung. Da kann ich doch auch mal etwas lauter sein mit meiner Musik, oder? Apropos Freunde: Sobald ich mehr als vier Leutchen mitbringe, kriegst Du es schon mit der Angst zu tun und kommst jeden Augenblick rein: Die Musik sei zu laut, wir sollten keinen Dreck machen, und und und.

13

Und dann glauben immer alle, Du wolltest hinter ihnen herspionieren, was für mich dann natürlich wahnsinnig peinlich ist. Und einmal habe ich nur meinen Freund und eine Freundin eingeladen bzw. sie sind halt gekommen. Weil wir es uns ein bißchen gemütlicher machen wollten, haben wir nur eine Kerze angezündet, so daß es etwas schummrig wurde. Du bist in mein Zimmer gerannt gekommen, als wenn es bei uns brennen würde, weißt Du noch? »Mach sofort die Lampe an! So etwas dulde ich nicht!« das waren Deine Worte! Ich kann mich noch genau daran erinnern. Aber warum Du so etwas nicht duldest, hast Du mir erst später verraten. Du dachtest, wir würden zu dritt Gruppensex machen und haschen. Ich war damals echt ent-

täuscht, daß Du mir so wenig vertraust und mir anscheinend alles Schlechte zutraust. Hast Du so wenig Vertrauen auf Deine Erziehung? Ich finde das genauso unmöglich wie das, was Ullas Eltern gemacht haben. Die haben nämlich versucht, mit vereinten Kräften, versteht sich, ihr ihren Freund auszureden. Er sei viel zu alt und sehe aus, als ob er es nur auf eines abgesehen hätte. Und daß er viel trinke, das sehe man ihm schon von weitem an. Ich meine, Ulla müßte doch selbst dahinterkommen, ob er zu ihr paßt oder nicht.

Sie ist dann nach dieser Auseinandersetzung zwei Monate nur aus Trotz mit ihm gegangen, bis sie selbst einsah, daß es keinen Sinn hat.

Stell Dir mal vor, Monika, Ullas kleine Schwester, muß die halben Ferien daheimsitzen und Bücher abschreiben. Das Buch darf sie sich gnädigerweise selbst aussuchen. Aber die Hefte nicht. Da kommt dann der Vater daher mit einem Heft, das die vierfache Dicke eines normalen Heftes hat und meint, das müsse sie in einer, höchstens zwei Wochen vollgeschrieben haben, sonst würde sie was erleben. Und nun muß sie, weil sie nun mal eine Mordsklaue hat und deshalb in Schrift ein Mangelhaft, sich in Schnellschreiben und Schönschreiben üben. Und wenn es durch die Hetzerei nun mal nicht schön wird – kann es ja gar nicht –, dann muß sie halt das nächste Heft vollschreiben! Und so weiter. Ulla meinte, das hätte sie früher nie gemußt, dafür hätte sie immer rechnen müssen, weil sie da schlecht gewesen wäre. Und eine Freundin von ihr würde zum Zeitunglesen gezwungen, was ihr furchtbar verhaßt sei.

Aber die schlimmste Strafe finde ich, wenn man mit Schweigen bestraft wird, so wie es Vater immer macht. Man kommt heim, er spricht nicht mit einem, man ißt zu Mittag, totales Schweigen, man fragt etwas, keine Antwort, man will etwas erzählen und er hört nicht zu. Dieses Ignorieren kann einen zur Verzweiflung führen. Ich komme mir dann immer gänzlich überflüssig vor und würde am liebsten abhauen.

Und ich würde gern mal über Taschengeld mit Dir reden. Ich finde, ich bekomme viel zu wenig, und dafür muß ich noch das ganze Wohnzimmer putzen, Staubwischen etc. Andere bekommen das Doppelte, nämlich 16 Mark im Monat oder noch mehr, und tun gar nichts daheim. Außerdem muß ich auch noch mein Schulzeug damit zahlen. Ja, anfangs war

ich froh, daß ich 8 Mark bekam, die Arbeit dafür nahm ich noch in Kauf, aber erstens war das schon vor einneinhalb Jahren und zweitens sind meine Ansprüche gestiegen. Und mir stinkt es, wenn ich samstags den halben Nachmittag daheimbleiben muß, um meine Pflichten zu erledigen, dadurch ist nämlich der ganze Nachmittag versaut, und ich kann mich nicht mehr mit meinen Freunden treffen.

Und durch das Rauchen verbrauch ich auch 'ne ganze Menge Geld. Ich weiß, daß ich daran selbst schuld bin. Aber darin bewundere ich Deine Haltung, daß Du nicht schimpfst, bloß gesagt hast, daß es halt nicht schön ist. Ich kann mich noch ziemlich daran erinnern, als Du reinkamst, und ich wollte mir gerade eine Zigarette anzünden. Andere Eltern schimpfen furchtbar und verbieten es ihren Kindern und bestrafen sie noch, auch wenn sie selbst wie Schlote rauchen. Daß ihre Kinder dann meist doch rauchen, bei Freunden, auf der Straße, in Cafés oder in Kneipen, daran denken sie gar nicht.

Ich kenne eine Familie, bei denen niemand raucht, obwohl es nicht verboten ist. Die Kinder haben zwar teilweise schon geraucht, aber nie lange, und sie haben es alle nach zwei Wochen oder so gesteckt.

Da sieht man, daß Verbote oft das Gegenteil bewirken.

Vorhin las ich in einer Zeitschrift, daß Eltern ein Mädchen hinauswarfen, das nach 10 Uhr bei ihrem Sohn war, der allerdings schon den Schlafanzug anhatte. Wie hättest Du Dich an der Stelle dieser Eltern verhalten? Ich finde, die Uhrzeit macht wenig aus, aber der Junge hätte sich ruhig etwas darüberziehen können. Überhaupt, wie lange dürften meine Freunde bzw. Freundinnen abends bei mir bleiben? Ich kenne auch eine Mutter, die warf den Freund ihrer Tochter nach Mitternacht aus dem Haus, nachdem sie ihn vorher öfter hinausgebeten hatte, worauf er allerdings nicht reagiert hatte. Daß das Mädchen allerdings dann mit dem Jungen aus dem Hause ging, schien der Mutter nichts auszumachen. Was stört es die Mutter, wenn die zwei die ganze Nacht ihren Abschied feiern wollten? Solange sie nicht laut sind...

Unheimlich peinlich finde ich es, wenn man vor Freunden ausgeschimpft wird, da man vor diesen gedemütigt wird. Und wer möchte schon gern vor Freunden oder bloß Bekannten, vor denen man ja etwas gelten will, seine Schwäche zugeben? Aber schlimmer ist es, wenn man in der Öffentlichkeit beschimpft oder geschlagen wird. Eine Freundin von mir war vor einem Jahr mit ihrer Mutter und ihren Geschwistern in einem Restaurant. Sie war damals vierzehn Jahre alt. Als die Suppe kam, stellte die Bedienung den Teller ungeschickt vor sie hin, so daß die Freundin kaum hinkam. Deshalb wollte sie gerade den Teller näher zu sich herholen. Aber er war zu heiß, so daß sie ihn fallen ließ und die Suppe über den ganzen Tisch schwappte. Es war ein ziemlich feines Lokal. Die Mutter wurde furchtbar böse, und ihr rutschte die Hand aus. Das Mädchen wurde knallrot, stand auf und ging. Ich glaube, ich hätte genauso gehandelt.

Diese Mutter hatte ihre Tochter eigentlich schon lange nicht mehr geschlagen. Sie wußte selbst nicht mehr, was in sie gefahren war.

Ach ja, vor ein paar Tagen haben Ulla und ich angefangen, uns ein Kleid zu nähen. Da wir nächste Woche abends immer in der Wohnung bleiben, haben wir ziemlich viel Zeit, um es fertig zu machen. Vielleicht werden wir dann noch etwas anderes anfangen. So eine Nähmaschine ist schon was Gutes. Mit der hier kann man sogar Knopflöcher nähen. Wir haben zwar ein Auto und einen Fernseher (was viele andere Leute nicht haben), aber eine Nähmaschine ist doch viel notwendiger. Schon in der Schule, wenn wir da etwas nähten, hieß es, wir sollten es zu Hause so und so weit fertigmachen. Wenn ich dann sagte, wir hätten keine Nähmaschine, schauten sie mich alle ganz ungläubig an. Ich kam mir vor wie ein Weltwunder. Unsere Handarbeitslehrerin meinte, daß ich zwar mit der Hand bis jetzt schön genäht hätte, aber daß ich es auch mit der Nähmaschine lernen müßte, und manche Nähte könnte man gar nicht mehr mit der Hand machen. Und es stimmt. Auch eine Hose enger zu nähen, geht mit der Maschine leichter und wird viel schöner. Auf jeden Fall finde ich eine Nähmaschine viel wichtiger als eine Geschirrspülmaschine, die sich bei uns sowieso nicht lohnt. Bis man alles vorgespült und in die Spülmaschine eingeräumt hat, hat man auch schon fast gespült.

Puh! Das war ein langer Brief, aber ich beende ihn jetzt. Alles Gute und schreib mir bald wieder.

Viele Grüße auch an die anderen

Deine Eva

Liebe Eva,

ich danke Dir für Deinen langen und ausführlichen Brief. Er hat mir eine Menge Stoff zum Nachdenken gegeben, deshalb hat es auch einige Zeit gedauert, bis ich ihn beantworten konnte.

(Das finde ich übrigens das Gute am Briefeschreiben – man kann sich die Argumente des anderen und die eigenen genau überlegen und haut nicht gleich – mit Worten natürlich – emotional drauf los, wie das bei Diskussionen oft ist. Vielleicht sollten wir uns häufiger Briefe schreiben, oder sie wenigstens als Grundlage für ein Gespräch nehmen.) Du hast eine Menge Erziehungsprobleme angeschnitten, solche, die wir miteinander haben, und die anderer Leute. Natür-

lich könnte ich es mir jetzt einfach machen und sagen: Was da die anderen Mütter und Väter treiben, ist haarsträubend – dagegen fallen meine paar pädagogischen Fehler überhaupt nicht ins Gewicht.

Aber wir wollen ja versuchen, offen miteinander zu reden. Und deshalb zuerst etwas Grundsätzliches: Mit Deinen 16 Jahren glaubst Du ja sicher nicht mehr, Erwachsene seien bessere Menschen, die alles wissen, immer das Richtige tun und in jeder Beziehung unfehlbar sind. Aber trotzdem scheinst Du zu unterstellen, daß Eltern es bei der Erziehung ihrer Kinder in der Hand haben, gerecht, weise und überlegt zu sein – und wenn sie das nicht sind, dann muß wohl böser Wille dran schuld sein.

Leider haben die Eltern in den allermeisten Fällen das Kindererziehen nicht gelernt – im Gegensatz zum Autofahren. Manchmal denke ich, ein Erziehungsschein, ähnlich wie der Führerschein, wäre gar nicht schlecht – wer ihn nicht hat, wird nicht auf Kinder losgelassen, noch nicht mal auf die eigenen. (Aber darüber wollen wir uns jetzt bitte nicht auseinandersetzen, das gäbe eine jener endlosen Diskussionen, an denen Ihr soviel Spaß habt und die mir manchmal auch »stinken«, weil sie so theoretisch sind, daß sie zu überhaupt nichts führen.) Andererseits sind die pädagogischen Theorien, die Gutwillige in den verschiedensten Büchern nachschlagen können, auch nicht immer eine Hilfe. Als Ihr zum Beispiel Babys wart, schrieben alle klugen Leute, Säuglinge müßten streng nach der Uhr gefüttert werden, und verwöhnen (aus dem Bettchen nehmen und herumtragen, wenn sie schreien) dürfe man sie auf keinen Fall. Das habe ich damals brav gemacht – heute sagt mir jeder Psychologe, daß das grausam und barbarisch war, Babys könnten gar nicht genug »Zuwendung« bekommen. (Noch nicht mal das Wort »Zuwendung« war vor 15 Jahren gebräuchlich.)

Also, Eltern sind bei der Kindererziehung auf ihren guten Willen, auf ihre eigenen Erfahrungen (und damit auch ihre eigene Erziehung), auf ihre Intelligenz und Phantasie angewiesen. Den guten Willen kann man sicher überall als gegeben voraussetzen. Aber schon bei den »eigenen Erfahrungen« wird es schwierig. Ich glaube zum Beispiel die Erfahrung gemacht zu haben, daß die (sicher nicht beabsichtigten) Ungerechtigkeiten bei meiner eigenen Erziehung

mir überhaupt nicht geschadet haben – ich habe eben früh gemerkt, daß Erwachsene, meine Eltern eingeschlossen, irrende Menschen sind. Kann ich nun diese Robustheit auch bei Euch voraussetzen? Offenbar nicht, denn die ungerechte Ohrfeige, die Deine Freundin im Restaurant von ihrer Mutter bekam, empört Euch tief – ich finde sie auch schlimm, aber ich kann auch die Mutter verstehen, der einfach die Hand ausgerutscht ist. Vermutlich hätte sie sich ein paar Minuten später bei ihrer Tochter entschuldigt. Die aber stürzte mit rotem Gesicht hinaus – und es hat bestimmt eine Zeitlang gedauert, bis der Vorfall beigelegt war. Ich bin nicht der Meinung, daß hier höhere Werte, wie etwa die Menschenwürde Deiner Freundin, verletzt wurden. Das war ein Ausrutscher, über den man nach dem ersten Schreck am besten gelacht hätte. (Wenigstens in Klammer muß ich sagen, daß der Mangel an Humor bei Leuten Deines Alters bemerkenswert ist.) Ihr reagiert da anders, und wir – entschuldige, wenn ich jetzt einmal verallgemeinere – sind überrascht, weil wir meinen, Ihr solltet letztlich so sein wie damals wir. Und da denken wir falsch, aber es ist sehr schwer, in der konkreten Situation diesen Fehler im voraus zu vermeiden.

Ich möchte da noch ein Beispiel nennen: Ich bekam mit 17 Jahren schwere Vorwürfe, weil ich am hellen Sonntagnachmittag mit einem Jungen eingehakt durch die Straße ging. Das galt als absolut unpassendes, auch eigentlich unsittliches Verhalten. Siehst Du – darüber können wir heute nur noch lachen, ich auch. Aber immerhin – so sind wir erzogen

18

worden, und es ist ein sehr weiter Weg von solchen Moralbegriffen bis zu heute, wo von Müttern erwartet wird, daß sie ihre Kinder im Schlafanzug Besuche empfangen lassen (ich weiß, ich drücke das jetzt ein bißchen überspitzt aus). Die Zeiten haben sich geändert, im Kopf weiß das jeder, aber bei einer raschen Reaktion stellt sich diese Erkenntnis nicht immer gleich ein.

Übrigens können sich die Zeiten ändern, wie sie wollen, an der Sorge der Eltern um ihre Kinder wird sich (hoffentlich) nichts ändern. Und da wären wir bei Deinem Beispiel – zu dritt am Abend in Deinem Zimmer bei schummerigem Kerzenlicht. So wie Du die Situation darstellst, habe ich mich falsch und eigentlich hysterisch verhalten. Aber für mich sah das anders aus: Es wird dunkel – warum machen die drei kein Licht? Und kein Laut dringt aus dem Zimmer – was treiben die nur? An Gruppensex habe ich nicht gerade gedacht, aber an Knutscherei, die leicht aus der Kontrolle geraten kann, und an Haschen natürlich – welche Eltern haben nicht dauernd die Angst vor Drogen im Hinterkopf? Es gibt ja schließlich auch die vielen Fälle von jungen Süchtigen, die sozusagen unter den Augen ihrer allzu arglosen, allzu vertrauensvollen Eltern auf diesen Weg gekommen sind. Kein Vertrauen zu haben ist falsch, aber Arglosigkeit ist auch falsch – Erziehung ist nicht nur zwischen diesen beiden Extremen ein Balanceakt.

Ullas Eltern, erzählst Du in Deinem Brief, haben versucht, Ulla den Freund auszureden. Ich kann mir schon denken, daß das wenig Erfolg hatte und nur Ullas Trotz verstärkte.

Aber ist es nicht verständlich, wenn Eltern mit ihrer doch etwas größeren Lebenserfahrung ihr Kind davor warnen wollen, sich falsche Freunde zu suchen? Diese Fürsorge ist doch eigentlich etwas sehr Positives. Oder fändest Du es besser, wenn die Eltern zu verstehen gäben: Mach du, was du willst, uns ist das egal? Der Mittelweg wäre die vernünftige Diskussion, aber wo soviele Gefühle im Spiel sind – Ullas Verliebtheit, die Sorge der Eltern –, kommt es selten zu sachlichen Gesprächen, wenn nicht beide Seiten wirklich dazu bereit sind.

Wie lange dürfen Freunde bleiben? Ich weiß, Du wirst meine Antwort stur finden, aber sie heißt trotzdem: So lange, wie es den Hausherrn, und das sind schließlich die Eltern, paßt. Natürlich spielt das Alter der Kinder eine Rolle, auch, wie gut diese Freunde den Eltern bekannt sind. Auch ich hätte den Freund meiner minderjährigen Tochter allerspätestens um Mitternacht aus dem Haus geworfen, wenn er auf vorausgegangene Bitten nicht reagiert hätte. Du schreibst, die Tochter sei dann ebenfalls gegangen. Ich glaube nicht, daß das der Mutter nichts ausgemacht hat. Vermutlich sah sie keine zivilisierte Möglichkeit, es zu verhindern – sie konnte das Mädchen wohl nicht gut anbinden. Aber ich betrachte das als einen Erpressungsversuch der beiden – entweder er darf bleiben, oder ich gehe auch. Und von Erpressung halte ich überhaupt nichts, wie soll es hinterher weitergehen? Jeder (auch erwachsene) Untermieter muß Wünsche seines Hausherrn über nächtliche Besuchszeiten respektieren, und ich finde, diese Höflichkeit kann man auch von Kindern erwarten. Die Motive der

Eltern – wieder die Sorge um das Kind, aber auch der berechtigte Wunsch nach Ruhe und nach Selbstbestimmung in den eigenen vier Wänden – sind doch zu verstehen!

Zu diesem ganzen Thema gehört etwas, was Du ausgespart hast, und ich will es auch nur antippen: Als wir mal über Ulla und ihren Freund sprachen, sagtest Du: »Ich verstehe wirklich nicht, warum sich die Eltern so aufregen – Ulla nimmt doch die Pille.« Gewiß, die Pille verhindert, daß Ulla mit ihren 16 Jahren eines Tages mit einem Baby dasteht, wie man so schön sagt. Das ist aber auch alles. Die Pille hilft Ulla nicht über Enttäuschungen hinweg, sie trägt nicht dazu bei, den richtigen Partner zu finden, sie schützt nicht vor seelischer Ausbeutung. Die Pille ist ein Empfängnisverhütungsmittel, aber kein Problemlöser auf dem so schwierigen und verwirrenden Gebiet, das mit den Schlagworten Liebe – Erotik – Sexualität umrissen wird. Daß die Eltern versuchen, ihren Kindern gewisse Richtlinien oder Maßstäbe zu vermitteln, daß sie es versuchen müssen, wenn sie ihre Fürsorgepflicht ernst nehmen – das hat mit der Pille eigentlich gar nichts zu tun. Im Gegenteil, manchmal meine ich, seit der Pille sind solche Maßstäbe noch viel wichtiger geworden.

Kommen wir wieder zu einfacheren Fragen, zu Problemen, die eigentlich keine sind – Dein Lob über mein Verhalten, als ich Dich beim Rauchen antraf, ist unverdient. Im Gegenteil, hier stünde mir Tadel zu, weil ich es nicht schaffe, auf die Zigaretten zu verzichten, und Dir dadurch ein schlechtes Beispiel gebe. Rauchen ist gesundheitsschädlich, teuer, eine ekelhafte Angewohnheit – darüber gibt es überhaupt keine Diskussion. Wenn ich trotzdem rauche, dann kannst Du vielleicht von Dir mehr Vernunft und Selbstbeherrschung verlangen, als ich sie aufbringe – ich kann das von Dir wirklich nicht fordern, ohne völlig unglaubwürdig zu werden.

Über das Taschengeld müssen wir miteinander reden. Vielleicht war es falsch von mir, Taschengeld mit Hilfeleistungen zu verbinden. Als wir damit anfingen, war es die einfachste Möglichkeit, Dich zu einer Mithilfe im Haushalt zu veranlassen. Auf diese Mithilfe bin ich aber angewiesen, denn ich kann unmöglich neben dem Beruf und allem anderen auch noch den ganzen Haushalt allein erledigen, und ich halte das auch für einen ungerechtfertigten Anspruch von Euch. Wir leben alle zusammen, und jeder sollte sein Teil dazu beitragen, daß dieses Zusammenleben möglichst reibungslos funktioniert, dazu gehört auch die Übernahme gewisser Pflichten. Was meinst Du, wie oft es mir »stinkt«, wenn mein Nachmittag oder Abend dadurch »versaut« ist, daß ich für uns alle bügeln oder einkaufen oder vorkochen oder Keller aufräumen muß! Ich bin gern bereit, mit Dir über Deine Pflichten zu diskutieren, am liebsten wäre es mir überhaupt, Du würdest da zupacken, wo es gerade nötig ist, aber in der Vergangenheit hat sich gezeigt, daß solche Bemühungen höchstens zwei Tage andauern. Wir werden es nach Möglichkeit so halten, daß Deine Freizeit nicht ungebührlich eingeschränkt wird, daß aber Deine Mithilfe auch anderen eine gewisse Freizeit bringt – das, meine ich, wäre fair.

Daß Kindertaschengeld ebenso einen »Kaufkraftschwund« mitmacht wie Elterngehalt, vergißt man leicht. Okay, wir müssen uns auf neue Sätze einigen. Aber daß ich Dir das Rauchen finanzieren soll, sehe ich eigentlich nicht ein. Für seine Laster muß man schon selber aufkommen.

Auch über die Ausgehzeiten müssen wir uns neu einigen. Und ich wäre Dir dankbar, wenn Du selbst Vorschläge machen würdest. Denk bitte daran, daß Du unter der Woche, wenn Du zur Schule mußt, um 6.30 Uhr aus dem Bett finden solltest, und denke auch daran, wie schwer Dir das fällt, wenn Du keine acht Stunden Schlaf hinter Dir hast. Und denke auch daran, daß wir recht abgelegen wohnen und abendliche Überfälle auf Mädchen und Frauen hier keine Seltenheit sind. Es wird nicht möglich sein, Dich jeden Abend im Jugendhaus oder bei Deinen Freunden abzuholen. Mir liegt vor allem daran, daß Du genug Schlaf bekommst und auf Deinem Heimweg nicht gefährdet bist. Ausgehzeiten sollte man, meine ich, nicht zum Erziehungsmittel machen (»wenn Du dies und das nicht tust, dann darfst du eben nicht mehr weg«, so in dem Stil), weil man damit unterstellt, daß es zu Hause öde und unerfreulich, überall anders aber aufregend und toll ist. Deshalb bin ich auch gegen Hausarrest.

Strafen sind bei Leuten in Deinem Alter wohl sowieso kein brauchbares Erziehungsmittel mehr. Natürlich fühlst Du Dich bestraft, wenn ich aus Verstimmung über Dein Verhalten einen gemeinsamen Theaterbesuch abblase oder mich zurückziehe, statt mit Dir über Deine neueste Schallplatte zu reden. Aber das ist nicht als Strafe gemeint – ich kann dann einfach nicht mehr, ich bin sauer, ich habe keine Lust, mit Dir zusammenzusein. Diese Reaktion muß man sich gegenseitig zugestehen. Auch Vaters Schweigen ist keine Bestrafung – er kann dann nicht mehr reden, weil er so verstimmt ist. Ich weiß, daß dieses Schweigen sehr verletzen kann, aber jeder Mensch hat eine andere Methode, mit seinem Ärger fertig zu werden, der eine schreit, der andere schweigt. (Weißt Du, was zu Deinen Methoden gehört? Du knallst die Türen – und ich kann Dir kaum schildern, wie mir das auf die Nerven geht!)

Ich halte nichts davon, Kindern vorzuschreiben, wie sie wohnen müssen, das heißt, welche Bilder und Poster sie an ihren eigenen vier Wänden haben. Ich halte mich da an eine mütterliche Freundin, die sagte: »Solange nichts krabbelt und nichts stinkt, kümmere ich mich nicht um die Kinderzimmer.« Natürlich bedeutet das auch, daß Ihr selber Ordnung halten müßt. Übrigens ist diese »Großzügigkeit« mir schon häufig von Gästen als reine Faulheit ausgelegt worden. Nach einem Blick in Eure Zimmer meinten die Besucher: »Nein, daß Sie aber auch eine solche Unordnung ertragen können!« Und meine Antwort, daß nicht ich, sondern Ihr diese Unordnung ertragen müßt, wurde recht verständnislos aufgenommen. Ich bin dagegen verständnislos, wenn ich in unseren gemeinsamen Räumen, in Wohnzimmer und Küche etwa, Eure Unordnung mitertragen muß – da hätte ich's gern so, daß ich auch drin leben kann.

Das menschliche Zusammenleben ist bestimmt eine der schwierigsten Auf-

22

gaben überhaupt, und in der Familie ist die Situation, in der man es lernt. Man lernt dabei nie aus, auch die Erwachsenen nicht (Du hast ganz recht – auch unsere Gäste müssen die Zimmerlautstärke einhalten, nicht nur Deine). Wie alles, was Menschen betrifft, ist auch das Zusammenleben – ebenso wie die Erziehung und ihre Maßstäbe – einer ständigen Veränderung ausgesetzt. Das macht die Geschichte so anstrengend, aber auch so interessant. Weißt Du – ich glaube, bloß auf dem Friedhof sind Menschen problemlos zusammen. Deshalb sollten wir nicht darüber stöhnen, daß wir Probleme miteinander haben, sondern ganz froh sein, daß wir darüber miteinander reden können – oder schreiben, wie jetzt. Ich wünsche Dir noch viel Spaß in den Ferien, und mach Dich (entschuldige, noch kann ich's nicht lassen) auch mal nützlich!

Alles Liebe

Deine Mams

P.S.: Bitte keine Nähmaschine! Denk an die vielen Heimwerkermaschinen, die wir ungenutzt herumstehen haben! Und wie ich das sehe, näht hier keiner gern und freiwillig (ich bestimmt nicht)! Für die paar Säume für die Schule kannst Du auch zu Ulla gehen. Und knapp bei Kasse sind wir momentan sowieso (noch dazu, wenn's mehr Taschengeld geben soll).

Leider haben nicht alle Evas oder wie sonst immer Mädchen heißen mögen, eine Mutter, der man so offene und ehrliche Briefe schreiben kann. Und die auch so ehrlich antwortet. Woran liegt es, daß so viele Töchter und Söhne meinen, mit den Eltern könne man nicht reden? Vielleicht liegt es daran, daß man oft erst dann miteinander spricht, wenn bereits der schönste Streit im Gange ist. Streit, Ärger und Wut sind aber schlechte Diskussionspartner. Wie wäre es einmal mit einem Versuch, wenn gerade Frieden herrscht? Wenn niemand auf den anderen aus einem ganz bestimmten Anlaß böse ist? Versuchen kann man es ja. Allerdings: ein wenig Bereitschaft zum Nachgeben und ein bißchen Einsicht in den Standpunkt des anderen gehören schon dazu – für beide Seiten! Immer wieder Ärger mit den Eltern gibt es zu einem Punkt, der auch in Evas Brief eine große Rolle spielt: die Sache mit den Freunden. Darf man einen haben? Und wenn ja – ab wann? Ist man mit fünfzehn noch zu jung für die Liebe?

»Für die Liebe bist Du noch zu jung«

Evelyn Lattewitz

Liebe ist ein großes Wort – kann man überhaupt sagen, was das ist? Wie ist das mit der Sexualität? Muß man mit 15 schon Bescheid wissen über Verhütungsmittel? Was tun, wenn einem der Freund einen »Liebesbeweis« abverlangt? Kann man wirklich mit niemandem über diese Fragen sprechen?

»Ab wann darf ich einen Freund haben?«
»Darf ich mit 15 schon die Pille nehmen?«
»Wie merke ich, ob mein Freund mich wirklich liebt?«
»Was ist überhaupt Liebe?«

Das alles sind Fragen von jungen Mädchen – nur der erste Satz, der in der Überschrift, stammt von einem Erwachsenen. Genauer gesagt: von einem Vater, der seiner fünfzehnjährigen Tochter ein für allemal verbot, sich mit ihrem Freund zu treffen (worauf sie es in Zukunft heimlich und mit ewig schlechtem Gewissen tat). Offensichtlich hatte dieser Vater (und viele andere Väter und Mütter haben das auch) Angst um das, was man so schön umschreibend »die Unschuld« eines jungen Mädchens nennt. Übrigens scheinen nur Mädchen über eine solche Unschuld zu verfügen – warum sagt man eigentlich bei einem Jungen nie »er hat seine Unschuld verloren«? Aber zurück zu dem besorgten Vater: er sagte »Liebe«, meinte aber sicher sexuelle, körperliche Beziehungen. Denn sonst wäre der Satz »Für die Liebe bist du noch zu jung« ganz einfach falsch. Für Liebe ist man nie zu jung. Sie ist (oder sollte es eigentlich sein) einer der wichtigsten Bestandteile des Lebens von Geburt an – und eigentlich schon davor. Denn schließlich hat ja das Kind schon seinen Ursprung in der Liebe – in der Liebe seiner Eltern zueinander.

Doch mit dem Begriff »Liebe« gehen wir so verschwenderisch um, daß man sich kaum noch traut, ihn zu verwenden: Man liebt seinen Mann, seinen Hund, seinen Beruf, die Pop-Musik ... und auf den einschlägigen Platten reimt sich dann womöglich noch »Liebe« auf »Triebe«! Da ist es geradezu ein Vergnügen, über Sexualität zu sprechen oder zu schreiben. Hier ist es mit dem Erklären auch viel einfacher. Es ist eigentlich merkwürdig, daß die meisten Erwachsenen über die Liebe noch einigermaßen unbefangen sprechen können (vielleicht gerade, weil sie selbst nicht so ganz genau wissen, was das ist?), daß sie aber beim Stichwort »Sexualität« oft

merkwürdig verlegen werden. Vielleicht liegt es daran, daß Sexualität oft nur verkürzt verstanden und nur auf die körperlichen Beziehungen zwischen Erwachsenen oder besser gesagt zwischen geschlechtsreifen Menschen bezogen wird. Sexualität ist aber viel mehr als Küsse, Liebkosungen und Geschlechtsverkehr zwischen mehr oder weniger Erwachsenen. Martin Goldstein definiert Sexualität in einem Lexikon so*:

»Sexualität: Lebenswille, der körperlich und geistig-seelisch wirksam ist und im Wunsch nach Lust, Kontakt und Zärtlichkeit zum Ausdruck kommt und die Erfüllung dieser Wünsche möglich macht.«

* Martin Goldstein / Will McBride: Lexikon der Sexualität.

Vielleicht muß man diesen Satz mehrmals lesen, um ihn zu verstehen. Aber aus ihm wird klar, daß Sexualität nicht etwas ist, das einen irgendwann im Laufe des Lebens »überfällt«, sondern daß sie ein Bestandteil des Menschseins ist. Manchmal ist es gut und auch notwendig, an Binsenwahrheiten zu erinnern: Jedes Kind wird als Junge oder als Mädchen geboren, es ist also von Anfang an mit einem Geschlecht und damit auch mit Geschlechtlichkeit ausgestattet. Sexualität ist nur ein Fremdwort dafür. In welchen Formen ein Mensch seine Sexualität im Laufe des Lebens zum Ausdruck bringt, mag sehr verschieden sein – aber einen Menschen ohne Sexualität gibt es nicht. Beim kleinen Kind ist das eigentlich alles noch ganz einfach: es verlangt, ja fordert Liebe, Lust und Zärtlichkeit. Und hat es Glück, so bekommt es das alles auch! Wenn man älter wird, wenn man anfängt erwachsen zu werden, dann wird zunächst einmal alles viel schwieriger und komplizierter. Zumindest kommt es einem so vor. An dem Bedürfnis nach Liebe, nach Lust und Zärtlichkeit hat sich eigentlich nichts geändert. Aber woher nehmen? Mit Vater oder Mutter schmusen – das mag man eigentlich nicht mehr so richtig. Jungen finden Mädchen doof, umgekehrt ist es nicht anders, und gleichzeitig finden Mädchen die Jungen und Jungen die Mädchen doch irgendwie anziehend. Man könnte oft gleichzeitig heulen und lachen, man möchte geborgen und

26

doch unabhängig sein, man ist furchtbar selbstbewußt und kriegt gleichzeitig beim geringsten Anlaß eine roten Kopf oder feuchte Hände. Kurz: man ist heute noch mit sich selbst und der Welt zufrieden, und findet am nächsten Morgen schon das eigene Spiegelbild unausstehlich.

Unsere Vorfahren nannten das bei den Mädchen neckisch das »Backfischalter«, bei den Jungen die »Flegeljahre«. Heute sind wir wissenschaftsbewußt und nennen diesen ganzen Vorgang streng und mit todernster Miene »Pubertät«. Früher oder später kommt man hinein – ob man will oder nicht! Und wie ist das nun mit der Sexualität in dieser Zeit, wo man nicht nur seelisch, sondern auch körperlich geradezu mit der Nase darauf gestoßen wird? Die Mädchen durch das Einsetzen der Menstruation, der Periode, die Jungen durch die Pollution, den ersten unwillkürlichen Samenerguß – beides Zeichen für die beginnende Geschlechtsreife. Da steht man dann mit all seinen Gefühlen, Ängsten und Nöten und kommt sich ziemlich verlassen vor. Und daß es den anderen genauso geht, das kann man sich eigentlich gar nicht so recht vorstellen – oder zumindest tröstet es einen nicht sonderlich. Ob zunächst zugegeben oder nicht: das Interesse an der eigenen Sexualität, am eigenen Körper, und das bewußte oder unbewußte Verlangen nach Lust und Zärtlichkeit werden immer größer. Übrigens ist die Selbstbefriedigung – auch Onanie oder Masturbation genannt – in dieser Reifezeit eine ganz normale und natürliche Angelegenheit. Ein schlechtes Gewissen oder gar Angst vor schädlichen körperlichen Folgen, die manche Erwachsene immer noch heraufbeschwören, sind völlig fehl am Platze. Gleichzeitig wächst aber in dieser Zeit auch das Interesse der Mädchen an den Jungen und umgekehrt.

Mädchen möchten meist erst einmal nur einen Freund haben, der sie versteht, mit dem sie reden können, mit dem sie ganz einfach gerne zusammen sind. Bei Jungen wird der Wunsch nach direktem körperlichen, sexuellen Kontakt meist früher wach, auch wenn sie das oft gar nicht wahrhaben wollen. Manchmal können aus diesen Gegebenheiten Situationen entstehen, in denen sich ein Mädchen überfordert fühlt, in denen es meint, etwas tun zu müssen, was es eigentlich noch gar nicht will. Man sollte seinem Freund klipp und klar sagen, wenn das so ist. Und wenn er dann sagt: »Dann suche ich mir eine andere Freundin, die nicht so zimperlich ist!«? Dann soll er das ruhig tun! Denn gerade im sexuellen Bereich etwas zu verlangen, wozu der andere im Grunde nicht bereit ist, das ist ein Zwang, wenn vielleicht auch nur ein indirekter, aus dem keine Partnerschaft, keine Liebe entstehen kann.

Liebe kann man lernen!

Was soll nun das schon wieder: Liebe kann man lernen? Lernen – das hat etwas mit Schule zu tun, aber doch nicht mit Liebe! Oder etwa doch? Woran merkt man denn überhaupt, ob man »nur« verliebt ist oder ob man den anderen wirklich liebt? Wobei es zwischen Verliebtsein und Liebe keine »Qualitätsunterschiede« gibt – nur ist es eben nicht das gleiche! Vielleicht könnte man sagen, Verliebtsein ist so etwas wie eine Vorstufe zur Liebe. Man ist vom anderen begeistert, man hängt an ihm und man hat gleichzeitig Angst, enttäuscht und verletzt zu werden. Denn im Grunde ist beim Verliebtsein noch jeder der beiden Partner ganz auf sich selbst bezogen. Man ist glücklich und kurz darauf vielleicht schon wieder gekränkt, weil man sich mißverstanden fühlt. Erst wenn einem der Partner genauso wichtig ist wie man sich selbst, wenn man zum Beispiel ein Gespür dafür bekommt, was den anderen kränken oder glücklich machen würde, wenn man im Grunde genommen zuerst an den anderen und dann an sich selbst

denkt, kann man von Liebe reden. Das liest sich jetzt vielleicht furchtbar anspruchsvoll, und man ist geneigt zu sagen, »das ist doch keine Liebe, wenn man immer zuerst an den anderen denkt – das ist doch Nächstenliebe!«. Der feine Unterschied ist aber der, daß ja diese Bereitschaft, das eigene Ich zurückzustellen, von beiden Partnern kommen muß – und dann hat das mit der stumm leidenden, verzichtenden Liebe, wie man sie in schlechten Romanen findet, nichts mehr zu tun. Vielleicht wird jetzt auch verständlicher, warum man – egal, ob Junge oder Mädchen – nie etwas fordern darf, was der andere nicht zu geben bereit ist. Wenn ein junger Mann von einem Mädchen fordert, daß es sich ihm auch sexuell hingibt,

daß es mit ihm schläft »als Liebesbeweis«, dann ist dieser junge Mann ganz einfach noch nicht reif genug für eine partnerschaftliche Liebe. Um es ganz klar zu sagen: Dieses «Reifsein für die Liebe«, liebesfähig zu sein, ist keine Frage des Alters. Psychologen würden wohl sagen, daß sich diese Fähigkeit so in der Zeit zwischen 17 und 20 entwickelt. Aber es gibt hier – und das ist wichtig – keinerlei Normen, an die man sich halten müßte. Mancher ist mit 15 oder 16 schon zu einer solchen partnerschaftlichen Liebe fähig, mancher wird es sein Leben lang nicht sein. Und die Fähigkeit zu lieben hat auch nichts mit Ehe zu tun – besser gesagt: diese Fähigkeit ist nicht an die Institution »Ehe mit Brief und Siegel« gebunden. In der Regel werden zwei Menschen, die sich lieben, auch zusammen leben wollen. Ob sie das dann in der Ehe oder in einer anderen Form tun – das ist ganz allein ihre Sache. Will man allerdings die Verantwortung für Dritte, also für eines oder auch mehrere Kinder übernehmen, dann ist es, zumindest in unserer heutigen Gesellschaft, sicher sinnvoller zu heiraten. Denn trotz aller Erleichterungen – so sind beispielsweise ja die unehelichen Kinder den ehelichen rechtlich gleichgestellt – haben es uneheliche Kinder nach wie vor in mancher Hinsicht ungleich schwerer als eheliche. So bedauerlich es ist: Unehelichen Kindern haftet noch immer ein völlig ungerechtfertigter Makel an.

Sexualität vor der Ehe?
Eigentlich ist die Frage falsch gestellt, denn Sexualität ist ja immer vorhanden. Und gemeint ist mit dieser Frage wohl auch viel mehr die Aufnahme sexueller, geschlechtlicher Intimbeziehungen. Klarer gesagt: ob man sich nicht nur küßt und miteinander zärtlich ist, sondern ob man auch miteinander schläft. »Miteinander schlafen« ist nicht nur eine Umschreibung von »Geschlechtsverkehr haben«, denn es umfaßt mehr als den bloßen Sexualakt, es umfaßt auch das entspannte und glückliche Zusammensein vorher und hinterher. Wenn man dieses intimste Beisammensein als einen wichtigen (wenn auch nicht als allein wichtigen) Bestandteil einer partnerschaftlichen Liebe betrachtet, dann gilt für ihn logischerweise das gleiche, was weiter oben gesagt wurde. Er hat dann seine Berechtigung vor der Ehe ganz genauso wie in der Ehe.
Nun könnte man natürlich einwenden: »Wenn partnerschaftliche Liebe in der Regel sowieso in die Ehe mündet, dann wird also doch wieder die stillschweigende Moral »Geschlechtsverkehr erst in der Ehe« aufrechterhalten. Das stimmt aber nicht. Es gibt genügend vernünftige und einsichtige Gründe, warum zwei Menschen, die einander lieben, nicht oder noch nicht heiraten können oder wollen. Niemand kann oder sollte sie daran hindern, trotzdem auch ihre Sexualität zu ihrem Recht kommen zu lassen.

Sexualität als Konsumartikel
Etwas ganz anderes ist es aber, wenn Sexualität nur als Konsumartikel betrachtet wird. Nicht nur in offenherzigen Illustriertenbildern

oder in Filmen wird Sexualität oft als etwas gezeigt, das man nun einmal so im Vorbeigehen mitnimmt: Geschlechtsakt zur Triebbefriedigung mit der gleichen Selbstverständlichkeit wie Essen und Trinken gegen Hunger und Durst. Das ist ganz bestimmt nicht der Sinn der Sache. Wer damit herumprotzt, wieviele Freunde oder Freundinnen er (oder sie) schon gehabt hat, wer – womöglich noch mit detaillierten Schilderungen – »Noten« dafür verteilt, wie »gut« diese(r) oder jene(r) »im Bett« gewesen ist, der stellt sich selbst ein Armutszeugnis aus. Meist sind es gerade Jungen oder Mädchen, die im Grunde einsam sind, die noch gar nicht zu sich selbst gefunden haben und deswegen ständig vor sich und vor anderen bestätigt

sehen möchten, was sie doch für tolle Frauenhelden oder männermordende Vamps sind. Man kann sich auch in der Liebe irren, man kann etwas für Liebe halten, was keine war, und niemand kann für die Dauer einer Liebe Garantien geben. Wer aber unentwegt auf der Suche ist nach neuen sexuellen Abenteuern, der ist im Grunde mit seiner eigenen Sexualität und mit seiner seelischen Entwicklung nie fertig geworden – das gilt auch für Erwachsene!

Genauso wenig sollte man sich irgendwelche Zwänge auferlegen. So nach dem Motto, »wer mit 17 noch Jungfrau ist, ist selber daran schuld«. Für seine Jungfernschaft ist jedes Mädchen sich selbst und keinen Normen verantwortlich. Für die Jungen gilt genau das gleiche – auch wenn man das bei ihnen nicht »Jungfernschaft« nennt! Daß Jungen mehr Erfahrungen machen dürfen oder sogar sollten als Mädchen – dieser Unsinn wird leider immer noch verbreitet. Für sexuelle Aktivitäten lassen sich nun einmal keine Normen, keine Vorschriften aufstellen – weder was das Alter noch was die Häufigkeit angeht, mit der man sich sexuell betätigt. Daß hier heute viele falsche und damit hemmende Vorstellungen durch die Köpfe nicht nur der Jugendlichen geistern, hat sicher etwas mit der überzogenen Aufklärungswelle der vergangenen Jahre zu tun. Nachdem Generationen hindurch alles Sexuelle tabu war – zumindest, was das Reden darüber anlangte –, hat diese Aufklärungswelle bei allen guten Seiten auch ihre negativen Folgen gehabt.

Früher hieß es – zumindest für Mädchen – ganz streng »Du darfst auf keinen Fall...«; heute heißt es dagegen manchmal »Du mußt unbedingt«. Beides ist Zwang und damit abzulehnen. Weder ist Jungfräulichkeit ein Moralprinzip noch ist das Gegenteil eine Forderung, der man unbedingt nachkommen muß.

Dennoch gibt es zwei Grundsätze – der Engländer Alex Comfort hat sie vor einigen Jahren in einem Buch formuliert – die für sexuelle Beziehungen zwischen zwei Menschen als verbindlich gelten können:

1. »Du sollst die Gefühle eines Menschen nicht rücksichtslos ausnutzen und ihn mutwillig enttäuschenden Erfahrungen aussetzen.«

Über die erste Hälfte des Satzes ist hier schon genug geschrieben worden. Für die zweite Hälfte, für das »mutwillig«, bedarf es vielleicht noch einer Ergänzung. Mutwillig heißt, daß man von vornherein weiß, daß dem anderen mit ziemlicher Sicherheit eine enttäuschende Erfahrung bevorsteht. Wenn beispielsweise ein Junge einem Mädchen den schon zitierten »körperlichen Liebesbeweis« abverlangt, obwohl er weiß, daß es dazu eigentlich gar nicht bereit ist. Liebe braucht keine »Beweise« – sie braucht vor allem Vertrauen.

Daß auch bei einer wirklich partnerschaftlichen Liebe Enttäuschungen nicht ausgeschlossen sind, das ist eine ganz andere Sache. Gerade in der Anfangszeit körperlicher Sexualbeziehungen kommt es häufig zu Enttäuschungen, weil man sich viel mehr »davon« erhofft hat. Das sind keine mutwilligen Enttäuschungen, hier spielen überhöhte Erwartungen, aber auch Ängste und Unerfahrenheit eine Rolle. All das aber läßt sich, wenn man sich wirklich lieb hat und auch bereit ist, Enttäuschungen einzugestehen und darüber zu reden, im Lauf der Zeit gemeinsam bewältigen.

Die zweite These lautet folgendermaßen:

2. »Du sollst unter keinen Umständen fahrlässig die Zeugung eines unerwünschten Kindes riskieren.«

Diese These ist mindestens genauso wichtig wie die erste. Jedes Kind hat ein Recht darauf, erwünscht zu sein. Daß immer noch viel zu viele Kinder sozusagen »Verkehrsunfälle« sind, ist nicht nur für diese Kinder schlimm, es hat in der Regel auch schwerwiegende Folgen für die angehenden Eltern – vor allem, wenn sie beide noch sehr jung sind und sich womöglich noch gar nicht einmal sicher sind, ob sie überhaupt beisammenbleiben wollen. Zu heiraten, nur weil ein Kind unterwegs ist – das ist eine Konsequenz, die gut überlegt sein will. Sicher, es kann alles gut gehen, es kann aber auch sehr leicht schief gehen. Wenn man sich nicht ganz, ganz sicher ist, daß man sowieso diesen und keinen anderen Partner hätte heiraten wollen, dann stehen die Chancen vielleicht noch am günstigsten. Obwohl auch dann nicht ausgeschlossen ist, daß in späteren Jahren einer dem anderen vorwirft, er hätte nur wegen dieser Heirat zum Beispiel die Schule oder seine Berufsausbildung nicht abschließen können und das Kind sei an allem schuld.

»Damit das Kind einen anständigen Namen hat . . .«, auch dieses Argument kann man immer noch hören. Auf keinen Fall sollte man sich von ihm überzeugen lassen. Ist der Name der unverheirateten Mutter vielleicht weniger ehrlich als der des unverheirateten Vaters?

Glück haben all diejenigen Jungen und Mädchen, die sich in einer solchen Situation vertrauensvoll an verständnisvolle Eltern wenden können. Und von diesen verständnisvollen Eltern gibt es glücklicherweise inzwischen mehr als früher. Wer das nicht kann, der sollte auf alle Fälle gemeinsam mit dem Partner zu einer Ehe- und Familienbe-

ratungsstelle gehen (die wichtigsten Kontaktadressen stehen im Anhang dieses Buches). Viel besser ist es natürlich, wenn man gar nicht erst in die Situation kommt, sich mit einer ungewollten Schwangerschaft auseinandersetzen zu müssen. Gegen einen Irrtum in der Liebe gibt es keinen sicheren Schutz – gegen ungewollte Kinder dagegen gibt es ihn. Und es ist wichtig, sich über die Methoden der Empfängnisverhütung rechtzeitig zu informieren. Das heißt, eigentlich schon bevor man sie braucht. Jede Methode hat ihre Vor- und Nachteile, die es gegeneinander abzuwägen gilt. Und eigentlich sollten das beide Partner miteinander tun. Denn selbst wenn das Mädchen durch die Einnahme der Pille die Verantwortung allein trägt,

sollten beide vorher miteinander darüber gesprochen haben.

Pille schon mit 15?

Ob man nun von dem Zusammenhang zwischen partnerschaftlicher Liebe und Geschlechtsverkehr überzeugt ist oder nicht – wer mit seinem Partner schläft, auf keinen Fall ein Kind will und dennoch keine empfängnisverhütenden Mittel verwendet, handelt unverantwortlich gegenüber sich selbst, seinem Partner und dem möglicherweise entstehenden Kind. Eigentlich ist es aber nicht ganz richtig, von Empfängnisverhütung zu sprechen. Besser ist es, Empfängnisregelung zu sagen.

Denn diese Mittel sind ja nicht nur dazu da, das Entstehen von Kindern

33

zu verhindern – sie sind auch dazu da, zu »Wunschkindern« zu verhelfen. Kinder zu haben ist etwas Wunderschönes. Aber es ist auch eine Aufgabe, vielleicht eine der wichtigsten, die man im Leben überhaupt haben kann. Und dieser Aufgabe sollte man sich erst dann stellen, wenn man sich ihr gewachsen fühlt.

Noch nie gab es so sichere empfängnisregelnde Methoden wie heute. Für welche man sich entscheidet, ist Sache des einzelnen Paares. In manchen Fällen hat allerdings auch der Arzt ein wichtiges Wort mitzureden. So zum Beispiel bei der sichersten Methode, die es überhaupt gibt, der Pille. Ob und ab wann man die Pille nehmen darf, muß der Arzt, besser gesagt der Frauenarzt, entscheiden. Grundsätzlich gilt, daß junge Mädchen die Pille erst nehmen sollten, wenn sie einen regelmäßigen Zyklus haben, das heißt, wenn ihre Monatsblutung schon ein bis zwei Jahre in regelmäßigen Abständen einsetzt. Hat der Arzt keine Einwände gegen die Pille, so wird er das entsprechende unter den vielen Präparaten auswählen, das er für das geeignetste hält. Wenn man ein bestimmtes Präparat nicht verträgt, so schafft meist ein Pillenwechsel Abhilfe – aber auch darüber sollte der Arzt entscheiden. Nach längerer Einnahme wird der Arzt wahrscheinlich zu einer Pillenpause raten, um festzustellen, ob wieder ein Eisprung erfolgt (der ja durch die Pilleneinnahme verhindert wird). Vor dem Arztbesuch sollte man sich nicht drücken – auch dann nicht, wenn man eine »gute Quelle« hat, wo man die Pille unter der Hand bekommt.

Übrigens bietet die Pille während des ersten Einnahmemonats noch keinen absoluten Schutz.

Was sonst noch bei der Einnahme zu beachten ist und was zu tun ist, wenn man die Pille einmal vergessen hat, das steht auf den Beipackzetteln der einzelnen Packungen (gründlich lesen!). Ob junge Mädchen überhaupt die Pille nehmen sollten – darüber ist viel gestritten worden und wird immer noch gestritten, denn schließlich greift sie ja ganz massiv in den Hormonhaushalt ein. Nur mal eben so vorsichtshalber und für alle Fälle lohnt sich die Pille sicher nicht – man kauft sich ja auch kein Auto, nur weil man irgendwann einmal den Führerschein machen wird!

Eine weitverbreitete und in Kombination mit chemischen Mitteln auch verhältnismäßig sichere Methode ist das Kondom (Präservativ, Gummischutz). Das Kondom wird vom Mann über das steife Glied gezogen und fängt den Samen auf. Sinnvoll ist aber hier sicher die zusätzliche Anwendung chemischer Schutzmittel, die vom Mädchen in die Scheide eingeführt werden. Es gibt sie in verschiedenen Formen als Zäpfchen, Spray oder auch als Creme. Auch hier ist es wieder wichtig, die Gebrauchsanweisung genau zu lesen! Viele Jugendliche mögen diese Methode nicht, weil sie technische Eingriffe während des intimen Beisammenseins mit sich bringt. Wenn aber beide Partner darüber miteinander reden, läßt sich dieses psychologische Hindernis sicher beseitigen.

Höchst unsicher ist die Methode,

sich nach den empfängnisfreien Tagen zu richten. Sie wird auch Knaus-Ogino-Methode genannt, denn es waren die Forscher Knaus und Ogino, die erstmals wissenschaftlich nachwiesen, daß man die fruchtbaren und die unfruchtbaren Tage einer Frau ausrechnen kann. Diese Methode erfordert zunächst das genaue Führen eines Menstruationskalenders über mindestens ein Jahr, um herauszufinden, wie lang der durchschnittliche Zyklus ist (also die Dauer vom ersten Tag einer Periode bis zur nächsten). Da eine Befruchtung nur um die Zeit des Eisprunges herum erfolgen kann, und der Eisprung normalerweise in die Mitte des Zyklus fällt, kann man dann ungefähr errechnen, an welchen Tagen eine Befruchtung stattfinden kann und an welchen nicht. Diese Methode hat außer der ständigen »Rechenarbeit« noch zwei weitere Nachteile: Man darf nur nach dem Kalender Geschlechtsverkehr haben, und außerdem kann einem selbst bei genauester Berechnung die Natur einen Strich durch die Rechnung machen. Ein Eisprung kann auch völlig außerhalb des üblichen Rhythmus vorkommen – durch Freude oder Schreck oder etwa durch eine Luftveränderung bei Reisen.

Viel zu unzuverlässig ist der abgebrochene Geschlechtsverkehr, auch »Aufpassen« oder wissenschaftlich »coitus interruptus« genannt. Bei dieser Methode zieht der Mann sein Glied kurz vor dem Höhepunkt, also vor dem Samenerguß, aus der

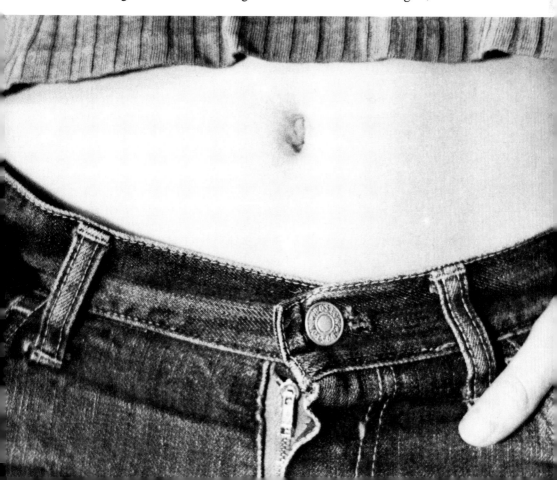

Scheide zurück. Diese Methode ist aus zwei Gründen völlig abzulehnen: Erstens kann auch schon vorher – vom Mann unbemerkt – Samen ausgestoßen werden, so daß eine Befruchtung stattfinden kann, zweitens stellt diese Methode eine ständige psychische Belastung dar: für den Mann, weil er den richtigen Zeitpunkt nicht verpassen darf, für das Mädchen, weil es ständig befürchten muß, daß das »Aufpassen« eben doch nicht so klappt. Das kann zu einer Dauerbelastung der Partnerschaft und schließlich auch zu seelischen Störungen führen. In diesem Zusammenhang muß vielleicht auch noch erwähnt werden, daß in den Köpfen vieler Mädchen immer noch das Märchen herumspukt, daß »beim ersten Mal« noch nichts »passieren« kann. Das ist aber tatsächlich nur ein Märchen!

Immer mehr Verbreitung findet auch bei uns das sogenannte Intra-Uterin-Pessar (IUP). Intra-uterin heißt »innerhalb der Gebärmutter«. Das IUP wird vom Arzt in die Gebärmutter eingelegt und kann dort, bei regelmäßiger Kontrolle durch den Arzt, mehrere Jahre bleiben. Diese Pessare bestehen aus einem gewebefreundlichen Kunststoff, manchmal in Verbindung mit Kupfer, und verhindern das Einnisten des befruchteten Eis in die Gebärmutterschleimhaut, nicht aber die eigentliche Befruchtung. Für junge, noch nicht ausgewachsene Mädchen dürfte diese Methode kaum in Frage kommen. Sie soll hier nur erwähnt werden, weil sie für die erwachsene Frau eine recht gute Alternative zur Pille bietet. So hundertprozentig wie bei der Pille ist der Schutz allerdings nicht. Auf die Sterilisation, also die Unfruchtbarmachung von Mann oder Frau, soll hier gar nicht eingegangen werden. Ein so folgenschwerer Entschluß, wie es der endgültige Verzicht auf eigene Kinder ist, kann als Mittel der Empfängnisverhütung für Jugendliche sicher nicht zur Diskussion stehen.

Beratung ist besser

Die Zusammenstellung der wichtigsten empfängnisregelnden Methoden an dieser Stelle kann und soll nicht mehr sein als eine grobe Übersicht. Sie soll nur zeigen, daß es heutzutage genügend Möglichkeiten gibt, sich vor einer ungewollten Schwangerschaft zu schützen. Am schönsten wäre es, wenn man mit den eigenen Eltern über dieses Thema reden könnte, wenn man mit ihrem Wissen und Einverständnis zum Arzt geht, um sich beraten zu lassen (wegen der Pille zum Beispiel). Ist das aber nicht möglich, so sollte man andere Beratungsmöglichkeiten in Anspruch nehmen – übrigens gilt für Ärzte auch hier die Schweigepflicht. Außerdem gibt es in den meisten größeren Städten Beratungsstellen der »pro familia« und oft auch der Kirchen, an die man sich wenden kann. Auch wenn man jung und unverheiratet ist, wird man hier nicht mit moralischer Entrüstung von der Schwelle vertrieben! Übrigens: hier ist »Partnerlook« angebracht! Nicht so nach dem Motto »Geh du doch mal fragen ...« – sondern gemeinsam hingehen. Und als Erinnerung noch einmal: nie gegen These zwei verstoßen!

Das klingt zunächst alles ziemlich schwierig. Zugegeben: So einfach ist das auch gar nicht mit der Liebe. Wo es um Gefühle geht, kommt es auch zwischen Erwachsenen immer wieder zu Irrtümern und Mißverständnissen. Vieles wird aber leichter verständlich und für einen selbst klarer, wenn man darüber spricht. Bei den praktischen Fragen sollte das eigentlich eine Selbstverständlichkeit sein. Warum nicht mit den Eltern über Verhütungsmittel reden – schließlich gehört Sexualität zu ihrem Leben genauso wie zu dem ihrer Kinder. Nichts ist so lächerlich, als wenn Mutter und Tochter heimlich und vom andern möglichst unbemerkt die Pille nehmen . . . Gemeinsam mit Schwierigkeiten fertig zu werden ist immer einfacher als alleine. Das gilt auch für einen anderen Bereich, in dem es oft Probleme und Ärger gibt: für die Schule. Meckern allein hilft nicht. Wer auf die Schule und die Lehrer schimpft, sollte sich auch einmal anhören, wie andere auf die Schule und die Schüler schimpfen – die Lehrer! Denen fällt nämlich auch manchmal etwas Kritisches ein in Sachen Schule.

Lehrer sind das Letzte!

Evelyn Lattewitz/Georg Stefan

Schulalltag, wie er im Buche steht: immer Ärger mit den Lehrern. Schulalltag, wie er auch im Buche steht: immer Ärger mit den Schülern. Warum kommen Schüler und Lehrer oft so schlecht miteinander aus? Was einem Lehrer im Laufe eines Schuljahres so nebenbei alles ein- und aufgefallen ist: zur Schule, zu den Schülern und zu sich selbst. Viele Fragen – und eigentlich keine Antworten.

»Lehrer sind ja nun wirklich das Letzte« – Petra feuert die Mappe in die Ecke. Am liebsten würde sie die Mehrzahl dieser »letzten« Lehrer und -innen hinterherfeuern. Ein paar Ausnahmen gibt es schon, zu-

gegeben, aber das sind eben die berühmten Ausnahmen, die nur die Regel bestätigen. Ansonsten sind Lehrer doof, sie sind ungerecht, unberechenbar, immer überlegen, manchmal ironisch. Haben immer das letzte Wort, und am längeren Hebel sitzen sie sowieso. Manche haben so einen richtigen »pädagogischen Heiligenschein«, sind beleidigt, wenn man auf ihre klugen Vorschläge nicht eingeht, geben sich erst einmal großzügig-liberal und nach einer Weile werfen sie dann doch mit Strafarbeiten nur so um sich.

»Schüler sind doch wohl das Letzte«, wütend knallt Peter K., Realschullehrer in B., seine Mappe auf den häuslichen Schreibtisch. Schule ohne Schüler – das wäre etwas . . .! Schüler sind (von Ausnahmen abgesehen, die aber nur die Regel bestätigen) unerbittlich. Die kleinste menschliche Schwäche – schon ist man als Lehrer untendurch. Dauernd schreien sie nach mehr Rechten – gibt man ihnen welche, wissen sie nichts damit anzufangen oder nutzen sie schamlos aus. Begeisterung zeigen sie kaum einmal für etwas. Und wenn, dann ist es meistens nur ein Strohfeuer. Geistige Anstrengung ist nicht gefragt. Durchmogeln ist besser. Und unkameradschaftlich sind sie auch. Das Feilschen um Noten kurz vor dem Zeugnis, das ist doch geradezu widerlich . . .

Königskinder oder: Feinde per Erlaß

Wie ist das nun mit Lehrern und Schülern. Sind sie die Königskinder aus dem Volkslied, die nicht zueinanderkommen können? Dann müßte man herausfinden, wer die Kerze ausgeblasen hat . . .! Oder sind sie Feinde per Erlaß, von oben verordnet und unabänderlich? Auf alle Fälle sind sie aufeinander angewiesen, führen miteinander über kürzere oder längere Zeit eine – ja, man könnte es vielleicht Zwangsehe nennen. Auch wenn's in den ersten Schuljahren vielleicht noch die große Liebe war . . .

Aufeinander angewiesen: das heißt nicht nur: die Schüler auf die Lehrer. Weil eben alle Wege zu guten Noten nicht am Lehrer vorbeikönnen. Genauso sind die Lehrer auf die Schüler angewiesen. Eine Klasse, stumm wie die Fische oder laut wie eine Affenhorde – da kann kein Mensch einen brauchbaren Unterricht halten.

Und so ist der wütende Knall, mit dem Mappen in Ecken oder auf Schreibtische fliegen, eben auch bei beiden zu finden – bei Lehrern und Schülern. Einzige Genugtuung: man weiß, daß der andere sich auch ärgert . . . Letzten Endes ist das aber ein schwacher Trost.

Der längere Hebel

Das ist bei Schülern und Eltern das beliebteste Argument: Die Lehrer sitzen ja doch immer am längeren Hebel. Sitzen sie wirklich? Dürfen Lehrer wirklich (fast) alles, Schüler aber (fast) nichts? Oder sind die Lehrer vielleicht gar nicht so allmächtig, wie es manchmal den Anschein hat? Zugegeben, es gibt ziemlich unangenehme Exemplare unter den Lehrern. Solche, die sich an einer widerspenstigen Klasse durch

gesalzene Klassenarbeiten »rächen«, solche, die sich geradezu diebisch freuen, wenn sie beim mündlichen Abfragen einen erwischen, der gerade heute seine Wörter nicht gelernt hat. Es gibt Lehrer, mit denen man gar nicht erst zu reden braucht – sie haben ja doch immer recht! Es gibt aber auch andere. Solche, die nicht immer nur versuchen, die Schüler hereinzulegen, solche, die sich bemühen, fair zu sein, solche, mit denen sich auch einmal reden läßt. In einen Topf werfen lassen sich die Lehrer so wenig wie die Schüler. Manche Schüler denken hier und da über ihre Lehrer nach – sie finden sie im großen und ganzen annehmbar oder durchweg einfach »mies«. Von den Lehrern denkt aber ab und zu auch mal einer über seine Schüler nach. Ob er sie annehmbar, mies oder sonstwie findet, oder ob ihm in diesem Zusammenhang noch andere Dinge einfallen – das hat hier ein Lehrer in einer Art Tagebuch aufgeschrieben. Ein Lehrer übrigens, der findet, daß er mit seinen Schülern und Schülerinnen im großen und ganzen gut zurechtkommt.

20. Februar – Das Fest
War Erika nur erstaunt oder auch erbost, als sie sagte: »Aus Ihnen wird man nicht schlau!«. Mit eini-

gen Schülern und Schülerinnen hatte ich am Freitag im Keller von Erikas Elternhaus ein Faschingsfest gefeiert. Ich war ausgelassen, hatte Tänze aus meiner »Jugendzeit« gefordert und hatte meinen Schülerinnen Boogie beizubringen versucht – das ist noch immer ein Heidenspaß! Aber Spaß, Ausgelassenheit beim Tanz – das hatten die Schülerinnen wohl nicht erwartet von einem sonst so »gestrengen Herrn Lehrer«! Hätte ich stocksteif dasitzen und mit demselben ernsten Blick wie zu Unterrichtszeiten meine Schüler beobachten, die Paare gar fixieren sollen? Soweit kann doch die pädagogische Aufgabe des Lehrers wohl nicht gehen. Erika hat mich sicher nicht eingeladen, damit ich mich wie ein Lehrer verhalte. Oder war ich etwa nur ein Alibi für die Party gegenüber ihren Eltern? So nach dem Motto »wenn ein Lehrer dabei ist, dann wird es schon sittsam zugehen?«. Alibi auf einer Party – das wäre eine bittere Enttäuschung. Aber wahrscheinlich war es ganz anders. Erstaunt war Erika wohl, weil ich ihr sonst sehr ernst und gemessen vorkomme, auf der Party aber heiter und ausgelassen war – vielleicht war der Unterschied zu kraß? Erbost war sie vielleicht, weil sie sich ein falsches Bild gemacht hat, sich betrogen glaubt. Offenbar will sie ein klares Bild haben! Was für ein Bild haben die Schüler denn von mir – nach dem Unterricht? Was für eines – nach dieser Party? Da paßt wohl manches nicht so recht zusammen. Können die Schüler beim Lehrer nicht anerkennen, daß verschiedene Situationen verschiedenes Verhalten erfordern –

nicht nur bei ihnen selbst, sondern auch beim Lehrer? Halten sie mich jetzt für einen Falschspieler? Entweder in der Schule oder bei dem Fest – wo spiele ich jetzt wohl nach Meinung meiner Schüler falsch? Müßten sie nicht anerkennen, daß auch ein Lehrer sich einmal anders verhalten darf? Ich glaube, es war doch nicht verkehrt, daß ich bei dieser Party so war, wie ich war!

28. Februar. – Meine Damen und Herren

Harry, der Klassensprecher, forderte heute von mir, daß ich die Klasse nicht mehr mit »meine Damen und Herren« begrüße. Es passe nicht zu unserem sonst so guten Auskommen miteinander, es sei zu ironisch. Den meisten sei es unangenehm, so angesprochen zu werden. Die Schüler haben wohl recht. 15-, 16jährige als »Damen und Herren« zu bezeichnen, ist wahrscheinlich lächerlich – besonders, wenn man sie dann mit dem Vornamen anredet. In Zukunft also »liebe Jungen und Mädchen«? Das würde sie aber gerade jetzt wohl noch mehr ärgern. Warum dann nicht doch »meine Damen und Herren«? Sie wollen noch nicht erwachsen sein, weil sie ja dann auch Verantwortung übernehmen müßten. Sie wollen aber auch nicht mehr Kinder sein, weil sie befürchten, daß man sie dann als Gesprächspartner nicht mehr ernst nimmt. In Zukunft also nur noch ein unpersönliches »Guten Tag«?

Mit der Partnerschaft im Unterricht ist das überhaupt so eine Sache. Manchmal hätte ich gute Lust, die Schüler ganz bewußt mit Ironie oder Bosheit anzugreifen – und sei es mit »Meine Damen und Herren«. Gerade kürzlich wieder. Da hatten sie sich selber das Thema »Lage der Straffälligen« ausgesucht. Und ihre Vorbereitungen dazu – gleich null, zweimal hintereinander. Da möchte man sie an ihrer Ehre packen, sie aufrütteln, damit sie ihre Verantwortung erkennen, die »Damen und Herren«, die sich erwachsen genug dünken, zu wissen, welche Problemkreise für sie nicht nur interessant, sondern auch nützlich sind! Aber die Arbeit dafür – die soll bitteschön der Lehrer machen – wozu wäre er sonst da!? Aber kann ich wirklich die Schüler allein für ihren miesen Arbeitswillen verantwortlich machen? Auch dieses Thema findet ja schließlich im »Sandkasten« der Schule statt. Sie aber möchten aufs wirkliche Leben vorbereitet werden. Wären die Schüler nicht allesamt überfordert, wenn man tatsächlich mit ihnen ein Gefängnis aufsuchte, ihnen die Lage des Strafgefangenen vor Augen führte? Wäre das nicht nur Sensationshascherei, weil es einen dabei so schön gruselt, wenn man mal hinter Gittern ist – nur so zum Spaß? Wie das Thema »normal – geisteskrank« verdeutlichen – oder gar Themen auf sexuellem Gebiet, wo einem dann hinterher empörte Eltern das Haus einlaufen? Na ja, ist wohl wieder mal ein bißchen zuviel Resignation über die Möglichkeiten unserer Bildungsanstalten – meine Damen und Herren!

8. März – Vertrauenslehrer

Ich bin Vertrauenslehrer – woanders nennt man das Verbindungslehrer oder hat noch andere Namen dafür. Ich bin das schon länger – aber heute wurde mein Vertrauen endlich gebraucht! Ein Klassensprecher kam zu mir, damit ich mich um die Noten im Fach Deutsch in seiner Klasse kümmere. Mal wieder Streit um die Noten also (kein Wunder, wenn sie für die späteren Berufschancen so ausschlaggebend sind). Wahrscheinlich haben die Schüler sogar recht mit ihrer Kritik. Kollege D. gibt Deutsch fachfremd, hat es also in der Ausbildung nicht gelernt. Mißliche Lage – gegenüber den Schülern wie dem Kollegen. Gerade Deutsch, wo man so unterschiedlicher Meinung sein kann. Mit Schrecken denke ich an das Jahr, wo ich zum ersten Mal Aufsatznoten machen mußte. Man kann dabei nicht bloß Fehler zählen wie bei den Fremdsprachen. Es sind auch keine schönen, sauberen Zeichnungen wie in Geometrie ausschlaggebend. Man kann überhaupt nicht messen – man muß werten. Auch mein Gefühl streikt da manchmal – heute noch! Und dann ausgerechnet der Kollege D., der immer so forsch auftritt, um seine eigene Unsicherheit zu verbergen. Soll ich ihn jetzt entnerven, indem die Kritik auch noch von meiner Seite kommt? Eigentlich müßte ich ihm helfen, Maßstäbe geben, ihn nicht wursteln lassen und dann – meckern. Aber vielleicht will er gar keine Hilfe – vielleicht ist er überzeugt von der Richtigkeit seiner Notengebung? Und was soll ich meinen Schülern sagen, wenn sie Rechenschaft darüber haben wol-

len, was ich für sie erreicht habe?
Vertrauenslehrer – ein Posten, der
immer eher Feinde schafft als
Freunde – beiden kann man es ja
doch nie recht machen.

2. April – Ärger von oben
Heute gab's Ärger mit dem Chef. Er
teilte mir schon beim Betreten der
Schule mit, daß er gerügt worden sei
– vom Oberschulamt. Nicht gerade
meinetwegen, aber was er da in Sachen Nachlässigkeit zu hören bekommen habe, gelte auch für mich.
Das »Dienstpapier«, um das es ging,
mußte doch erst heute abgeliefert
werden – warum wird man dann
schon morgens um acht gerügt,
wenn der Schultag erst mittags zu
Ende ist? Ich hatte es doch in der
Mappe! Bin ich vielleicht für wütende Oberschulamtsbeamte verantwortlich? Trotzdem wurden mir die
Knie etwas weich. Und dann gleich
rein in eine Stunde mit schwierigem
Stoff! Und immer schön ruhig bleiben. Ob die Schüler etwas von meiner Anspannung gespürt haben?
Ganz sicher war ich dadurch unper-
sönlicher. Engagement, Meinung
und Wertung fehlten – und das hatten die Schüler zum anstehenden
Thema wohl erwartet. Manchmal
geht es halt doch von ganz oben bis
auf die Schüler runter – und wenn
man sich noch so Mühe gibt, die
verdorbene Stimmung nicht durch-
blicken zu lassen. Glücklicherweise
war ich ausgeschlafen und konnte
mich voll konzentrieren. Sonst hätte
ich vielleicht Dampf abgelassen,
ohne daß die Schüler überhaupt

wüßten warum. Man könnte sie zwar merken lassen, daß sie nicht schuld daran sind – aber verstehen sie das? Erklären darf man nicht, was tatsächlich vorgefallen ist. Dienstgeheimnis – das ist nun einmal so in der Beamtenhierarchie. Habe ich eigentlich Verständnis für die Verstimmung von Schülern, die offensichtlich nichts mit dem Unterricht zu tun hat?

5. April – Farbe bekennen
Natürlich, es kam doch noch! »Mal engagieren Sie sich für eine politische Sache, für eine politische Partei, mal halten Sie sich ganz raus!« nörgelte Petra, eine der aktivsten Schülerinnen in Gemeinschaftskunde, während der großen Pause an mir herum. Das war nach einer Stunde über »Wirtschaft in der Bundesrepublik«. Dahinter steckte wohl der Vorwurf, ich hätte keine klare politische Meinung. Wenn ich das immer so klar für mich selbst beantworten könnte – ja, ja oder nein, nein. Ich versuchte ihr klar zu machen, daß ein politischer Standpunkt nicht immer der Standpunkt einer und dann noch immer derselben Partei sein müsse. Schließlich noch die etwas naive Frage von ihr: »Woran soll man sich dann halten?« Ja, nirgendwo dran! Wie soll ich Petra und den anderen klar machen, daß sie sich nur langsam einer selbständigen Haltung nähern können, indem sie sich um Informationen bemühen. Und die will ich ihnen ja geben. Aber das ist dann ja gleich wieder sture Paukerei ... Pe-

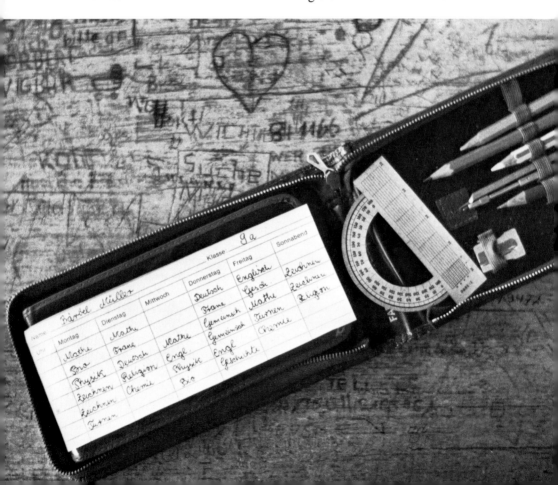

tra ist wohl darüber enttäuscht, daß die Welt nicht schwarz und weiß ist, sondern grauscheckig. Aber soll ich ihr gestehen, daß ich selber nur selten ganz klar sehe? Daß ich mich auch nicht immer für die Ideen ein- und derselben Seite begeistern kann? Und auch gar nicht immer meinen Standpunkt zu einer Sache überdeutlich zu erkennen geben darf und will? Ich will ja nicht Meinungen vermitteln, sondern nur das Wissen, das man vielleicht brauchen kann, um einen eigenen Standpunkt zu finden. Und manchmal will ich auch meinen Standpunkt nicht so genau zeigen, weil er mir besonders am Herzen liegt, weil ich nicht sehen lassen will, wo ich verletzbar bin, und und ...

10. April – Kleidersorgen

Heute wurde meine Garderobe auf dem Flur mit Schnalzen bewundert. Abgescheuerte Jeans und T-Shirt. Motto: schlicht, aber sauber! Ich hatte einfach keine Lust, mich für den Nachmittagsunterricht nochmal umzuziehen. Darf ein Lehrer so in die Schule gehen? – das habe ich mich auch gefragt. Der Kollege W. läuft zwar auch mit den Flickenjeans herum – aber das ist ja Mode! Selbst bei solchen Kleinigkeiten muß man sich in acht nehmen. Als wollte man besonders gut wirken, damit man an der Haustür seine Staubsauger verkaufen kann! Sicher ist etwas dran. Geht man nicht mit der Mode, wird man für einen Muffel gehalten, geht man mit der Mode, will man angeblich Eindruck schinden, gibt man gar nichts auf Kleidung, wird man zum Gespött der Schule. Man braucht das Äußere auch als stabilisierendes Korsett. Nur nicht zu sehr aus dem Rahmen fallen. Und ich selbst? Rümpfe ich nicht auch manchmal die Nase, wenn eine(r) allzu auffällig das Klassenzimmer mit dem Laufsteg einer Modenschau verwechselt? Oder wenn ich im stillen meine, daß dieser oder jener Schüler nun wirklich mal das Loch in den Jeans flicken könnte?

2. Mai – Zeugnisse

Wie nett doch einige Schüler werden, wenn's auf die Zeugnisse zugeht! Manchmal möchte man es sie wissen lassen, daß man sie durchschaut, wenn sie ein falsches Spiel treiben, Verstellung üben. Wirklich ein Ärgernis, aber sie versuchen halt, das Beste herauszuholen. Waren wir eigentlich früher besser in dieser Hinsicht? Wahrscheinlich nicht.

Und dann das Gerede von der Bevorzugung. Natürlich mag man den einen Schüler lieber als den anderen. Ist das nicht ganz einfach menschlich? Das muß sich doch nicht auf die Noten auswirken – oder? Vielleicht wehren sich die Schüler nur auf ihre Art gegen schlechte Eigenschaften, gegen Charakterlosigkeit bei den Lehrern: tun schön, schmeicheln und behaupten, daß gerade nicht sie, sondern die anderen Schüler das täten. Noten und Zeugnisse verderben den Charakter – von Schülern und Lehrern? Im Grunde trennt gerade dieses Zensuren-Geschäft die Lehrer von den Schülern. Es sind Interessen im Spiel – wie sollte da Partnerschaft oder gar Freundschaft entstehen. Aufeinander eingehen ohne die Angst, sich etwas zu vergeben – ist das wirklich erst nach der Schulzeit möglich?

1. Juni – Konvent

Heute Konvent. Die Verschiedenheit der Themen macht einem wieder einmal klar, in welchem Feld man steht. Anordnungen und Erlasse der Behörden. Kritik des Direktors am Verhalten einiger Kollegen wegen Zuspätkommens und so weiter. Dann die spitzen Bemerkungen der Kollegen, weil andere angeblich zu lasch sind, nicht richtig durchgreifen: »Die Schüler brauchen eine starke Hand...«. Beschwerden der Eltern über ungenügenden Unterricht nach Anzahl der Stunden und nach der Güte. Nur bei letzterem sind sie bei uns an der richtigen Stelle. Die Schüler wiederum meinen, sie hätten im Durch-

schnitt zu viel Arbeit aufgebrummt bekommen – zu viel Hausaufgaben, zu viel Klassenarbeiten in den letzten Wochen vor den Zeugnissen. Und wir selbst stehen mittendrin in diesem Zentrum der Kritik. So richtig gut war offenbar gar nichts im letzten Schuljahr. Also hat man sich wieder mal nur fürs Gehalt abgestrampelt? Alles andere rangiert unter ferner liefen... Beugt man sich der einen Kritik, desto lauter wird die aus der entgegengesetzten Ecke. Wie man es auch macht – man macht es falsch. Man kommt sich vor wie ein Spielball auf dem Feld der Konflikte zwischen den einzelnen Gruppen. Am schwächsten sind wohl die Schüler, gegen deren Tritte kann man sich noch am leichtesten wehren. Da hat man immer noch die meisten Mittel in der Hand, sie zur Vernunft und zur Ruhe zu bringen.

Vielleicht hat man sie schon zu oft zur Ruhe gebracht?

Die Ferien, die vor der Tür stehen, werden gut tun. Um neuen Mut zu schöpfen, braucht man mal die Flucht aus dem Schulalltag. Die Lehrer und die Schüler brauchen sie. Ob sich jemals etwas daran ändern wird?

Wird sich wirklich nie etwas ändern? Immerhin, es gibt Lehrer und Schüler, die miteinander ganz zufrieden sind. Vielleicht gerade deshalb, weil sich jeder über den anderen ein wenig Gedanken macht? Es gibt viele Möglichkeiten, mit Schwierigkeiten in der Schule und anderswo fertig zu werden. Man kann versuchen, ganz einfach mit ihnen zu leben, sich an sie zu gewöhnen. Man kann versuchen, sie zu lösen. Man kann auch vor ihnen flüchten und seinen Kummer betäuben. Mit Drogen zum Beispiel. Oder auch mit Alkohol – das fällt weniger auf, denn getrunken wird schließlich überall. Und ungefährlicher ist es auch. Meint man zumindest.

Trost aus der Flasche

Evelyn Lattewitz

Die Großeltern sangen »Schütt' die Sorgen in ein Gläschen Wein...« Und in einem Schlager von heute heißt es: »Bei Korn und bei Bier findet mancher die Lösung für alle Probleme der Welt...«. Gegen ein Gläschen Alkohol ist doch wohl nichts einzuwenden! Löst Alkohol Probleme? Wer niemals einen Rausch gehabt...Wer Alkoholiker wird, ist selbst schuld an seinem Schicksal.

Iris

Iris ist 15. Sie geht in die Realschule – im nächsten Frühjahr wäre sie eigentlich mit der Schule fertig. Ob das klappt, steht allerdings noch in den Sternen. Vielleicht wird sie die letzte Klasse wiederholen müssen – eine »Ehrenrunde« einlegen, wie das an ihrer Schule mitleidig-hämisch genannt wird. Wie es eigentlich dazu gekommen ist, das weiß sie selbst nicht so recht. Mit einer Fünf in Englisch fing es an. Und jetzt auch noch die Mathe-Arbeit in der letzten Woche. Die ist total danebengegangen. So schnell rutscht man also vom mittleren Durchschnitt in die Reihen der »Gefährdeten« ab. Irgendwann wird sie es ihren Eltern schonend beibringen müssen. Sauer sein werden sie schon. Obwohl sie ja eigentlich ver-

stehen müßten wie das ist, wenn man Mißerfolg hat. Wie war das doch vor ein paar Tagen mit ihrem Vater? Da hatte es mächtig Ärger gegeben in seinem Büro. Wieso und warum weiß Iris nicht so genau, aber ihr Vater war mit einer Riesenwut nach Hause gekommen. Ihre Mutter hatte die Cognacflasche und ein Glas aus dem Schrank genommen und zum Vater gesagt: »Nun spül' den Ärger erst einmal runter.« Das hatte er dann auch getan. Hinterher war er dann wieder ganz aufgeräumt gewesen. Ob sie das auch einmal probieren sollte? Riechen tut das Zeug ja nicht gerade gut – und es brennt auf der Zunge und im Hals. Aber gleich danach wird es einem wohlig warm. Iris genießt die Wärme, das leichte Benebeltsein im Kopf. Ja, heute abend wird sie den Eltern sagen, daß es mit der Versetzung im nächsten Jahr wahrscheinlich nichts werden wird ...

Uwe

Uwe ist 14. Er ist ein bißchen kleiner als die meisten seiner Klasse. Und auch ein bißchen schwächer – beim Turnen am Reck und so. Manche in seiner Klasse fangen schon an, sich zu rasieren, obwohl zugegebenermaßen nicht mehr als ein Flaum auf der Oberlippe sprießt. Aber bei Uwe sprießt nicht mal das – nur Pickel, und die in Mengen. Was die anderen da immer so erzählen, was sie schon alles mit Mädchen erlebt haben! Sicher geben die meisten bloß an – aber ihm glaubt man ja nicht einmal das Angeben. Er traut sich auch gar nicht erst, entsprechende Geschichten zu

erfinden. »Guck' mal an, unser Kleiner will erwachsen werden«, würden die anderen nur feixen. Heute sind sie losgefahren mit der ganzen Klasse. Zwei Wochen Landheimaufenthalt in den Bergen. »Da könnt ihr Großstadtpflanzen so richtig auslüften«, hatte der Klassenlehrer gesagt, und an die festen Wanderschuhe erinnert. Abends um neun war er noch einmal durch die Schlafräume gegangen, hatte allen eine gute Nacht gewünscht und sie ermahnt, gleich zu schlafen – die erste Tour morgen früh würde bestimmt anstrengend werden. Eine halbe Stunde später hatte Jürgen – er war schon fast 16 und stillschweigend als Klassenchef anerkannt – in das allgemeine Gekicher und Getuschel hinein gesagt: »Guckt mal, was ich mitgebracht habe!« und eine Flasche Schnaps aus dem Koffer gezogen. Von irgendwoher tauchten dann noch ein paar Flaschen Bier auf. Natürlich war diese Fete geplant gewesen – nur Uwe hatte wieder einmal nichts davon gewußt. Aber den Mund halten würde er – das wußten die anderen. »Er ist zwar ein bißchen schwach auf der Brust, aber petzen tut er nicht«, sagten sie gönnerhaft. Als der Zahnputzbecher mit dem Schnaps zu kreisen begann, mußten manche husten und Ich-hab-mich-nur-verschluckt-Entschuldigungen hervorpressen. »Na, wie wär's mit dir, Kleiner – oder hat Papi dir den Schnaps verboten?« Die anderen lachten, als wenn Jürgen einen gelungenen Witz gemacht hätte. In Uwe stieg die kalte Wut hoch. Er griff nach dem Becher, hielt die Luft an und schluckte, schluckte mit

Todesverachtung, bis der Becher leer war. Die Schärfe trieb ihm Tränen in die Augen, aber husten mußte er glücklicherweise nicht. Die Klassenkameraden staunten schweigend – Jürgen eingeschlossen. »Donnerwetter, der Uwe ist wohl ein ganz stilles Wasser«, war der erste anerkennende Kommentar gewesen. Und nun endlich wußte Uwe, wie er den anderen beweisen konnte, daß er kein Schwächling war. Er würde sie alle »unter den Tisch trinken«, wie die Erwachsenen das nannten. Daß er sich eine Stunde später hundsmiserabel fühlte, daß sich übergeben mußte und einen Kopf zum Platzen hatte – was machte das schon. »Das ist nur, bis man sich daran gewöhnt hat«, trösteten die anderen – und aus ihren Worten klang Anerkennung. Schließlich hatte er von allen das meiste getrunken – und jetzt war er endlich einer von ihnen . . .

Karin

Karin ist 17. Sie ist im zweiten Lehrjahr. Eigentlich hatte sie ja noch das Abitur machen wollen. Aber nach der zehnten Klasse hat sie selbst eingesehen, daß sie es nur unter großen Anstrengungen schaffen würde. Und dann mit einem Abschlußzeugnis, das sicher nicht für ein Studium reichen würde. Es gefiel ihr auch ganz gut in ihrem Betrieb, und sicher würde sie einmal eine ganz tüchtige »Kauffrau« werden, wie die Kollegen immer sagten. Das Klima in ihrer Firma fand sie dufte. Alles so kollegial, und keiner schien sie als »Lehrling« zu betrachten, man nahm sie für voll. Auch wenn einer neu in den Betrieb kam

und seinen Einstand gab – mit Schnaps, manchmal auch mit Wein, und hier und da spendierte einer sogar Sekt. Verlobungen, Hochzeiten oder Geburtstage wurden ebenfalls begossen, und hinterher waren alle immer so richtig gut aufgelegt. »Man muß die Feste feiern, wie sie fallen«, sagten sie. Und wenn der Chef jemanden »angeschnauzt« hatte, oder wenn jemand am Morgen in bedrückter Stimmung ins Büro kam – irgendwo fand sich immer etwas Trinkbares, ein flüssiger »Sorgentröster«. Heute, am Montag, war es Karin, die so einen Sorgentröster nötig hatte: Gestern abend hatte ihr Wolfgang den Laufpaß gegeben – so nannte man das doch wohl. Wolfgang, von dem sie geglaubt hatte, das sei die ganz große Liebe. Nicht so wie die Flirts in den Diskotheken. Nein, so richtig die große Liebe – mit Romantik und Blumen und so. Wolfgang, der so erwachsen wirkte – er war schon über zwanzig und in Karins Augen ein richtiger Mann. Und gestern abend hatte er ihr klipp und klar gesagt, daß es jetzt aus sei zwischen ihnen. »Ich habe da eine Frau kennengelernt. Eine richtige Frau meine ich, mit eigener Wohnung, selbständig und mit Erfahrung, auch was Männer angeht. Das ist schon etwas anderes, weißt du, als eine Freundin, die sich immer so ein bißchen ziert und abends brav um elf zu Mutter und Vater nach Hause geht.« Für Karin war eine Welt zusammengebrochen. Sie war wütend, enttäuscht, eifersüchtig. Und vor allem war sie überzeugt davon, daß sie selbst schuld war, daß sie versagt hatte, daß sie eben in Wolfgangs Augen keine

»richtige Frau« war. Da tat das richtig gut im Büro, als ihr die Kollegin »ein kleines Schnäpschen« anbot, »weil Sie heute so blaß um die Nase sind ...«.

Birgit

Birgit ist 16. Sie geht ins Gymnasium, und sie ist eine gute Schülerin. Sie wird einmal das Abitur machen, Medizin studieren und die gutgehende Arztpraxis ihres Vaters übernehmen. So wenigstens möchten es ihre Eltern. Birgit hat keine Geschwister, und so ist diese Zukunftsplanung für die Eltern ganz selbstverständlich. Nicht so für Birgit. Was sie nach dem Abitur einmal machen will, weiß sie noch nicht so genau. Nur eines ist sicher: Medizin wird sie nicht studieren. Wenn da Tag für Tag das Wartezimmer voller Patienten sitzt, dann hat sie nicht das Gefühl, helfen zu wollen, dann hat sie weit eher den Wunsch davonzulaufen. Ihre Eltern können das nicht verstehen. »So gut wie du in der Schule bist – wenn du das bis zum Abitur durchhältst, wäre es doch ein Jammer, nicht Medizin zu studieren. Und dann die Praxis – wozu glaubst Du, haben wir das alles aufgebaut? Für dich doch schließlich und für deine Zukunft!« Birgit möchte ihnen am liebsten ins Gesicht sagen, daß sie auf die Praxis pfeift, und daß sie schließlich ihre Eltern nicht darum gebeten hat. Aber für solche Wutausbrüche ist sie viel zu gut erzogen. Schließlich hat sie gelernt, wie man sich Erwachsenen und damit auch den eigenen Eltern gegenüber benimmt. Aber seit einiger Zeit sammelt sich immer mehr Wut und Zorn gegen die Eltern an. Seit sie in der Diskothek ein paar dufte Typen kennengelernt hat – Jungen und Mädchen. Die meisten von ihnen gehen nicht mehr in die Schule, sie wissen, woher der Wind im Leben weht. Und jetzt nörgeln ihre Eltern ständig an ihrem schlechten »Umgang« herum. »Diese Gammlertypen, die jeden Abend in der Diskothek herumhängen, keine Lust haben, eine richtige Ausbildung zu machen, die Zeit und Ausdauer erfordert. Was wird aus denen schon werden? Letzten Endes fangen sie das Saufen an und kommen dann mit ihrer Säuferleber in meine Praxis!« Birgit findet das empörend. Ihre Eltern kennen ja keinen einzigen Jungen, kein einziges Mädchen aus ihrer Clique. Und außerdem: Wo ist da der Unterschied, wenn sie mit ihren Freunden Cola mit Schuß oder ein Bier trinkt, während ihr Vater mit Freunden eine gepflegte Weinprobe zu Hause veranstaltet? Die ganze Geborgenheit, die perfekte Zukunftsplanung hängt ihr langsam zum Hals heraus. Wie gut, daß sie ihre Freunde hat. Die klopfen ihr beruhigend auf die Schulter: »Reg' dich nicht auf, du kannst sowieso nichts daran ändern, daß deine Alten zum Establishment gehören.« Und irgend jemand schiebt ihr eine neue Cola mit Schuß zu ...

Penner

Wenn Christa und Susanne morgens in die Schule gehen, kommen sie immer am Arbeitsamt vorbei. Um das riesige Gebäude herum ist eine kleine Grünanlage mit Parkbänken. Auf einer dieser Bänke mindestens liegt eigentlich jeden

Morgen einer und schläft. Meistens sind es ältere Männer – sie sehen wenigstens so aus, als ob sie schon uralt wären. Oft ist einer mit einer Zeitung zugedeckt, und immer steht gleich neben der Bank eine Flasche – meistens so eine große Rotweinflasche, wie sie in allen Supermärkten billig zu haben sind. Christa und Susanne gucken immer möglichst unauffällig rüber zu den »Pennern« und »Saufbrüdern«, wie ihre Eltern das nennen. Manchmal sitzt auch einer da und stiert vor sich hin, dreht die leere Flasche in den Händen. Christa und Susanne finden den Anblick gleichzeitig abstoßend und so ein bißchen aufregend. So ein richtiger »Säufer« – das ist doch etwas, was nicht zu ihrem Alltag gehört. Ihre Eltern haben sie gewarnt vor diesen »verkommenen, hemmungslosen Typen, die an ihrem Unglück selbst schuld sind, weil sie sich nicht beherrschen können ...«

Was hat der Betrunkene auf der Parkbank mit Iris oder Uwe, was mit Karin oder Birgit zu tun. Nichts, selbstverständlich. Oder etwa doch? Iris, Uwe, Karin und Birgit ertränken ihren Kummer mit der Schule, mit den Freunden, mit der Liebe, mit den Eltern. Der Mann auf der Parkbank ertränkt den Kummer seines ganzen Lebens ... Er tut das allerdings wohl schon seit Jahren, wenn nicht gar Jahrzehnten. Und dann ist da natürlich noch ein ganz großer Unterschied: Was Iris, Uwe, Karin und Birgit tun, das findet man ganz normal und in Ordnung – der Mann auf der Parkbank dagegen löst Abscheu aus, er ist so richtig widerlich.

Ein weiter Weg?

»In meiner Clique fanden das immer alle prima, was ich so vertrug. Im Winter auf der Skihütte gab es immer Sonderbeifall, wenn ich als einziges Mädchen auch bei der letzten Runde Grog noch mithielt. ›Du kannst ja einen gestandenen Mann noch unter den Tisch trinken‹, sagten alle. Und ich fand, das war ein Kompliment. Die Mädchen, die sich den ganzen Abend an einem einzigen Stamperl festhielten, fand ich blöde – die kamen so gar nicht richtig in Stimmung. Die Stimmung, in der wir anderen waren, schrieb ich natürlich nicht dem Alkohol zu: das war ganz einfach die gemütliche Umgebung, die Freunde, die Gemeinsamkeit – Alkohol war da für mein Empfinden nur noch das Tüpfelchen auf dem i. Hätte mir damals jemand gesagt, daß wir ja bloß durch den Alkohol in Stimmung kämen – ich hätte ihn ausgelacht ...
Ja, und dann begann eine Zeit – ich war schon berufstätig –, da ging mir so ziemlich alles schief – nicht zuletzt in der Liebe. Ich schlief schlecht, hatte Angst vor dem nächsten Tag, vor meinen Problemen und wohl auch vor mir selbst. Ich schluckte häufig Beruhigungspillen, die ich für ganz harmlos hielt. Schließlich waren sie in jeder Apotheke ohne Rezept zu haben. Und irgendwann einmal, als mich wieder der Kummer, das Selbstmitleid und die Angst vor dem morgen gepackt hatten, spülte ich all das mit einem Cognac herunter. Und siehe da, es ging mir hinterher viel, viel besser. Ich sah zwar nicht alles rosarot, aber auch nicht mehr ganz so schwarz wie vorher. Heute weiß ich, daß meine ›Karriere‹ als Alkoholike-

rin damals begann – als ich zum ersten Mal glaubte, meine Probleme mit Alkohol lösen zu können – oder sie doch wenigstens erträglicher zu machen. Es dauerte allerdings noch Jahre, bis ich vor mir selbst zugeben mußte und es auch konnte: Ich bin Alkoholikerin – ich bin krank, süchtig, abhängig von dieser Droge. Meine Umgebung merkte eigentlich gar nichts – Alkohol zu trinken ist schließlich ganz normal, und ich wirkte ja auch gar nicht betrunken. Ich sah äußerlich nicht heruntergekommen aus, und daß ich schließlich sehr häufig meinen Arbeitsplatz wechselte, das fiel in einer Zeit, wo es genügend Stellen gab, auch nicht weiter auf. Daß mir morgens nach dem Aufstehen die Hände zitterten, bis ich die ersten Schnäpse gekippt hatte, daß ich heimlich und alleine trank, damit es nicht auffiel, daß ich immer ängstlich darauf bedacht war, einen Alkoholvorrat im Schrank zu haben – das alles sah man mir ja nicht an. Ich konnte meine Umwelt und vor allem mich selbst nur noch ertragen, wenn ich getrunken hatte. Auf die Idee, daß ich Alkoholikerin bin, wäre ich aber nie gekommen. Tranken nicht andere noch viel mehr als ich? Lief ich vielleicht lallend durch die Straßen oder erwachte in einer Ausnüchterungszelle der Polizei? Ich war doch ganz normal – oder? Meine Mutter war es, die das harte und verhängnisvolle Wort »Sucht« zum ersten Mal aussprach. Sie war es auch, die sich nach Behandlungsmöglichkeiten und einem Platz in der Entzugsabteilung einer Klinik erkundigte. Dann kamen Entziehungskur, Gruppentherapie und ein langer, leidvoller Weg, bis ich wieder ein normales Leben ohne Alkohol führen konnte. Um genau zu sein: ohne einen Tropfen Alkohol. Denn ich weiß, daß schon eine Cognacbohne aus der Pralinenschachtel den Teufelskreis wieder auslösen kann. Das ist eine bittere Erkenntnis in einer Welt, die so sehr vom Alkohol bestimmt ist. Aber es ist eine Erkenntnis, mit der man fertig werden muß: nie wieder auch nur einen Tropfen – aber auch nach Jahren nicht.

Viel wichtiger aber ist eine andere Erkenntnis, die ich teuer genug bezahlt habe: Alkohol löst keine Probleme.«

Moral mit doppeltem Boden

Als vor wenigen Jahren Haschisch, LSD und andere Drogen bis hin zu Heroin bei Jugendlichen »in« waren, als fast jeder Junge und jedes Mädchen meinte, man müßte auch unbedingt einmal einen Joint probiert haben – da reagierten die Erwachsenen mit Entsetzen, mit Empörung. Aufgeschreckte Eltern saßen ratlos beisammen und diskutierten über die unverständliche Haltlosigkeit der Jugendlichen und darüber, wie man der Rauschgiftgefahr Einhalt gebieten könne. Sie redeten darüber – mit dem Weinglas in der einen und der Zigarette in der anderen Hand. Noch immer fällt beim Stichwort »Drogen« oder »Rauschmittel« den meisten Menschen Haschisch, LSD oder Heroin ein – Alkohol, Nikotin, Beruhigungs- oder Aufputschmittel, das alles wird meist gar nicht erwähnt. Warum das so ist? Ganz einfach: Alkohol, Zigaretten oder auch Medikamente gehören zu unserem Alltag. Niemand findet etwas dabei. Im Gegenteil: weist man auf die Gefahren dieser tolerierten, das heißt also von der Gesellschaft anerkannten und gebilligten Drogen hin, gerät man leicht in Gefahr, gleich in die Schublade mit der Aufschrift »moralinsaurer Abstinenzapostel« gesteckt zu werden.

Selbstverständlich wurde und wird zu Recht vor den Gefahren der illegalen Drogen gewarnt. Vor den tödlichen Gefahren beispielsweise von Heroin, aber auch vor den Schäden durch das so lange als harmlos gepriesene Haschisch. Das ändert aber nichts an der doppelten Moral, mit der die meisten Erwachsenen die illegalen Rauschmittel verteufeln, ohne gleichzeitig bereit zu sein, auch die Gefahren der bei uns tolerierten, der legalen Drogen wie Alkohol und Nikotin zu sehen.

Im Alkohol ist Freundschaft ...

Eine ganze Industrie lebt von diesen tolerierten Drogen: die Alkoholindustrie, die Zigarettenhersteller und in gewisser Hinsicht auch die pharmazeutische Industrie, also die Hersteller von Arzneimitteln. Und alle miteinander versuchen ihre Produkte so recht schmackhaft zu machen:

»Tun, was man will, trinken, was man mag.«
»Besser geht's mit ...«
»Die Freundschaft wächst mit jedem Schluck.«
»Irgendwann wirst du stark genug sein für den Whisky – und dann wirst du den Whisky lieben.«
»Im ... ist Freundschaft.«
»Ich trinke, weil ...«

Das sind nur ein paar der vielen, vielen Werbesprüche, die tagtäglich in gedruckter, gesprochener und bebilderter Form unseren Alltag begleiten. Die Pünktchen stehen jeweils für den Markennamen. Nicht, weil man den nicht nennen darf, sondern weil man sonst der Gerechtigkeit halber auch alle anderen aufzählen müßte.

Und hier noch eine Auswahl der Tabakwerbung:
»Gut gelaunt genießen ...«
»Entdecken, was Freude macht.«
»Leicht und mild durch's Jahr.«
»Für Männerhände viel zu chic.«
»Der Geschmack von Freiheit und Abenteuer.«

Und damit die Hersteller von Medikamenten nicht zu kurz kommen:
»Wie wählen Sie Ihr Kopfschmerzmittel aus?«

55

Daß man ein Kopfschmerzmittel braucht, steht bei dieser Werbung schon außer Frage. Schließlich ist es doch ganz normal, jedes Wehwehchen gleich mit Medikamenten zu bekämpfen. Warum sollte man sich eine halbe Stunde hinlegen, bis es besser wird, warum weniger rauchen oder trinken? Es gibt doch schließlich rezeptfreie Mittelchen jeder Art gegen die Folgen. Und bei der Alkohol- und Zigarettenwerbung wissen die Werbefachleute auch, was gefragt ist, nicht zuletzt bei den Jugendlichen: Freundschaft, frei sein, Abenteuer, eine Dame von Welt sein, stark sein . . .

Man muß nur die richtige Marke kaufen – dann läuft alles wie von selbst! Natürlich: einen Grund zum Trinken muß man schon haben. Siehe oben: ich trinke, weil . . .

Übrigens: Für 1975 wurde die Zahl der Alkoholabhängigen in der Bundesrepublik auf 1,2 Millionen geschätzt, darunter etwa 100 000 Jugendliche. Und die Zahlen steigen . . .

Wer niemals einen Rausch gehabt . . .

»Wer niemals einen Rausch gehabt, der ist kein braver Mann«. Dieses blödsinnige (anders kann man das kaum nennen) Sprichwort geistert heute noch immer durch die Köpfe – nicht nur durch die der Erwachsenen. Und die Mädchen haben hier inzwischen tüchtig nachgezogen. Ohne weiteres könnte man den »braven Mann« heute auch durch die »brave Frau« ersetzen. Das ist sozusagen »Emanzipation« am falschen Ende. Wer viel trinkt und viel verträgt, genießt im allgemeinen die Anerkennung seiner Umgebung. ›Sozialprestige‹ nennen das die Psychologen. Vielen Jugendlichen schmecken – zumindest am Anfang – weder Alkohol noch Zigarette. Aber weil alle es tun, will man nicht abseits stehen. Trinken und Rauchen, um dazuzugehören –, dahinter steckt ganz schlicht und einfach Zwang. Zugegeben: Es ist nicht einfach, sich diesem Zwang zu entziehen, aber Freundschaften, die nur auf gemeinsamem Alkoholkonsum und blauem Dunst aufbauen, auf die kann man getrost verzichten. Den meisten Mut braucht immer der, der als erster ›nein‹ sagt – oft finden sich dann ganz schnell genügend andere, die froh sind, daß endlich mal jemand den Anfang gemacht hat . . .

Der erhobene Zeigefinger

Da ist noch ein anderes Problem, das es so schwer macht, vor Alkohol, Zigaretten, Medikamenten, kurz vor allen legalen Drogen zu warnen. Im Gegensatz zu den illegalen, wie etwa Heroin, ist bei den legalen der Übergang von *Gebrauch* zu *Mißbrauch* meist fließend. Ein Gläschen Wein im Freundeskreis, eine Zigarette zur abendlichen Entspannung, eine Tablette vor der entscheidenden Klassenarbeit – wer denkt da schon an Alkoholismus, Lungenkrebs oder Medikamentensucht? Das ist ein bißchen so, als wenn man die Augen zumacht und bei rotem Ampellicht über die Straße geht: es kann ja auch gutgehen . . . Nicht jeder, der trinkt, wird süchtig. An dieser Wahrheit, die auch Fachleute nicht bestreiten, klammern sich alle. Und jeder ist felsenfest überzeugt davon, daß er zu denjenigen gehört, die nicht süchtig werden. Hinzu kommt, daß der Prozeß des Süchtigwerdens Jahre dauert. Allerdings: Je niedriger das Einstiegsalter, um so schneller ist die Sucht da. Für jugendliche Alkoholiker geben Fachleute eine Zeitspanne von drei bis fünf Jahren an. Wann die Schädigungen durch Medikamente und Zigaretten eintreten, läßt sich noch schwerer sagen. Und jeder ist überzeugt davon, daß es bei ihm noch lange nicht soweit ist. Da ist es kein Wunder, daß viele Jugendliche nur ein müdes Lächeln für die Erwachsenen übrig haben, die sie vor diesen legalen Drogen warnen möchten. Es hat also wenig Sinn, bei jedem Glas Bier den Spruch »Sieh dich vor, sonst wirst du Alkoholiker« herunterzurasseln.

Drogen – warum?
Warum der eine Alkoholiker wird und der andere nicht – das weiß bis heute niemand so ganz genau. Über eines aber scheint doch eine gewisse Klarheit zu bestehen: Wer Alkohol oder auch andere Drogen als Problemlöser benutzt, ist ganz besonders in Gefahr, unbemerkt in Abhängigkeit zu geraten. Ganz entscheidend ist offenbar die Fähigkeit oder die Unfähigkeit, mit Problemen, mit Konflikten fertig zu werden. Ein Leben ohne Probleme, ohne Schwierigkeiten und Konflikte gibt es nicht. Gerade die von Erwachsenen immer so beschworene ›goldene Jugendzeit‹ ist voll davon. Manche Probleme lassen sich zur Zufriedenheit aller Beteiligten lösen – aber eben nur manche. Oft muß man Enttäuschungen hinnehmen,

mit Versagungen fertig werden: »Frustration« heißt das in der Psychologensprache. Die Bereitschaft und die Fähigkeit, mit solchen Frustrationen fertig zu werden, sie wirklich zu verarbeiten, nennt man »Frustrationstoleranz«. Je geringer diese Fähigkeit ausgebildet ist, um so stärker leidet ein Mensch unter den Problemen und Konflikten, mit denen er einfach nicht fertig werden kann. Ihm bleibt gar nichts weiter übrig, als diesen Schwierigkeiten zu entfliehen. Und nicht selten endet diese Flucht in einer Droge: Ein paar Gläser Alkohol, eine Beruhigungspille, das läßt die Angst verschwinden, deckt das Problem mit einem Nebelschleier zu. Und so ganz allmählich werden selbst die kleinsten Alltagsschwierigkeiten heruntergespült, heruntergeschluckt, verdrängt – der entscheidende Schritt zur Abhängigkeit ist getan.

Die anderen sind an allem schuld
Jetzt kann man natürlich eine ganz einfache Schlußfolgerung ziehen: Der eine kann mit Konflikten fertig werden, der andere eben nicht. Wer es nicht kann und folglich zu trinken anfängt, ist also gar nicht selbst daran schuld. Und damit wäre man dann für alle Zeiten entschuldigt. Wird man Alkoholiker oder von sonst einer Droge abhängig, dann kann das nur an den bösen anderen Menschen liegen, die einen dauernd in neue Konflikte stürzen . . . Dieser Teufelskreis von Selbstmitleid und Selbstbetrug, die ständige Suche nach neuen Entschuldigungen, warum man trinkt, obwohl man das nicht will – dieses Denkschema ist typisch für Alkoholiker.

Natürlich sind nicht »die anderen« an allem schuld. Aber genauso verkehrt wäre es, dem Drogenabhängigen die Schuld an seiner Sucht zuzuschieben, ihn als haltlos und einfach unbeherrscht zu verurteilen. Die Wechselwirkungen zwischen dem einzelnen Menschen und seiner Umwelt sind so vielfältig und so kompliziert, daß man die Suche nach Schuld oder Schuldigen besser bleiben läßt.

Und die Probleme?

Probleme lösen sich nicht von alleine. Das ist zwar eine Binsenweisheit, aber ab und zu ist es doch ganz gut, sich an eine solche Selbstverständlichkeit zu erinnern.

Da ist zum Beispiel die Sache mit Iris und der gefährdeten Versetzung. »Wie es eigentlich dazu gekommen ist, das weiß sie selbst nicht so genau.« Aber gerade darum geht es – sie muß dahinter kommen, warum es so gekommen ist. Ein Problem kann man nur lösen, wenn man seine Ursachen erkennt. Also: Eine Fünf in Englisch fällt schließlich nicht vom Himmel. Wie war denn das mit den Hausaufgaben in der letzten Zeit, mit dem Wörterlernen und so? Hat sie da wirklich ein gutes Gewissen? Wenn ja – gleich die nächste Frage: Völlig unbegabt für Sprachen? Da kann man wohl nichts machen – Begabung kann man schließlich nicht erzwingen. Dann muß sich Iris aber vielleicht fragen, was ihr der Realschulabschluß wert ist. Will sie ihn oder will sie ihn nicht? Wenn sie ihn will – und das ist ein Jahr vor Schulende fast anzunehmen – dann muß sie eben ganz besonders büffeln in diesem letzten Jahr. Eine Vier müßte mit entsprechendem Fleiß eigentlich schon noch drin sein. Und außerdem: Die mißlungene Mathematikarbeit spricht eigentlich dafür, daß das mit der einseitigen Begabung nur eine Ausrede ist. Vielleicht könnte sich Iris auch mit ein paar anderen aus ihrer Klasse zusammensetzen, man könnte sich gegenseitig helfen. Und die Eltern? Da gibt es eigentlich nur eins: rechtzeitig Farbe bekennen, die Karten auf den Tisch legen. Nicht alle Kinder haben Eltern, die in der Schule immer die Besten waren ... oder? Rechtzeitig zugeben, daß man in Schwierigkeiten geraten ist – das ist immer noch der beste Weg. Für einen selbst und für die anderen.

Die Sache mit Uwe ist ganz sicher besonders schwierig. Nicht anerkannt zu werden von den anderen – in der Schule, im Beruf oder auch in der Familie, das ist für Kinder, Jugendliche und Erwachsene gleichermaßen bitter. Angenommen, Uwe ist kein ›Petzer‹, kein ›Streber‹, kein ›Muttersöhnchen‹. Und trotzdem kommt er nicht so recht an bei den anderen in seiner Klasse. Ihm zu sagen, daß die Pickel irgendwann von allein verschwinden, und daß gute Turnleistungen am Reck nicht alles sind im Leben – das ist wohl nur ein schwacher Trost. Vielleicht ist er besonders musikalisch oder er kann gut zeichnen – aber was nützt ihm das, wenn die ersten Bartansätze am Kinn und starke Armmuskeln nun mal gerade hoch im Kurs stehen in seiner Klasse? Natürlich könnte er versuchen, in einem anderen Kreis Gleichaltriger und Gleichgesinnter

– vielleicht in einem Jugendklub – Anschluß und Anerkennung zu finden. Aber diese Möglichkeiten gibt es nicht überall. Am besten helfen könnten ihm seine Klassenkameraden. Eigentlich müßten sich doch ein paar in der Klasse finden lassen, die im Grunde mit dem tonangebenden Jürgen auch nicht ganz einverstanden sind – vielleicht diejenigen, die bei der nächtlichen »Party« auch nicht so ganz glücklich waren? Wenn nur ein paar anfangen würden, Uwe zu helfen, ihn nicht mehr auszulachen, wenn er wie ein Mehlsack am Reck hängt, ihn nicht mehr ständig als »unseren Kleinen« zu bezeichnen ... Das wäre doch schon etwas!

Für Karin und Birgit könnte man jetzt auch noch versuchen, Lösungen zu finden – für den Liebeskummer, für den Krach mit den Eltern. Aber es geht ja hier gar nicht um »Patentlösungen«, um Gebrauchsanweisungen. Auch für die Probleme von Iris und Uwe gibt es die nicht. Wichtig ist nur, zu erkennen, daß man sich auch ein bißchen selbst darum bemühen muß, mit solchen Konflikten fertig zu werden. Und daß einen nicht nur die eigenen Probleme etwas angehen, sondern auch die der anderen, mit denen wir zusammenleben. Sich im eigenen Kummer zu vergraben, sich selbst zu bemitleiden und die Schuld immer nur bei anderen zu

suchen – das hilft bestimmt nicht weiter. Und bei den Problemen anderer zu sagen, »was geht mich das an« – das ist ganz schlicht und einfach Drückebergerei vor der Verantwortung für andere. Wenn man selbst in der Klemme sitzt, ist man ja auch froh, wenn einem jemand hilft.

Konflikte lösen, mit Versagungen fertig werden – das ist etwas, das man lernen muß. Wer Glück hat, lernt das von klein auf – in angemessener Dosierung natürlich. Deswegen ist es zum Beispiel gut, daß sich Erwachsene nicht immer gleich einmischen, wenn Kinder miteinander streiten. Je älter man wird, um so mehr kann und sollte man seine Einsicht und seinen Verstand benutzen, um mit Problemen fertig zu werden, sie zu erkennen und zu lösen. Und auch mit der Enttäuschung fertig zu werden, wenn man hier und da zurückstecken muß. Wer das gelernt hat, muß seine Sorgen nicht im Alkohol ertränken oder sich mit Medikamenten betäuben, um sie zu vergessen.

Süchtig – und dann?

Ist jemand erst einmal abhängig von einer Droge, dann hat es keinen Sinn, ihm deswegen Vorwürfe zu machen oder ihn mit Maßhalteappellen zu traktieren. Süchtige Menschen sind kranke Menschen, sie brauchen wie jeder Kranke die Hilfe von Fachleuten. Ein Alkoholiker kann sein Trinken nicht mehr unter Kontrolle halten, auch wenn er noch so oft verspricht, daß er sich von morgen an ganz bestimmt zusammennehmen wird. Je früher sich ein Suchtkranker behandeln läßt, um so größer sind seine Chancen zur Heilung. Wer einem Suchtkranken helfen will, kann also nur versuchen, ihm den Weg zu einer Beratungsstelle zu erleichtern, ihn dazu zu bringen, dorthin zu gehen. Im Anhang dieses Buches stehen die wichtigsten Adressen – dort erfährt man dann, wo die nächsten örtlichen Kontaktstellen für Suchtgefährdete sind. Selbstverständlich kann man sich dort auch informieren, wenn man nur theoretisch an diesen Fragen interessiert ist.

Alkohol löst also keine Probleme – er schafft nur neue. Übrigens sind unter den jugendlichen Alkoholikern oder Alkoholanfälligen viele, die Schwierigkeiten mit der Schule, mit der Berufsausbildung oder auch im Beruf selbst haben. Unzufriedenheit mit den eigenen Leistungen, mit den Möglichkeiten und Aufstiegschancen die man hat – das ist häufig ein Grund, zur Flasche zu greifen. Ob mit oder ohne Alkohol: eine verfahrene Ausbildungssituation oder die Erkenntnis, daß man den falschen Beruf gewählt hat – all das bringt Schwierigkeiten mit sich. Am besten lassen sich solche Probleme vermeiden, wenn man sich rechtzeitig Gedanken darüber macht, was man einmal werden will und welche Voraussetzungen man braucht, um den gewünschten Beruf erlernen zu können. Von den vielen Möglichkeiten, die es heute gibt, sollte nur eine von vornherein ausscheiden: keinen Beruf zu erlernen! Für das folgende Kapitel muß man sich mit etwas Geduld und Ausdauer wappnen. Vieles wird erst verständlich werden, wenn man es mehrmals gründlich gelesen hat. Das liegt ganz einfach daran, daß die vielfältigen Bildungs- und Ausbildungsmöglichkeiten, die es bei uns gibt, zusammengenommen ein recht kompliziertes Gebilde ergeben. Um schwierige Sachverhalte zu begreifen, muß man eben manchmal auch etwas Zeit investieren. Aber es lohnt sich. Vielleicht helfen auch Vater oder Mutter, sich durch dieses Kapitel hindurchzuarbeiten.

Berufswahl – nicht leicht gemacht

Irmgard Rieder

Was soll ich, was kann ich, was will ich werden? Welche Berufsmöglichkeiten hat man mit dem Hauptschulabschluß, welche mit dem Realschulabschluß? Gibt es Wege, nachzuholen, was man bei der Schulausbildung, bei der Berufsausbildung versäumt hat? Wer kann genaue Auskünfte zu allen diesen Fragen geben?

62

Nächstes Jahr im Sommer ist Margret mit der Realschule fertig. Wenn alles gut geht, hat sie dann die mittlere Reife. So ganz leicht fällt ihr die Schule ja nicht, und eigentlich hätte sie gute Lust, es bei diesem Schulabschluß bewenden zu lassen. Aber andererseits weiß sie auch noch nicht so recht, was sie einmal werden will. In Sprachen und Deutsch war sie in der Schule immer ganz gut – aber einen Berufswunsch hat sie noch nicht.

Margrets Mutter möchte, daß sie Sekretärin wird: die Ausbildung ist nicht so lang, man verdient ganz gut und kann später, wenn man Familie hat, vielleicht sogar halbtags arbeiten. Margrets Mutter war vor ihrer Heirat selbst Sekretärin, daher kennt sie sich aus. Der Vater findet, Margret sollte weiter in die Schule gehen, wenn sie sowieso noch nicht weiß, was sie werden will. Der unverheiratete Onkel Robert plädiert für Abitur und Jurastudium. Da könnte Margret dann später seine gut gehende Anwaltspraxis übernehmen. Tante Dora dagegen findet, Margret sollte lieber einen weiblicheren Beruf erlernen. Krankenschwester zum Beispiel. Was man da lernt, kann man später auch als Hausfrau und Mutter gut brauchen. Über eines aber sind sich alle einig, die sich um Margrets Berufsausbildung Gedanken machen: Sie soll auf jeden Fall einen »anständigen« Beruf lernen.

Was ist denn das, ein »anständiger« Beruf? Ist das ein Beruf, in dem man besonders angesehen ist? Oder einer, in dem man besonders gut verdient? Oder noch besser, einer, auf den beides zutrifft – der gute Verdienst und das hohe Ansehen? Was ist besonders wichtig – die Länge der Ausbildung, die Aufstiegschancen, der Spaß am Beruf? Kann man das alles unter einen Hut bringen? Ist es überhaupt so entscheidend, welchen Beruf man erlernt – wo doch schon fast ein Drittel aller Berufstätigen nicht mehr in dem Beruf arbeitet, der einst erlernt wurde? Und wer hilft einem bei der Berufswahl?

Fragen über Fragen – doch Patentrezepte für die richtige Berufswahl gibt es nicht. Das Recht auf freie Berufswahl, das bei uns im Grundgesetz steht, hat auch seinen Preis: das Wagnis und den Mut zur eigenen Entscheidung. Das damit eventuell verbundene Risiko aber kann man verringern, wenn man sich gründlich und rechtzeitig informiert. Zunächst ein paar grundsätzliche Überlegungen zu der Frage: was bestimmt eigentlich unsere Berufswahl?

Da sind zum Beispiel – wie das auch bei Margret der Fall ist – die Vorstellungen der Eltern und Verwandten, die aber meist auch nur aus ihrem eigenen Erfahrungsbereich schöpfen können. Und viele Berufe von heute gab es noch gar nicht, als Margrets Mutter Sekretärin und Onkel Robert Jurist wurden. Neben den Vorstellungen der Familie sind für die Berufswahl drei grundsätzliche Bereiche von Bedeutung:

1. Eignung und Neigung für einen Beruf.
2. Die Ausbildungsmöglichkeiten in Schule und Betrieb.
3. Die Lage auf dem Arbeitsmarkt.

Für einen Beruf geeignet?

In der Schule, und nicht nur dort, habt Ihr bestimmt schon eine ganze Menge Erfahrungen gemacht. Anhand dieser Erfahrungen wißt Ihr auch schon, was Euch besonders Spaß macht. Vielleicht geht Ihr gerne mit Farben um, vielleicht arbeitet Ihr gerne handwerklich, vielleicht lest Ihr gerne, vielleicht habt Ihr auch schon einmal einen Ferienjob gehabt, der Euch nicht lag, oder aber einen, der Euch Spaß gemacht hat. Vielleicht arbeitet Ihr gern alleine oder Ihr findet gerade das Arbeiten in einer Gruppe besonders anregend und befriedigend. Für all diese Erkenntnisse waren die Erfahrungen nötig, die Ihr bisher gemacht habt. Von vielen Möglichkeiten und Tätigkeiten habt Ihr aber bislang einfach noch nichts gehört.

Nun gibt es eine ganze Reihe von Tests – weiter hinten in diesem Buch erfahrt Ihr mehr darüber –, die Eignung, Neigung und Interesse für verschiedene Bereiche klären wollen. Die Testergebnisse aber hängen wiederum von Euren Erfahrungen und damit auch vom Alter ab. Wenn Ihr vor ein paar Jahren schon einmal einen solchen Test gemacht habt, dann ist es wahrscheinlich, daß das Ergebnis heute, in einem Jahr und in ein paar weiteren Jahren ganz anders ausfallen wird. Das beste ist es, öfter solche Tests zu machen. Das ist zudem ganz im Sinne derjenigen, die Euch bei einem solchen Test betreuen. So ist also schon die Frage »Was liegt mir?« nicht ganz einfach zu beantworten, weil man ja ständig neue Erfahrungen macht. Hinzu kommt noch etwas anderes. Das was man viel-

leicht tun will, was einen interessieren würde, steht ja nicht für sich alleine da, es gehört zu einem Arbeitsprozeß und an einen ganz bestimmten Arbeitsplatz. Beides stellt gewisse Anforderungen an Euch. Angenommen, Margret wird Krankenschwester, die Ausbildung hat ihr Spaß gemacht und die Tätigkeit befriedigt sie. Trotzdem kann es sein, daß ihr die Hierarchie, die Rangordnung im Krankenhaus nicht gefällt, die vom Professor über den Oberarzt bis hin zur Oberschwester und der einfachen Krankenschwester reicht. Vielleicht hat Margret den Eindruck, daß ihr der Entfaltungsspielraum versagt bleibt, den sie sich in diesem Beruf erhofft hat. Um diesen Entfaltungsspielraum muß man meistens kämpfen. Man muß lernen, seine Interessen wahrzunehmen und sie – auch gegenüber Vorgesetzten – zu verteidigen.

Der Arbeitsmarkt

Die Frage »Welche Ausbildung hat Zukunft?« läßt sich zunächst auch anders formulieren: Welche Ausbildungsgänge, welche Berufe sind heute gefragt, welche werden in Zukunft gefragt sein? Die Antwort darauf hängt von vielen Umständen, von vielen Faktoren also ab. Da ist zum Beispiel die Art von Produkten und Dienstleistungen zu nennen, der Technisierungsgrad oder auch die gesellschaftlichen Bedürfnisse. War gestern noch der Wirtschaftszweig Wohnungseinrichtungen oder Automobilherstellung und alles, was damit zusammenhängt, erfolgversprechend, so ist es heute beispielsweise die Freizeitindustrie: Reisebürokaufleute, Freizeitpädagogen,

Hersteller von Freizeitartikeln aller Art stehen hoch im Kurs. Die Nachfrage nach Arbeitskräften hängt unter anderem auch ab von den Handelsbeziehungen zu anderen Ländern. Hochwertige und preisgünstige optische Erzeugnisse zum Beispiel werden heute vielfach aus asiatischen Ländern importiert. Welchen Wirtschaftszweigen wird in Zukunft ein ähnliches Schicksal widerfahren, welche stehen vor einer blühenden Zukunft?

Auf diese Fragen gibt es keine verbindlichen Antworten. Der Arbeitsmarkt läßt sich nur schwer berechnen, denn wir wissen nicht mit letzter Sicherheit, was in Zukunft gefragt sein wird. Er ist zu jedem Zeitpunkt ein anderer:
a) wenn Ihr Eure Ausbildung wählt,
b) wenn Ihr in das Berufsleben eintretet
c) und im Lauf Eures ganzen Berufslebens.

Nun sagt Ihr vielleicht, es gibt doch Berechnungen und Voraussagen über die Lage auf dem Arbeitsmarkt. Das stimmt zwar, aber hier ist Vorsicht geboten – das betonen auch diejenigen immer wieder, die solche Berechnungen machen. Die Vorausberechnungen geben zum Beispiel an, wie viele Menschen im Jahre X diesen oder jenen ganz bestimmten Beruf ausüben werden. Aber wer das sein wird – Du, Dein Klassenkamerad, ein halbes Dutzend oder mehr Jungen und Mädchen aus Hamburg oder Stuttgart oder sonstwo – darüber sagen die Berufsprognosen nichts aus! Solche Voraussagen sollten also nicht ausschlaggebend sein für Eure Berufswahl. Berufsprognosen sagen zudem nichts aus über neu entstehende Berufe. Entschließt Ihr Euch also für einen Ausbildungsgang, der noch recht neu ist, so werden Eure Chancen sicher nicht zuletzt davon abhängen, wie sich Eure Vorgänger bewährt haben. Das klingt alles nicht sehr optimistisch. Aber das Wissen um diese Zusammenhänge ist notwendig, wenn man sich Gedanken um seine Zukunftschancen macht. Garantien kann einem niemand geben. Das beste Beispiel ist die Sache mit den Lehrern: Jahrelang hat man Abiturienten zu diesem Beruf geraten – jetzt, nach abgeschlossenem Studium stehen viele vor verschlossenen Schultüren.

Das Wichtigste:
Der Schulabschluß

Das A und O für eine gesicherte berufliche Zukunft ist eine solide schulische Ausbildung. Das beweisen alle Statistiken über das Erwerbsleben, besonders die über die Arbeitslosigkeit. Menschen mit schlechter Schulbildung und ohne Berufsausbildung bekommen immer als erste zu spüren, wenn sich die Lage auf dem Arbeitsmarkt verschlechtert. Ein qualifizierter Hauptschulabschluß und eine solide Berufsausbildung sollten also unbedingt angestrebt werden. Hinzu kommt, daß das Berufsleben vom einzelnen immer mehr berufliche Anpassungsfähigkeit verlangt. Auch hier tut man sich leichter, je besser die schulische und die berufliche Ausbildung ist. Auch die Bereitschaft zur Weiterbildung ist notwendig, denn immer mehr Menschen müssen heute in einem Beruf arbeiten, für den sie eigentlich nicht ausgebildet wurden.

66

Grundsätzlich gilt: je schlechter die Ausbildung, um so gefährdeter ist der Arbeitsplatz. Eine breite Grundausbildung und die Bereitschaft dazuzulernen bedeuten für den einzelnen mehr Sicherheit. Die Vorstellung von einem Beruf, der einen das ganze Leben hindurch begleitet, wird der Zukunft noch weniger gerecht werden als der Gegenwart. Am Anfang steht zunächst einmal eine gründliche und abgeschlossene Schulausbildung. Anforderungen und Bestimmungen für die einzelnen Schulabschlüsse sind von Bundesland zu Bundesland verschieden, sie ändern sich zudem von Zeit zu Zeit. Über die genauen Einzelheiten eines bestimmten Schulabschlusses muß man sich am besten bei den zuständigen Behörden und Beratungsstellen seines Landes informieren. Bei den Kultusministerien und den Arbeitsämtern erfährt man, wo und von wem man die gewünschte Auskunft bekommt.

Bei der Schulwahl ist zu beachten, daß man sich auf staatliche, staatlich anerkannte oder staatlich genehmigte Schulen konzentriert. Wer also eine private Schule ins Auge faßt, sollte vorher fragen, ob diese Schule auch das Prädikat »staatlich anerkannt« oder »staatlich genehmigt« trägt. Es kann sonst sehr leicht passieren, daß man mit seiner Ausbildung, die dazuhin auf solchen Schulen oft noch eine Menge Geld kostet, später wenig anfangen kann. Private Schulen oder Internate sollen schließlich nicht in eine Ausbildungssackgasse führen. Erkundigt

Euch also vorher, ob Ihr dort auch eine staatlich anerkannte Abschlußprüfung machen könnt.

Dasselbe gilt übrigens auch für Fernkurse. Erkundigt Euch rechtzeitig über den Fernkurs, den Ihr machen wollt – sonst investiert Ihr vielleicht unnötig Zeit und Geld.

Wer bisher keinen Schulabschluß erwerben konnte – weil es zum Beispiel mit dem Hauptschulabschluß nicht geklappt hat oder weil man nach ein paar Jahren Gymnasium feststellt, daß man die falsche Schule erwischt hat – der hat die Möglichkeit, den Hauptschul- oder den Realschulabschluß durch eine *Schulfremdenprüfung* zu erwerben. Dies gilt zum Beispiel auch für Schüler von Privatschulen, die die Schule verlassen haben. Solche Schulen vergeben nämlich in vielen Fällen außer dem Abitur keine Abschlußzeugnisse. In einigen Bundesländern gibt es auch für Sonderschüler die Möglichkeit, auf diesem Wege den Hauptschulabschluß zu erwerben. Wie die Möglichkeiten im jeweiligen Bundesland aussehen, erfahrt Ihr am besten vom zuständigen Kultusministerium.

Die folgenden Abschnitte konzentrieren sich auf die Ausbildungs- und Weiterbildungsmöglichkeiten von Hauptschülern und Realschülern. Denn dieser Beitrag will sich ja in erster Linie an diejenigen wenden, die vor der Frage stehen: Was kann ich werden, wenn ich jetzt, nach der Hauptschule, der Realschule oder der mittleren Reife am Gymnasium einen Beruf erlernen will?

Hauptschulabschluß – und nun?

Wer mit der Hauptschule fertig ist, steht vor der Entscheidung: Weiter zur Schule gehen oder einen Beruf erlernen. Vielleicht läßt sich auch beides miteinander verbinden.

Es gibt über vierhundert staatlich anerkannte Ausbildungsberufe, in allen Bereichen der gewerblichen Wirtschaft, im Handel, im öffentlichen Dienst, bei Banken und Versicherungen, bei Angehörigen freier Berufe – also bei Ärzten, Rechtsanwälten usw. – sowie in der Haus- und Landwirtschaft. Über die Vielzahl der Berufsausbildungsmöglichkeiten weiß das Arbeitsamt am besten Bescheid. Neben einem Beratungsgespräch könnt Ihr dort eine Fülle von Prospekten und Merkblättern zu den einzelnen Berufen bekommen. Wenn Ihr eine Lehrstelle sucht, dann empfiehlt es sich, rechtzeitig mit verschiedenen Firmen und sonstigen Ausbildungsstätten Kontakt aufzunehmen. Von den Schulen, von Jugendgruppen, Gewerkschaften und anderen Verbänden werden auch Kontakte zu Ausbildungsstätten hergestellt. Manche Lehrstellen werden in den Zeitungen ausgeschrieben, und oft gibt es zum Schuljahresende Sonderbeilagen in den Tageszeitungen, die über Ausbildungsmöglichkeiten informieren. Auch über das Arbeitsamt, über die Industrie- und Handelskammer oder über die Handwerkskammern könnt Ihr Kontakte knüpfen. Oder schreibt einfach die Ausbildungsstätten an, die Euch interessieren – das ist durchaus möglich –, und vereinbart dort einen Gesprächstermin, zu dem Eure Eltern mitkommen sollten.

Nun hat sich aber in den letzten Jahren gezeigt, daß die für die Hauptschüler typischen Ausbildungsplätze immer mehr von Realschülern eingenommen werden. Es ist also zu überdenken, ob man nicht doch die mittlere Reife anstreben sollte.

Die Lehrzeit dauert in der Regel drei bis dreieinhalb Jahre und wird ergänzt durch den Berufsschulunterricht und eventuell durch den Besuch überbetrieblicher Ausbildungsstätten. Sie endet mit der Abschlußprüfung.

Die berufliche Fortbildung – das heißt also die Anpassung an die technische Entwicklung durch zusätzliche Spezialisierung und Qualifizierung – kann durch Kurse und Lehrgänge erfolgen, die von den Wirtschaftsorganisationen, von Fachverbänden, Gewerkschaften und anderen Institutionen veranstaltet werden. Auf die Meisterprüfung in Industrie, Handwerk, Land- und Hauswirtschaft, die nach einigen Berufsjahren abgelegt werden kann, bereiten Kurse, Lehrgänge oder Fachschulen vor. Die Meisterprüfung ist Voraussetzung, wenn man später einmal selbständig werden will, d. h. ein eigenes Geschäft eröffnet. Den Meistern entsprechen im kaufmännischen Bereich in etwa die Fachwirte. Dieser Titel ist ziemlich neu. Es gibt beispielsweise Handels-, Industrie-, Bank- und Versicherungsfachwirte.

Fortbildungs- und damit Aufstiegsmöglichkeiten bieten für alle Berufsbereiche zahlreiche Fachschulen die in der Regel noch eine mehrjährige einschlägige Berufserfahrung und im Einzelfall den mittleren Bildungsabschluß (das heißt die mittlere Reife) voraussetzen. So ermöglichen zum Beispiel einjährige Fachschulen im hauswirtschaftlichen Bereich den Aufstieg zur staatlich geprüften Wirtschafterin. Vor allem für handwerkliche Berufe gibt es eine Reihe von Fachschulen, die in zumeist drei- bis viersemestrigen (das heißt in anderthalb- bis zweijährigen) Lehrgängen die bisherige Berufsausbildung vertiefen und mit einer staatlichen Abschlußprüfung enden.

Die bekanntesten Fachschulen sind die Technikerschulen. Sie dauern bei Vollzeitunterricht vier Semester und bei Teilzeitunterricht – etwa abends oder samstags – rund acht Semester (also zwei beziehungsweise vier Jahre).

Staatlich geprüfte Techniker gibt es für praktisch alle gewerblich-technischen Fachrichtungen, den Laborbereich, die Landwirtschaft, den Wein- und Gartenbau.

Den Technikerschulen entsprechen im kaufmännischen Bereich die Fachschulen für Betriebswirtschaft, die zum praktischen oder staatlich geprüften Betriebswirt ausbilden. Je nach Ausbildungsinstitut wird jedoch eventuell die mittlere Reife vorausgesetzt. Außerdem gibt es Fachschulen für die Ausbildung in Berufen des medizinischen und sozialen Bereichs. Die Fachschulen können zum größten Teil nur mit mittlerer Reife besucht werden, und sie werden dazuhin in letzter Zeit immer mehr von Abiturienten belegt. Auch wer sich für die Beamtenlaufbahn entscheidet, tritt unmittelbar nach der Schule in die berufliche Praxis ein, und zwar mit der Ausbil-

70

35 B

TECHNISCHES AUS- UND FORTBILDUNGSWESEN

BERUFSINFORMATION

PRÜFUNGSZIMMER

AUSBILDUNGSBERATER

dung bzw. dem Vorbereitungsdienst für die Laufbahnen des einfachen Dienstes.

Hier und da kann man seine Berufsausbildung auch in der Schule beginnen und später im Betrieb fortsetzen: Berufsgrundbildungsjahre vermitteln praktisches und theoretisches Grundwissen in einem sogenannten Berufsfeld wie z. B. Wirtschaft und Verwaltung, Metall, Holz und Bau, Textil und Bekleidung, Druck und Papier, Gesundheits- und Körperpflege, Ernährung und Hauswirtschaft. Unter bestimmten Voraussetzungen wird das Berufsgrund-

WERNER-SIEMENS-SCHULE
GEWERBL. BERUFS-UND FACHSCHULE

bildungsjahr auf die nachfolgende betriebliche Berufsausbildung angerechnet.

Entsprechendes gilt auch für die einjährigen Berufsfachschulen.

Ferner gibt es Berufsfachschulen, die eine betriebliche Ausbildung ersetzen und auf die Prüfung durch die Handwerkskammer bzw. die Industrie- und Handelskammer vorbereiten. Man kann also wählen, ob man die Berufsausbildung im Betrieb oder in einer Berufsfachschule durchlaufen will. Manche Berufsabschlüsse können auch nur in solchen Berufsfachschulen erworben werden. Dafür braucht man aber im allgemeinen wieder die mittlere Reife. Es gibt außerdem zweijährige oder auch dreijährige Berufsfachschulen, die neben einer beruflichen Grundbildung eine erweiterte Allgemeinbildung und gleichzeitig einen mittleren Bildungsabschluß bieten. Das ermöglicht dem ehemaligen Hauptschüler den Übergang in die Fachoberschule (deren Abschluß wiederum das Studium an einer Fachhochschule möglich macht). Mit dem mittleren Bildungsabschluß kann man auch ein berufliches Gymnasium besuchen.

Fachschulen, Berufsfachschulen, einjährige, zwei- und dreijährige, Technikerschulen, Berufsgrundbildungsjahr! In der Tat eine verwirrende Vielfalt an Möglichkeiten auch für jene, die sich aus Berufsgründen mit diesem Schuldickicht befassen. Tatsache ist, daß sich hinter den Begriffen »Fachschule« und »Berufsfachschule« ziemlich unterschiedliche Schultypen und Ausbildungsmöglichkeiten verbergen. Es wäre eine wichtige Aufgabe

für die Bildungspolitiker, durch einheitliche Bezeichnungen der Verwirrung ein Ende zu bereiten. Die Zugangswege sind ebenso unterschiedlich wie die Abschlüsse. Zu beachten ist ferner, daß ein so erworbener mittlerer Bildungsabschluß oft nicht der mittleren Reife der Realschulen oder Gymnasien entspricht, die eine uneingeschränkte Weiterbildung in jeder möglichen Richtung erlauben. Fachschulen oder Berufsfachschulen bieten nur einen fachspezifischen, mittleren Bildungsabschluß, der bestenfalls in die speziellen beruflichen Oberschulen oder beruflichen Gymnasien führt. Deren Abschluß wiederum ermöglicht erst ein Studium an Hochschulen in bestimmten Fachrichtungen. Viele Studienrichtungen, die eine allgemeine Hochschulreife erfordern, kann man also mit diesem Weg nicht einschlagen. Man muß sich vorher genau informieren, und man sollte sich doch ziemlich im klaren sein, was man werden will. Aber ganz ohne Zweifel bieten diese Schultypen für denjenigen eine Fülle von Weiterbildungsmöglichkeiten, der spezifische Interessen hat.

Es kann aber auch sein, daß Ihr nach dem Hauptschulabschluß keine berufsspezifische Ausbildung machen, sondern weiter zur Schule gehen wollt.

Das ist wiederum nicht in allen Bundesländern und an allen Orten möglich.

Wer einen sogenannten qualifizierten Hauptschulabschluß hat, kann in einigen Bundesländern in die Realschule übertreten und dort den Realschulabschluß erwerben, das entspricht einer allgemeinen mittleren Reife. Danach kann man eine Fachoberschule oder ein allgemeinbildendes Gymnasium besuchen. Hierbei ist jedoch ein Mindestnotendurchschnitt in den Kernfächern und in vielen Fällen eine zusätzliche Aufnahmeprüfung erforderlich. Besonders dann, wenn es mehr Bewerber mit diesem Mindestnotendurchschnitt gibt, als Schulplätze zur Verfügung stehen. Der Übertritt in ein allgemeinbildendes Gymnasium ist zudem abhängig von Kenntnissen in zwei Fremdsprachen, und schon deshalb dürfte es manchmal schwierig sein, mit Hauptschul- oder Realschulabschluß den unmittelbaren Anschluß ans allgemeinbildende Gymnasium zu finden. Selbstverständlich können die Kenntnisse in der zweiten Fremdsprache vor dem Übertritt ins Gymnasium durch Kurse erworben werden. Nur darf man sich damit nicht allzuviel Zeit lassen, denn in manchen Bundesländern ist der Übergang auf ein allgemeinbildendes Gymnasium nur bis zu einem gewissen Lebensalter möglich.

Aber auch wer zunächst eine betriebliche Berufsausbildung abgeschlossen hat, kann später noch weitere Bildungsabschlüsse erwerben. Etwa durch den Besuch der Berufsaufbauschule. Diese gibt es z. B. für die allgemeingewerbliche, allgemein-gewerblich-technische, kaufmännische, hauswirtschaftlich-pflegerische und sozialpädagogische sowie landwirtschaftliche Fachrichtung. Sie dauert bei Teilzeitunterricht in der Regel sechs, bei Vollzeitunterricht zumeist zwei Halbjahre. Eine kombinierte Form ist teilweise ebenfalls möglich. Mit dem Besuch der Teilzeitform kann schon während der Berufsausbildung begonnen werden.

Der erfolgreiche Besuch der Berufsaufbauschule eröffnet den Zugang zur Fachoberschule oder der Technischen Oberschule, wo man in einem weiteren Jahr die Fachhochschulreife erwerben kann. In insgesamt zwei Jahren kann an den Technischen Oberschulen die fachgebundene Hochschulreife erlangt werden. Damit kann man dann in bestimmten Fachrichtungen an der Universität studieren.

Der direkte Weg vom Hauptschulabschluß zur allgemeinen Hochschulreife hingegen geht über die Aufbaugymnasien. Hier beträgt die Schuldauer ca. 6 Jahre. Alle diese Hinweise können natürlich nicht mehr als ein paar Anregungen geben. Die Frage, welchen Weg man einschlagen soll, läßt sich nur individuell, für jeden einzelnen, beantworten. Ehe man sich entscheidet, sollte man sich anhand der zahlreichen, insbesonders von den Kultusministerien und Arbeitsämtern zur Verfügung stehenden Materialien informieren und eine Beratungsstelle aufsuchen.

Realschulabschluß – und nun?

Auch hier gilt wieder: eine vollständige Übersicht über die Bildungswege in allen Bundesländern ist in diesem Rahmen kaum möglich, da jedes Land seinem Bildungssystem eine eigene Prägung verleiht. So können auch die folgenden Seiten höchstens die eine oder andere Anregung geben; mehr Klarheit schafft im Einzelfall ein Gespräch in

einer Beratungsstelle. Was die betriebliche Ausbildung angeht, so werden für den Realschüler aus dem gewerblichen Bereich die qualifizierten Metall- und Elektroberufe, die Druckberufe, die Laborantenberufe, der gesamte kaufmännische Bereich und eine Reihe von Berufen aus dem gestaltenden Handwerk von Interesse sein. Die betriebliche Ausbildung dauert in der Regel zweieinhalb bis drei Jahre.

Kurse und Lehrgänge, die von den Wirtschaftsorganisationen, Fachverbänden und anderen Institutionen eingerichtet wurden, dienen der beruflichen Weiterbildung, der Anpassung an die technische Entwicklung, der Spezialisierung und der Qualifizierung. Sowohl im Handwerk als auch in der Industrie kann nach

mehreren Berufsjahren die Meisterprüfung abgelegt werden. Darauf bereiten Kurse und Lehrgänge der Kammern sowie Fachschulen vor. Wer die Meisterprüfung abgelegt hat, kann sich selbständig machen. Gesellen, Facharbeiter und Laboranten, aber auch Landwirte, Winzer und Gärtner können nach ein- bis zweijähriger einschlägiger Berufspraxis eine Technikerschule besuchen. Die Ausbildung zum staatlich geprüften Techniker dauert in der Vollzeitform vier und in der Teilzeitform sieben bis acht Semester – das sind zwei bzw. dreieinhalb bis vier Jahre.

Mit den Technikern lassen sich im kaufmännischen Bereich die staatlich geprüften bzw. die praktischen Betriebswirte, und mit den Meistern in etwa die Fachwirte (Handels-,

Bank-, Industrie-, Versicherungsfachwirt) vergleichen. Vor allem bei Berufen des gestaltenden Handwerks kann nach entsprechender Berufspraxis und einem zumeist drei bis vier Semester dauernden Fachschulbesuch eine staatliche Prüfung abgelegt werden, z. B. als staatlich geprüfter Florist, staatlich geprüfter Keramikmaler, staatlich geprüfter Goldschmied, staatlich geprüfter Augenoptiker, um nur einige aufzuzeigen. Auch wer sich für eine Beamtenlaufbahn entscheidet, steigt unmittelbar in die berufliche Praxis ein. Realschulabsolventen können im mittleren nichttechnischen Dienst in der Regel im Anschluß an die Schule mit dem Vorbereitungsdienst beginnen. Die Dauer des Vorbereitungsdienstes liegt zwischen einem und drei Jahren und endet mit der Laufbahnprüfung.

Wer sich für eine schulische Ausbildungsform entscheidet, muß für manche Fachschulberufe zunächst mit einem ein- bis zweijährigen gelenkten Praktikum oder einer einschlägigen praktischen Tätigkeit beginnen. Die schulische Ausbildung kann an Berufsfachschulen und Fachschulen erfolgen. Berufsfachschulen können unmittelbar im Anschluß an die allgemeinbildenden Schulen, also etwa nach der Realschule, besucht werden. Dort wird eine Berufsausbildung erworben.

Fachschulen dienen einer vertieften beruflichen Aus- und Weiterbildung. Sie werden in der Regel nach einer ausreichenden praktischen Berufsausbildung oder nach einer Praktikantenzeit besucht. Der Bildungsgang umfaßt bei täglichem Unterricht mindestens ein halbes Schuljahr, bei Unterricht nur an einzelnen Wochentagen einen entsprechend längeren Zeitraum. Zum Bereich der Fachschulen gehören:
1. die Technikerschulen mit den Fachrichtungen Maschinenbau, Elektrotechnik, Bautechnik. Das Ziel ist die sogenannte Gehobene Fachkraft zwischen Ingenieur und qualifiziertem Facharbeiter,
2. die Chemotechniker-Fachschule, in der man ebenso zur gehobenen Fachkraft ausgebildet wird,
3. die Fachschulen für Textil und Bekleidungsgewerbe, nach deren Abschluß selbständige Teilaufgaben übernommen werden können.
4. die Jugendleiterinnen-Ausbildung, die mit einer staatlichen Prüfung als Jugendleiterin abgeschlossen wird.
5. Fachschulen für Hauswirtschaft. Als staatlich geprüfte Wirtschafterin, staatlich geprüfte Hauswirtschaftsleiterin können leitende Aufgaben in hauswirtschaftlichen Betrieben sowie die Ausbildung von Lehrlingen und Praktikanten übernommen werden.
6. Die Höheren Landbauschulen, die mit dem Abschluß »staatlich geprüfter Landwirt« enden, die höheren Wirtschaftsfachschulen, die zum Betriebswirt ausbilden.
7. Fachschulen für Sozialpädagogik, die mit der Prüfung zum »staatlich anerkannten Erzieher« abschließen. Damit können Bildungs- und Erziehungsaufgaben in verschiedenen sozialpädagogischen Bereichen übernommen werden, insbesondere in Tageseinrichtungen für Kinder.

An einigen dieser Fachschulen kann mit dem Besuch von zusätzlichen Lehrveranstaltungen in den allgemeinbildenden Fächern die Fachhochschulreife erworben werden, womit sich der Weg zu den Fachhochschulen öffnet.

Berufsfachschulen sind Schulen mit täglichem Unterricht, sie können im Anschluß an den Haupt- oder Realschulabschluß besucht werden, setzen keine Berufstätigkeit voraus, dienen der Vorbereitung auf eine Berufstätigkeit oder Berufsausbildung. Sie fördern die Allgemeinbildung und ermöglichen in einigen Fällen den Besuch weiterführender Schulen.

Demnach gibt es drei Arten von Berufsfachschulen:

1. die zu einem Abschluß eines anerkannten Ausbildungsberufes führen
2. deren Besuch auf die Ausbildungszeit in anerkannten Ausbildungsberufen anerkannt wird
3. die zu einem Berufsausbildungsabschluß führen, der nur über den Besuch einer Schule erreichbar ist.

Im einzelnen gibt es folgende Typen von Berufsfachschulen (das heißt allerdings nicht, daß es alle Typen in allen Bundesländern gibt. Außerdem kann es in den einzelnen Bundesländern Spezialformen geben):

1. Zweijährige Höhere Handelsschulen. Sie dienen der Vorbereitung auf gehobene Stellungen in Wirtschaft und Verwaltung. Nach einem einjährigen Praktikum kann die Fachhochschulreife erworben werden.
2. Einjährige Berufsfachschulen für Realschulabsolventen. Sie vermitteln eine fachtheoretische und fachpraktische Ausbildung für

eine mittlere Stellung in hauswirtschaftlichen, sozialpflegerischen und sozialpädagogischen Berufen. Sie bilden auch die Grundlage für weiterführende einschlägige Berufsausbildungen.
3. Berufsfachschulen gewerblich-technischer Richtung. Sie bereiten auf handwerklich-technische Berufe vor und erlauben im Anschluß eine verkürzte Berufsausbildung.
4. Berufsfachschulen der hauswirtschaftlichen und sozialpflegerischen Richtung.
Der Besuch einer dieser Schulen gilt als Nachweis der Grundbildung für alle pflegerischen, sozialen und sozialpflegerischen Berufsausbildungen. Somit wird der Übergang zu einer beruflichen Ausbildung erleichtert.

Durch den Besuch des Schultyps 3 und 4 wird der Besuch der Fachoberschule ermöglicht, die ihrerseits zur Fachhochschulreife führt. Auch ist der Eintritt in ein Gymnasium mit Aufbauzügen möglich. Der Erwerb einer fachgebundenen, in speziellen Fällen einer allgemeinen Hochschulreife wird möglich.

5. Berufsfachschulen für Kinderpflegerinnen
Sie vermitteln eine abgeschlossene Berufsausbildung als staatlich geprüfte Kinderpflegerin.
Der Besuch der Vorklasse der Fachoberschule wird möglich, und damit der Erwerb der Fachhochschulreife.
6. Zweijährige Handelsschule
Durch eine theoretische und praxisorientierte kaufmännische Grundausbildung bereitet sie auf die Berufsausbildung in Wirt-

schaft und Verwaltung vor. Der Eintritt in die Laufbahn des allgemeinen Beamtendienstes ist möglich, sowie der Übertritt in weiterführende Schulen.

7. Berufsfachschulen für technische Assistenten. An diesen Berufsfachschulen können ca. 16 verschiedene Assistententitel erworben werden. Da ein großer Andrang herrscht, sind Aufnahmeprüfungen üblich. Mittlerweile sind auch Abiturienten besonders stark an dieser Ausbildung interessiert. Es gibt z. B. die Ausbildung zum:

Mathematisch-technischen Assistenten

Physikalisch-technischen Assistenten

Elektroassistenten

Ingenieurassistenten

Metallographisch-technischen Assistenten

Chemisch-technischen Assistenten

Technischen Assistenten der Medizin

Medizinisch-technischen Laboratoriumsassistenten

Veterinärmedizinisch-technischen Assistenten

Medizinisch-technischen Radiologieassistenten

landwirtschaftlich-technischen Assistenten

biologisch-technischen Assistenten

pharmazeutisch-technischen Assistenten

technischen Assistenten für Forstpflanzenzüchtung

technischen Assistenten für naturkundliche Museen und Forschungsinstitute.

Die Ausbildungsdauer schwankt im einzelnen zwischen einem bis zweieinhalb Jahren.

Was geht aus diesen Ausführungen insbesondere hervor?

Die genannten Schulen vermitteln eine berufliche Ausbildung oder eine berufliche Weiter- und Fortbildung, gleichzeitig eröffnen sie den Zugang zu weiterführenden Schulen und möglicherweise den Zugang zu verschiedenen Hochschulstudien. Durch eine berufliche Qualifizierung können erst einmal Eignungen und Fertigkeiten geschult und überprüft und eine Vielzahl von Erfahrungen gesammelt werden, und gleichzeitig bleibt eine höhere Schulbildung oder gar ein Studium im Bereich des Machbaren. Allerdings muß eingeschränkt werden, daß dieser Weg über die berufliche Ausbildung zur Hochschule viel Zeit und viel Energie kostet.

Wir sind nun im bisherigen Verlauf mit verschiedenen »Reifen« konfrontiert worden, angefangen von der Fachschulreife bis hin zur allgemeinen Hochschulreife. Da diese Begriffe oft genug Verwirrung stiften, sollen sie an dieser Stelle noch einmal dargestellt werden.

1. Der mittlere Bildungsabschluß.

Das ist die übergeordnete Bezeichnung für
– mittlere Reife und
– Fachschulreife.
Die mittlere Reife wird an allgemeinbildenden Schulen erworben, wozu die Realschule und das Gymnasium zählen. Sie ist sozusagen ein

uneingeschränkter mittlerer Bildungsabschluß. Die Fachschulreife dagegen wird im beruflichen Schulbereich erworben. Sie gilt nicht uneingeschränkt, mit ihr kann zum Teil nur eine schulische Weiterbildung in der eingeschlagenen Ausbildungsrichtung ermöglicht werden.

2. Die Fachhochschulreife

Sie ist die Zugangsvoraussetzung für das Studium an Fachhochschulen. Dieses Studium dauert im allgemeinen 8 Semester. Nach dem Studium erhält man eine Graduierung (z. B. Ing. grad., Betriebswirt grad. Sozialarbeiter grad.). Der Abschluß des Fachhochschulstudiums ermöglichte bislang die Aufnahme jedes beliebigen Studiums an der Universität. Man erhält zwar auf diese Weise immer noch die allgemeine Hochschulreife, doch nach dem Hochschulrahmengesetz steht für Zweitstudien nur noch ein verschwindend geringer Prozentsatz an Studienplätzen zur Verfügung.

Die Fachhochschulreife wird entweder in den Fachoberschulen, in den Beruflichen Gymnasien oder in den Fachgymnasien erworben, in einigen Bundesländern auch durch den Abschluß der 12. Klasse an Gymnasien. Außerdem gibt es in einzelnen Bundesländern noch weitere Wege, die Fachhochschulreife zu erlangen, z. B. wie bereits erwähnt über den Besuch bestimmter Fachschulen oder Berufsfachschulen. Hierbei muß an einem Zusatzunterricht in den allgemeinbildenden Fächern teilgenommen und eine Zusatzprüfung abgelegt werden. Für Bewerber mit abgeschlossener Berufsaus-

bildung bestehen zusätzliche Möglichkeiten von Eignungsprüfungen, die nach einjährigen Vorbereitungskursen abgelegt werden.

3. Die fachgebundene Hochschulreife

Diese ermöglicht das Studium an Universitäten, jedoch jeweils nur in bestimmten Fachrichtungen. Sie wird an beruflichen Gymnasien erworben. Somit haben also die Absolventen des technischen Gymnasiums etwa andere Studiermöglichkeiten als die Absolventen eines frauenberuflichen Gymnasiums. Vereinzelt gibt es auch die Möglichkeit, im Rahmen der Reifeprüfung für die fachgebundene Hochschulreife oder danach die allgemeine Hochschulreife zu erwerben.

Aber auch hier ist wieder an das Bundesländerproblem im Bildungswesen zu denken, denn einheitliche Regelungen gibt es leider bis heute nicht.

Einmal gilt die in bestimmten Ländern erworbene Fachhochschulreife nicht überall, zum anderen berechtigt die fachgebundene Hochschulreife zunächst nur zum Studium in den Bundesländern, in denen sie erworben wurde. Will man das Bundesland wechseln, dann muß man erst beim dort zuständigen Kultusministerium anfragen, ob man mit dieser fachgebundenen Hochschulreife auch das gewünschte Studium aufnehmen kann. Das traurige an diesen Einschränkungen ist, daß es bislang nicht einmal verbindliche Übersichten gibt, um zu erfahren, welche Studienmöglichkeiten in welchen Bundesländern möglich sind. Man muß im Einzelfall immer erst beim Kultusministerium nachfragen.

4. Die allgemeine Hochschulreife

Sie hat, wenn sie an Normalgymnasien oder Aufbaugymnasien – das sind Gymnasien, die nach der Hauptschule besucht werden können – oder an den voll ausgebauten Zweigen der Wirtschaftsgymnasien erworben wird, bundesweite Gültigkeit.

Darüber hinaus bietet der zweite Bildungsweg einige Möglichkeiten des Erwerbs einer solchen allgemeinen Hochschulreife. Mit der allgemeinen Hochschulreife hat man Zugang zu allen Hochschulen in allen Bundesländern, seien es Fachhochschulen, Pädagogische Hochschulen oder Universitäten.

Zum Abschluß der Darstellung über die schulischen und betrieblichen Ausbildungsmöglichkeiten sollte noch etwas zu den Wartezeiten gesagt werden. Bei fast allen Schulen bis hinauf zu den Hochschulen ist es so, daß weniger Plätze zur Verfügung stehen, als es Bewerber gibt. Konkret müßt Ihr also rechnen, daß Ihr, wenn Ihr keine guten Zeugnisse vorweisen könnt, ein oder sogar mehrere Jahre warten müßt. Ein solcher Bescheid sollte Euch auf gar keinen Fall vom angestrebten Ausbildungsziel abbringen! Ihr müßt Euch gut informieren, was man in dieser Wartezeit tun kann. Vielleicht ein Praktikum ableisten, das anerkannt wird oder das Wissen in der eingeschlagenen Fachrichtung vertieft, vielleicht ein freiwilliges Soziales Jahr, das bei einem Antrag

auf einen Studienplatz leichte Vorteile verschafft, vielleicht einige Zeit in ein Entwicklungsland gehen, wenn Ihr eine der gesuchten Berufsqualifikationen habt, denn auch der Entwicklungsdienst bringt bei der Studienplatzsuche leichte Vorteile. Doch man kann sich auch einen Job suchen, um materiell für die Ausbildungszeit schon etwas vorzubeugen, oder für einige Zeit ins Ausland gehen.

Nachdem wir uns nun mit den verschiedenen schulischen und betrieblichen Bildungswegen beschäftigt haben, wollen wir der Frage nachgehen, was die einzelnen Berufe darstellen.

1. Berufe im naturwissenschaftlich technischen Bereich

Hierzu gehören die Technikerberufe, die technischen Assistentenberufe, die Ingenieurberufe.

Die *Techniker* haben ihr Tätigkeitsfeld in allen Bereichen der Arbeitsplanung, Arbeitsorganisation, Kundenberatung und im Verkauf. Sie stehen als mittlere Führungskraft zwischen dem Facharbeiter und dem Ingenieur.

Vor dem Studium hat der Techniker im allgemeinen einen staatlich anerkannten industriellen oder handwerklichen Ausbildungsberuf erlernt und mehrere Jahre ausgeübt. An einer Technikerfachschule hat er sich erweiterte theoretische Kenntnisse angeeignet, die ihn befähigen, innerhalb bestimmter Arbeitsbereiche mit begrenzter Verantwortlichkeit technische Aufgaben wahrzunehmen.

Die Berufsbezeichnung „Techniker" ist nicht einheitlich. Sie wird bei manchen Ausbildungsberufen wie z. B. Vermessungstechniker oder Zahntechniker verwendet, andererseits aber auch als eine Bezeichnung für eine bestimmte Stellung im Betrieb oder als Sammelbezeichnung für alle, die in der Technik arbeiten, ohne daß sie eine spezielle Technikerausbildung durchlaufen haben. Die Tätigkeiten der *naturwissenschaftlich-technischen Assistenten* sind auf das praktische Detail ausgerichtet. Die Assistenten helfen mit bei Versuchen, werten Einzelversuche aus, protokollieren Abläufe und Ergebnisse von Einzelversuchen, erstellen Statistiken und grafische Darstellungen.

Ingenieure sind auf vielen Gebieten tätig. Sie befassen sich mit Entwicklungs-, Versuchs- und Prüfaufgaben, mit Berechnung, Konstruktion und Gestaltung. Es gibt eine Vielzahl von Fachrichtungen. Der zukünftige Ingenieur sollte Freude haben an der ständigen Auseinandersetzung mit Naturwissenschaft und Technik, muß theoretische naturwissenschaftliche Kenntnisse in funktionierende Maschinen und Apparaturen, in verwertbare Produkte, in nutzbare Energie oder in wirtschaftliche Produktionen und Arbeitsverfahren umsetzen können. Die Ingenieurausbildung kann auf Fachhochschulen (mit dem Abschluß Ing. grad.) und auf Universitäten mit dem Abschluß Dipl. Ing. durchlaufen werden.

2. Berufe im medizinischen Bereich

Bei diesen Berufen geht es hauptsächlich darum, dem kranken Men-

schen zu helfen. Hierzu gehören eine Reihe von Assistentenberufen, die wir einige Seiten weiter vorne kennengelernt haben. Neben den traditionellen Berufen der Krankenpflege sind durch den Fortschritt in der medizinischen Wissenschaft eine Reihe von neuen Berufen entstanden, in denen spezielle Untersuchungs- und Behandlungsmethoden praktiziert werden. Hierzu gehören insbesondere als Mitarbeiterin des Hals-Nasen-Ohrenfacharztes die Audiologieassistentin, als Mitarbeiterin des Augenarztes die Orthoptistin, die Logopädin, die sich der Behandlung und Beratung von stimm- und sprachgestörten Kindern und Erwachsenen zuwendet, und der Beschäftigungstherapeut, der durch handwerkliche und musische Beschäftigung die Heilung von Körperbehinderten, Unfallgeschädigten und seelisch kranken Menschen unterstützt.

3. Berufe im sozialen Bereich

Diese Berufe befassen sich unmittelbar mit dem Menschen, seiner Entwicklung, seiner Entfaltung, seinen Problemen. Die Aufgaben sind vielgestaltig auf die Bedürfnisse und Situationen des einzelnen oder der Gruppe ausgerichtet: Betreuung, Beratung, Förderung der geistig-seelischen Entwicklung. Hierzu gehören im einzelnen etwa: Arbeitserzieher, Heilerziehungspfleger, Altenpfleger, Kinderpflegerin, Heilpädagoge, Berufsberater, Arbeitsberater, Sozialpädagoge, Sozialarbeiter.

4. Berufe im hauswirtschaftlichen Bereich

Überall dort, wo Menschen in größeren Gemeinschaften arbeiten, leben oder sich erholen, fallen vielfältige hauswirtschaftliche Arbeiten an. Die dafür ausgebildeten Fachkräfte werden in leitenden, planenden oder beratenden Aufgaben gebraucht, etwa von Betriebskantinen, Kasinos, Messebetrieben, in Krankenhäusern und Erholungsheimen. Sie werden insbesondere ausgebildet als Hauswirtschafterinnen und als Diätassistentinnen.

5. Berufe im pädagogischen Bereich

Nun ist zunächst die Ausbildung zum Lehrer an ein wissenschaftliches Studium auf einer Hochschule gebunden. Es gibt aber darüber hinaus eine Reihe von Lehrerberufen, die auch Bewerbern ohne Hochschulreife zugänglich sind. Diese Lehrtätigkeiten können entweder im Schuldienst oder in freiberuflicher Tätigkeit ausgeübt werden. Hierzu gehören ganz besonders die Fachlehrer, die z. B. Musik, Kunst, Sport, Werken, Handarbeit oder kaufmännische Fächer unterrichten, als auch Lehrer für den fachpraktischen Unterricht an beruflichen Schulen. Die letztgenannten Lehrer müssen aber über gute berufliche Kenntnisse, längere Berufstätigkeit und gute Zeugnisse verfügen. In einigen Bundesländern gibt es auch Fachlehrer für Vorschulerziehung. Musiklehrer, Sportlehrer, Gymnastiklehrer, Atem-Sprech- und Stimmlehrer können freiberuflich tätig sein.

6. Berufe im kaufmännischen Bereich

Wie die technischen Berufe haben sich auch die kaufmännischen Berufe weiterentwickelt und spezialisiert. Inzwischen gibt es mehr als 30 Ausbildungsberufe im kaufmännischen Bereich.

In den kaufmännischen Bereichen spielt heute die elektronische Datenverarbeitung eine große Rolle. Dazu werden Mitarbeiter gebraucht, die mit Problemen der Datenverarbeitung vertraut sind. Einen kaufmännischen Beruf kann man sowohl über eine abgeschlossene Berufsausbildung von dreijähriger Dauer erwerben, die bei Realschulabschluß verkürzt werden kann, als auch über das Studium an einer Fachhochschule oder Universität. Die Berufsbezeichnungen lauten von Sekretärin bis zu den vielfältigen Fachwirt- und Betriebswirttiteln.

7. Berufe in der Datenverarbeitung

Die Technik der Datenverarbeitung bestimmt in den letzten Jahren immer mehr das Arbeitsleben und hat neue Berufe erforderlich gemacht. Da die Tätigkeiten in diesen Berufen heute jedoch noch nicht klar gegeneinander abgegrenzt sind, ist die Ausbildung in der Datenverarbeitung zum Teil nicht einheitlich geregelt. Die schulischen Voraussetzungen reichen vom Hauptschulabschluß über den mittleren Bildungsabschluß bis hin zur Fachhochschul- und allgemeinen Hochschulreife, auch die Ausbildungsdauer ist recht unterschiedlich. Die Berufsbezeichnungen lauten z. B. Programmierer, Informatiker, Datenverarbeitungsorganisator, Systemanalytiker, mathematisch-technischer Assistent.

8. die Beamtenlaufbahn

Die Möglichkeit, eine Beamtenlaufbahn einzuschlagen, gibt es bei der Steuerverwaltung, insbesondere beim Zolldienst, bei der Deutschen Bundesbank, beim auswärtigen Dienst, bei der Gemeindeverwaltung, bei der Gewerbeaufsicht, bei der Bundesanstalt für Arbeit, bei Trägern der Sozialversicherung, im Justizdienst, im Strafvollzugsdienst, im Polizeidienst – z. B. auch als Kriminalbeamtin –, beim Forstdienst, beim Wetterdienst, bei der Bergverwaltung, als Bibliothekar, Archivar und Dokumentationsassistent, bei der Deutschen Bundesbahn, bei der Deutschen Bundespost und bei der Bundesanstalt für Flugsicherung.

Grundsätzlich kann jeder Beamter werden, der die für die erstrebte Beamtenlaufbahn erforderliche Befähigung in einem geregelten Ausbildungsgang erwirbt und durch Bestehen einer Laufbahnprüfung nachweist.

Der erfolgreiche Hauptschulabschluß ist Voraussetzung für den Zugang in den einfachen, in Ausnahmefällen auch in den mittleren nichttechnischen Dienst. Für den letztgenannten wird im allgemeinen jedoch der mittlere Bildungsabschluß verlangt. In Laufbahnen des mittleren technischen Dienstes sind neben der allgemeinen Vorbildung fachliche Kenntnisse nachzuweisen. Zur Einstellung in den gehobenen nichttechnischen Dienst wird der mittlere Schulabschluß gefordert. Manche Behörden verlangen auch eine höhere Schulbildung. Voraussetzung zum Zugang in den gehobenen technischen Dienst ist unter anderem ein abgeschlossenes

Fachhochschulstudium. Für den höheren Dienst wird ein abgeschlossenes akademisches Studium verlangt.

Wer sich um eine Beamtenlaufbahn bewirbt, muß im allgemeinen mindestens 18 Jahre alt sein und sollte das 30. Lebensjahr nicht überschritten haben.

9. Berufe im künstlerischen Bereich

Die Berufe im künstlerischen Bereich kann man in zwei Gruppen teilen:
- die bildenden Künstler: Maler, Bildhauer, Bühnenbildner, Designer gestalten mit festen Materialien, was die schöpferische Phantasie eingibt.
- die reproduzierenden Künstler: Sänger, Schauspieler, Instrumentalmusiker, Tänzer, gestalten in jedem Augenblick neu, was ande-

Bundesbahn-direktion

re komponiert oder geschrieben haben. In beiden Gruppen entscheiden allein Begabung und Fleiß über den Erfolg. Die Begabung sollte man sich von einem kundigen objektiven Fachmann bestätigen lassen, bevor man sich für diesen Berufsweg entscheidet. Das Studium künstlerischer Berufe ist an verschiedenartigen Ausbildungsstätten möglich – z. B. an staatlichen Hochschulen, Fachhochschulen, – hier vor allem das Studium der angewandten Künste –, an höheren Fachschulen, Akademien, Werkkunstschulen, an privaten Fachschulen, aber auch bei privaten Unterrichtskräften. Im allgemeinen muß man sich vor Beginn des Studiums Aufnahmeprüfungen unterziehen, die die Eignung unter Beweis stellen sollen. Auf einen höheren Schulabschluß wird bei außerordentlicher Begabung verzichtet.

Die Ausbildungsdauer ist unterschiedlich lang.

10. Journalistische Berufe
Der Journalistenberuf wird von vielen als Traumberuf angesehen. Es kann jedoch nicht mehr geraten werden, den Beruf nur über ein Volontariat anzusteuern. Der Journalist, der zuerst ein Studium in einer bestimmten Fachrichtung hinter sich gebracht hat und sich erst dann dem Schreiben zuwendet, hat die eindeutig besseren Chancen.

Der zweite Bildungsweg
Auf den vorangegangenen Seiten wurde einiges über die Schulstruktur und die sich daraus ergebenden Bildungswege erklärt. Für diejenigen von Euch, die schon im Beruf oder in der Ausbildung stehen, werden nun die schulischen Weiterbildungsmöglichkeiten speziell unter dem Stichwort zweiter Bildungsweg vorgestellt, und zwar so, wie dieser sich zur Zeit schwerpunktmäßig darstellen läßt. Auch für das Folgende gilt:
Es kann nicht für jedes Bundesland der zweite Bildungsweg geschildert werden. Wie die gezeigten Möglichkeiten speziell in Eurem Bundesland gestaltet sind, erfahrt Ihr auch in diesem Falle vom Kultusministerium.
Führt der »erste Bildungsweg« von der Grundschule über eine breite allgemeine Bildung, die an den Gymnasien erworben wird, zur Hochschulreife, so baut der zweite Bildungsweg auf Berufsausbildung und Berufstätigkeit auf. Er vermittelt auf der Grundlage des erworbenen Fachwissens eine erweiternde

Allgemeinbildung und erschließt damit den Zugang zu den verschiedenen Hochschulen. Die damit gegebenen Chancen, jederzeit einen höheren Schulabschluß erreichen zu können, dürfen jedoch nicht darüber hinwegtäuschen, daß hier eine ganze Menge mehr an Energie und Zeit investiert werden muß, um das Ziel zu erreichen. Erstens ist die Rückkehr vom Beruf zur Schulbank schwer, da man dieser Art von Lernen längst entwöhnt ist. Besonders problematisch wird es, wenn man an Fernkursen teilnimmt oder beim Telekolleg mitmacht, da der Kontakt zum Mitschüler und zum Lehrer oft gänzlich fehlt – zum anderen ist man bereits älter, hat vielleicht schon geheiratet, hat Kinder und muß neben der Zeit für die Familie Zeit fürs Lernen, Zeit für die Vorbereitung auf oft schwierige Abschlußprüfungen aufbringen. Und damit ist es noch nicht genug: Nach der hierbei erworbenen schulischen Qualifikation schließt sich ein Studium von mindestens 4 Jahren an. Auch die finanziellen Einbußen während dieser Zeit sind groß. So muß also wohl überlegt werden, ob man diese Durststrecke durchhalten kann. Diese Frage wird auch dann zu einer bangen Existenzfrage, wenn zu erwarten ist, daß gar nicht alle Hochschulabsolventen eine ihrer Ausbildung angemessene Anstellung finden.

Auf dem zweiten Bildungsweg können

a) der mittlere Bildungsabschluß

b) die allgemeine Hochschulreife erworben werden.

1. *der mittlere Bildungsabschluß,*

also die mittlere Reife oder Fachschulreife kann erworben werden

a) in Abendrealschulen

b) in Berufsaufbauschulen

c) im Telekolleg I

In *Abendrealschulen* werden in der Regel Bewerber aufgenommen, die mit Erfolg eine Berufsausbildung abgeschlossen haben oder eine Berufstätigkeit nachweisen können. Die Ausbildung dauert je nach Bundesland 1 bis 3 Jahre. Man erwirbt die mittlere Reife.

Die *Berufsaufbauschulen* führen Hauptschüler durch die Vermittlung erweiterter berufstheoretischer Kenntnisse und allgemeinbildenden Wissens zur Fachschulreife. Diese Schulen können entweder während oder nach der Berufsausbildung besucht werden. Die Ausbildung dauert von einem Jahr bei Vollzeitunterricht bis zu dreieinhalb Jahren bei Teilzeitunterricht. Auch kombinierte Ausbildungen von Teil- und Vollzeitunterricht werden angeboten.Die *Berufsaufbauschulen* gibt es im wesentlichen in den Fachrichtungen gewerblich-technisch, allgemein-gewerblich, kaufmännisch, hauswirtschaftlich-sozialpflegerisch-sozialpädagogisch, landwirtschaftlich.

Nach der Fachschulreifeprüfung kann insbesondere die schulische Weiterbildung in der eingeschlagenen Fachrichtung erfolgen.

Das *Telekolleg I* ist die Fernsehform der Berufsaufbauschule. Voraussetzung sind also Hauptschulabschluß und Berufsausbildung. Das Telekolleg wird im dritten Fernsehprogramm gesendet. Zu ihm gehören Fernsehlehrsendungen, schriftliches Begleitmaterial und Kollegtage. Ein

Lehrgang umfaßt 6 Trimester und dauert 2 Jahre. Der Unterricht wird in täglichen Lehrsendungen über den Bildschirm erteilt. Alle 3 Wochen findet an einem zentralen Ort ein Kollegtag statt.

2. Die *allgemeine Hochschulreife* kann im Rahmen des zweiten Bildungsweges
a) im Abendgymnasium
b) im Kolleg erworben werden.
Die *Abendgymnasien* setzen Hauptschulabschluß und Berufsausbildung oder längere Berufstätigkeit voraus. Oft sind zusätzliche Aufnahmeprüfungen erforderlich. Meistens gibt es einen ½- bis 1jährigen Vorkurs zum Ausgleich von Bildungsunterschieden. Der Hauptkurs dauert 3 bis 3½ Jahre.
Ungefähr die Hälfte dieser Zeit besteht aus Abendkursen, die neben der Berufstätigkeit besucht werden, in der restlichen Zeit ist der Unterricht ganztägig.
Das *Kolleg* ist im Gegensatz zum Abendgymnasium eine Vollzeitschule. Vorausgesetzt werden in der Regel der mittlere Bildungsabschluß und eine Berufsausbildung oder mehrjährige geregelte berufliche Tätigkeit und das Bestehen einer Aufnahmeprüfung. Die Studiendauer an dieser Schule beträgt etwa 3 Jahre.
Neben dem mittleren Bildungsabschluß und der allgemeinen Hochschulreife kann im Rahmen des zweiten Bildungsweges die *Fachhochschulreife* erworben werden durch
a) den Besuch der Fachoberschulen
b) das Telekolleg II
Zugangsvoraussetzung für die *Fach-*

oberschule ist der mittlere Bildungsabschluß und eine Berufsausbildung. Nach einem einjährigen Schulbesuch kann die Fachhochschulreife erworben werden. Anstelle der Fachoberschulen gibt es in Baden-Württemberg die Technische Oberschule, die mit denselben Zugangsvoraussetzungen in einem Jahr die Fachhochschulreife und in zwei Jahren die fachgebundene Hochschulreife vermittelt. Mit den eben beschriebenen Zugangsvoraussetzungen kann man auch beim *Telekolleg II* mitmachen. Dieses führt in 1½ Jahren zur Fachhochschulreife.
Nun gibt es zu all dem in den verschiedenen Bundesländern unterschiedliche *Sonderformen* für den Erwerb einer Studienberechtigung. Aufgrund einer erfolgreichen Berufsausübung und eventuelle Referenzen kann durch Eignungsprüfungen zu den verschiedensten Studienarten Zugang gefunden werden, ohne daß man erst den formalen Abschluß einer allgemeinen Hochschulreife erwerben muß. Über diese Sonderformen zum Erwerb der Hochschulreife geben wiederum spezielle Merkblätter der Kultusministerien Auskunft.

Möglichkeiten der finanziellen Förderung
In der Bundesrepublik sind es im wesentlichen zwei Gesetze, die die finanzielle Förderung der Schüler regeln.
1. Das *Bundesausbildungsförderungsgesetz*, abgekürzt Bafög. Dies ist der Nachfolger des Honnefer-Modells, das manchen Eltern noch bekannt sein wird.

2. Das *Arbeitsförderungsgesetz*, AFG abgekürzt.

Daneben gibt es eine Vielzahl von Stiftungen staatlicher, privater, gewerkschaftlicher und kirchlicher Art, über die man für diesen und jenen Ausbildungsabschnitt oder für Bücher, Studienreisen und dergleichen Zuschüsse bekommt.

Außerdem kann man Wohngeldzuschuß und die kostenlose Inbetriebnahme von Radio und Fernsehapparat beantragen. Über diese Vergünstigungen können beim Sozialamt der betreffenden Stadt Informationen eingeholt werden.

Ausbildungsförderung wird für eine erste Ausbildung bis zu deren berufsqualifizierenden Abschluß geleistet. Hierbei gibt es Höchstförderungsgrenzen, das heißt, man darf für die Ausbildung nicht beliebig viel Zeit aufwenden.

Die Förderung nach dem Bundesausbildungsförderungsgesetz setzt voraus, daß das eigene Einkommen und Vermögen des Schülers, des Studenten und seiner Unterhaltspflichtigen den »Ausbildungsbedarf« nicht deckt. Die ziemlich komplizierte Berechnungsmethode wird von den zuständigen Ämtern durchgeführt, man muß lediglich den Antrag sorgfältig ausfüllen.

Die zuständige Stelle ist für alle Schüler das *Amt für Ausbildungsförderung*, das immer in der Kreisstadt ansässig ist. Die Studenten wenden sich an das Studentenwerk ihrer Hochschule.

Ausbildungsbeihilfe nach dem Arbeitsförderungsgesetz wird gewährt für die

– Ausbildung in Lehr- und Anlernberufen

– Teilnahme an Grundausbildungslehrgängen zur Vorbereitung auf bestimmte Berufe

unter der Voraussetzung, daß

– der Auszubildende für den angestrebten Beruf geeignet ist
– seine Leistungen ein Erreichen des Berufsziels erwarten lassen.

Ausbildungsbeihilfe nach dem Arbeitsförderungsgesetz wird im übrigen nur dann gewährt, wenn keine Förderung nach einem anderen Gesetz vorliegt. Für eine Beratung über die Möglichkeiten, Ausbildungsbeihilfen nach diesem Gesetz zu erhalten, ist das *Arbeitsamt* zuständig.

Wer hilft mir bei der Verwirklichung meiner Pläne?

Bei der Vielzahl der Bildungsmöglichkeiten, bei der Verschiedenartigkeit der Ausbildungsgänge kann man kaum noch die Übersicht bewahren. Im bisherigen Verlauf wurden die Bildungswege und damit die verschiedensten Möglichkeiten der Ausbildung gezeigt. Doch diese Angaben sind für eine Entscheidung, die im Einzelfall zu treffen ist, viel zu unpräzise. Deshalb müßt Ihr jemanden aufsuchen und ansprechen, der sich in diesen Fragen gut auskennt. Von diesen Spezialisten in Fragen der Schullaufbahnberatung gibt es mittlerweile eine ganze Menge. Sie bezeichnen sich oft auch mit ganz unterschiedlichen Titeln, mit Bildungsberater, Berufsberater, Schullaufbahnberater, Schulpsychologe und einigen Titeln mehr. Natürlich gibt es hier auch Unterschiede, was das Fachwissen, was die Ausbildung und was die Tätigkeiten betrifft. Diese Unterschiede sind in den meisten Fällen nur den Eingeweihten klar.

Wer noch keinen Kontakt zu diesen Personen bekommen hat, sollte sich in Fragen der Ausbildung und schulischen Weiterbildung an seinen Klassenlehrer, den Vertrauenslehrer seiner Schule oder an das zuständige Arbeitsamt wenden. Vielleicht weiß auch der Rektor Eurer Schule, wo der nächste Schullaufbahnberater sitzt. Vielleicht ist einer Eurer Lehrer als Beratungslehrer ausgebildet. Am besten sollten Eure Eltern bei der Elternversammlung einmal dieses Thema anschneiden. Habt Ihr nun jemand gefunden, der etwas Bescheid weiß, so wird es doch oft vorkommen, daß er Euer konkretes Problem nicht vollständig beantworten kann.

Laßt Euch deshalb gleich an die zuständigen Stellen verweisen. Dabei kommt es erfahrungsgemäß vor, daß Ihr von dort noch einmal und immer wieder weitergeschickt werdet. Das entmutigt natürlich und verdrießt. Aber fairerweise müßt Ihr auch folgendes berücksichtigen: Es gibt die institutionalisierte Beratung im Schulwesen erst einige Jahre. Das heißt Zuständigkeiten und Abgrenzung sind zwar schon irgendwie geregelt, aber in der Praxis funktioniert doch noch nicht alles reibungslos. Natürlich berät auch – und das vielleicht an erster Stelle – das Arbeitsamt, es ist zuständig für die Berufsberatung. Die Arbeitsverwaltung verfügt über ein umfassendes Netz an Beratungsstellen, und mit ihren Schriften zur Berufskunde hat sie sich ganz besonders hervorgetan.

Allerdings veralten auch diese wirklich ausgezeichneten Schriften rasch. Deswegen müßt Ihr auf jeden Fall noch einmal genaue Erkundigungen einholen, ob die aufgezeigten Wege und Möglichkeiten auch heute noch stimmen.

Neben der Beratung durch das Arbeitsamt und die oben beschriebenen Bildungs- und Schulberater führen in vielen Fällen die Industrie- und Handelskammern, die Berufsverbände, Gewerkschaften, Oberschulämter oder Kultusministerien Beratungen durch. Die Adressen der jeweiligen Institutionen findet man im Telefonbuch. Die Arbeitsämter sind leicht zu finden, und eine Liste mit den Anschriften der verschiedenen Kultusministerien findet Ihr im Anhang dieses Buches.

Nun scheuen sich viele Schüler – und leider auch viele Eltern – ein solches Amt oder eine solche Behörde aufzusuchen. Man fürchtet, die dort sitzenden Beamten hätten vor lauter Geschäftigkeit keine Zeit, oder man fürchtet sich davor, »dumme Fragen« zu stellen. Dabei sollte man aber bedenken, daß dort Leute angestellt sind, die ausschließlich dafür da sind, Euch weiterzuhelfen und die dafür bezahlt werden. Die weitaus meisten Beratungsstellen verlangen auch keine Gebühren, nicht einmal für Fotokopien. Auch für einen Berater ist es oft schwierig, Euer Problem zu erkennen, Ihr müßt Euch also auf einen solchen Besuch, der im Durchschnitt von der Beraterseite mit einer Stunde angesetzt wird, so gut wie möglich vorbereiten. Am besten macht man sich einen Merkzettel mit verschiedenen Fragen, die

man stellt will und schreibt die Dinge auf, die einem wirklich am Herzen liegen.

Vorgeschobene Probleme, von denen man meint, sie hörten sich besser an, sind nur Zeitverschwendung, denn wenn man dann endlich zum Kern der Sache kommt, ist meistens schon die Zeit um. Die Probleme zu benennen, heißt in vielen Fällen Mut beweisen und keine falsche Scham zu zeigen. Jedem Berater ist eine offene, ehrliche Aussprache lieber als das Zeitvertrödeln mit Scheinfragen. Dasselbe gilt auch, wenn Ihr an eine Behörde oder eine Institution schreibt. Es macht nichts, wenn Ihr außer der Hauptanschrift nichts wißt. Das Weiterleiten erledigen die Leute, die an der Posteingangsstelle sitzen, sie kennen die Zuständigkeiten genauer. Schildert Euer Problem so genau wie möglich, denn wichtige Rückfragen sind im Schriftwechsel schwierig. Nehmt auch den Kontakt zu diesen Stellen über längere Zeit auf, wenn sich das eine oder andere Problem noch nicht geklärt hat oder wenn die eine oder andere Frage für Euch unverständlich beantwortet wurde.

Die Entscheidung, was man werden soll, können und wollen die vorangegangenen Seiten niemandem abnehmen. Hier sollte lediglich ein Überblick gegeben werden, der vielleicht auch auf Möglichkeiten aufmerksam macht, die man bisher noch gar nicht kannte. Zu fragen und noch einmal zu fragen, bis alle Informationsmöglichkeiten ausgenutzt sind – das muß der Einzelne schon selber tun. Jede Berufsausbildung hat ihre eigenen Probleme. Besondere Schwierigkeiten haben oft die Lehrlinge, die ja heute offiziell »Auszubildende« heißen. Doch auch wenn der Name sich geändert hat – die Fragen von Jugendlichen in der Ausbildung sind geblieben.

Wenn man in die Lehre geht
Bettina Wenke

Zerstörte Illusionen – muß das sein? Was ist besonders wichtig, wenn man einen Ausbildungsplatz sucht? Worauf muß man beim Vertrag achten? Welche Rechte und welche Pflichten haben Ausbilder und Jugendliche? Was tun, wenn man mit seiner Ausbildung unzufrieden ist?

Marianne – Sekretärin

Manchmal habe ich Lust, hier aufzuhören und etwas ganz anderes zu machen. Aber dann denke ich, daß ich es erst einmal mit einer neuen Stelle versuchen müßte, wo ich selbständiger arbeiten kann. Hier muß ich nämlich nur tippen, was mein Chef diktiert, und wenn er nicht genug für mich zu tun hat, dann muß ich auch noch für andere Abteilungen Briefe schreiben. Meine Arbeit besteht also in erster Linie aus Tippen, Akten ablegen, Telefonieren und der Festlegung von Terminabsprachen für meinen Chef. Ja, und Kaffee kochen, das muß ich natürlich auch, am Tag mindestens dreimal.

Meine Freundin hat allerdings einen Job, der ihr Spaß macht. Sie ist Sachbearbeiterin in einem Schulbuchverlag und kann dort selbständiger als ich arbeiten. Sie führt den Schriftverkehr und ist auch an der Werbung beteiligt. Zu ihren Aufgaben gehört es also auch, Werbeprospekte mitzugestalten und Rundschreiben an die Schulen zu verschicken. Das macht ihr Spaß, weil sie sich auch für Bücher interessiert. Ich habe meine Freundin auf der Höheren Handelsschule kennengelernt. Bei mir war das so: Ich habe die Realschule besucht, und dann wußte ich nicht so recht, was ich werden sollte. Mein Vater ist Drucker und meine Mutter arbeitet in einer Fabrik. Beide sagten, ich solle erst einmal die Handelsschule besuchen und anschließend Sekretärin werden. Sie meinten, Sekretärinnen würden immer gesucht, es sei kein anstrengender Beruf, und man könne viel Geld verdienen. Ich war also ein Jahr auf der Höheren Handelsschule; ich hatte dort, wie auf der Realschule, Englisch, Deutsch, Gemeinschaftskunde und außerdem noch Fächer wie Betriebswirtschaftslehre, Wirtschaftliches Rechnungswesen, Stenografie und Maschinenschreiben.

Als ich fertig war, habe ich mir eine Stelle gesucht. Das war am Anfang komisch. Ich habe mir die Annoncen in der Zeitung angesehen und mich dann beworben. Das ist jetzt meine zweite Stelle, aber ich suche, wie gesagt, wieder nach einer neuen, wo ich selbständiger sein kann.

Mal sehen, vielleicht mache ich auch bei einem Fortbildungskurs mit. Es werden heute so viele Kurse für Sekretärinnen angeboten; man sagt, wenn man so einen Lehrgang absolviert hat, hätte man bessere Chancen, eine interessante Arbeit zu finden.

Brigitte – Kinderkrankenschwester

Also für mich kommt das Büro nicht in Frage. Ich habe aber eine Schwester, die das ganz gern macht. Und meine Mutter arbeitet auch im Büro, in der Verwaltung eines Krankenhauses. Ich habe in den Ferien dort aushilfsweise schon ein paarmal gejobt, doch nach zwei Wochen hatte ich jedesmal genug. Ich brauche eine Arbeit, wo ich auf den Beinen bin und auch Kontakt mit Menschen habe.

Mein Vater hat schon immer gesagt, daß ich sicherlich mal einen sozialen Beruf ergreife; da lag es eigentlich nahe, daß ich Krankenschwester werde, Kinderkrankenschwester.

Ich habe die mittlere Reife und will auf eine Kinderkrankenpflegeschule. Da ich ein Praktikum vorweisen muß, war ich erst zwei Monate in einem Haushalt, aber da hat es mir nicht gefallen, und so bin ich auf die Hauswirtschaftliche Berufsfachschule gegangen, da das eine Jahr hier auch als Ersatz für ein Praktikum anerkannt wird. Außerdem habe ich hier Fächer, in denen ich mich schon etwas auf meine spätere Ausbildung vorbereiten kann, z. B. Krankenpflege, Ernährungs- und Erziehungslehre. Ob ich später für immer im Krankenhaus bleiben werde, weiß ich noch nicht; wahrscheinlich gehe ich mal in eine Kinderkrippe oder in ein Kinderheim. Aber genau steht das noch nicht fest.

Renate – Apothekenhelferin

Ich bin 17 Jahre alt, habe die Hauptschule besucht und dann eine

Ausbildung als Apothekenhelferin gemacht. Eigentlich hatte ich ja vor, Chemie- oder Textillaborantin zu werden, denn ich wollte gern etwas machen, wo ich in einem Labor arbeiten kann. Bevor ich mit der Schule fertig war, bin ich zur Berufsberaterin gegangen. Sie hat mir gesagt, daß die Schulen, wo ich diese Berufe lernen könnte, weit von meinem Wohnort entfernt seien. Ich müßte also jeden Tag lange fahren. Meine Eltern haben mir dann auch abgeraten, na, und dann bin ich eben Apothekenhelferin geworden. Die Berufsberaterin hatte mir ja erzählt, auch in diesem Beruf könnte ich praktisch arbeiten, also nach Anweisung des Apothekers Arzneimittel zubereiten und abfüllen. Sie meinte, das mache auch Spaß.

Ich habe mir dann in der Nähe unseres Wohnorts eine Apotheke angesehen und den Apotheker dort gefragt, ob er mich als Lehrling nimmt. Er hat sich mein Abschlußzeugnis von der Schule angesehen, ja gesagt und mit meinen Eltern einen Ausbildungsvertrag abgeschlossen. Im Vertrag stand drin, was ich wann alles lernen sollte. Der Ausbildungsplan war jeweils in Abschnitte von drei Monaten gegliedert.

Die Apotheke ist sehr groß. Wir sind vierzehn Leute, mit dem Chef sind es vier Apotheker; außerdem arbeiten hier drei Apothekerassistenten, zwei pharmazeutisch-technische Assistentinnen, die u. a. die Urin- und Schwangerschaftstests machen; vier Apothekenhelferinnen und eine Buchhalterin. Es ist ein sehr schöner, modern eingerichteter Betrieb mit vielen Kunden. Es ist immer was los hier.

Aber obwohl ich es eigentlich ganz gut habe, will ich wieder weg. Das heißt, mit dem Betrieb bin ich zufrieden, aber mit dem Beruf nicht. Jetzt will ich mal sehen, ob ich die Mittlere Reife nachmachen und pharmazeutisch-technische Assistentin werden kann. Ich könnte dann in der Apotheke weiter arbeiten oder vielleicht in der Arzneimittelindustrie eine Anstellung finden. Eventuell lerne ich aber doch noch Textillaborantin – neue Gewebe und Kunstfasern zu testen, ist – glaube ich – auch ganz interessant. Ich habe mir das alles ganz anders vorgestellt. Meine Arbeit besteht nämlich nicht aus Salbenanrühren und Zäpfchendrehen, sondern ich komme mir mehr wie eine Verkaufshilfe vor.

Ich nehme Rezepte an und suche dann die Pillen, Tabletten, Salben oder was es sonst ist, aus den Fächern. Verkaufen darf ich sie aber nicht; ein Apotheker muß erst nachsehen, ob ich das Richtige genommen habe. Ich darf nur Artikel selbständig verkaufen, die nicht apothekenpflichtig sind, also zum Beispiel Traubenzucker oder Zahnputzcremes. Daneben muß ich auch Medikamente bei den Firmen bestellen und Mittel, die zu alt geworden sind, zurückschicken und um Ersatz bitten.

Buchführung gehört auch zu meinen Aufgaben.

Den meisten Apothekenhelferinnen geht es so wie mir, und deshalb sind auch viele enttäuscht. Die Apotheken sind ja heute nur noch Geschäfte, die selbst kaum Arzneimittel herstellen.

Während der Ausbildung kam ich mir als einziger Lehrling manchmal ganz schön verloren vor. Ich mußte mir eigentlich alles selbst beibringen, da niemand viel Zeit für mich hatte. Nur, wenn ich überhaupt nicht weiter wußte, habe ich einen Apotheker gefragt. Aber sonst ging es mir gut. Ich höre das manchmal von Freunden und Bekannten, die in anderen Betrieben oder Berufssparten lernen: die müssen Überstunden machen oder putzen und ausfegen, Bier und Brötchen holen usw. Claudia, meine Freundin in der Berufsschule, wurde die meiste Zeit nicht in der Apotheke ausgebildet, sondern mußte in der dazugehörigen Drogerie verkaufen. Die hat sich aber nicht gewehrt, nur nach der Ausbildung ist sie dort weggegangen. In der Berufsschule haben wir theoretischen Unterricht gehabt, sechs Tage im Monat war ich dort. Da haben wir Buchführung und Schriftwechsel gelernt und auch Schaufensterdekoration.

Im zweiten Lehrjahr sind wir über die Gesetze aufgeklärt worden, das Jugendarbeitsschutzgesetz und das Berufsbildungsgesetz. Aber viele Mädchen haben sich nicht dafür interessiert.

Heike – Erzieherin

Nachmittags, wenn das letzte Kind abgeholt ist, bin ich ganz schön fertig. Dann möchte ich mich nur noch lang legen und nichts mehr sehen und hören. Den ganzen Tag mit kleinen Kindern zusammen zu sein, ist anstrengend. Aber Spaß macht es doch, jedenfalls ist es nicht langweilig. Natürlich wäre es noch schöner, wenn hier im Kindergarten noch mehr Erzieherinnen wären, dann wären die Gruppen kleiner, und jede von uns könnte sich besser um die Kinder kümmern. Denn wir haben jetzt sehr viele Gastarbeiterkinder hier, die können kaum Deutsch, und wenn man sich nicht richtig mit ihnen beschäftigt, dann lernen sie schwer Deutsch sprechen und bleiben Außenseiter. Manche werden auch aggressiv und ärgern andere Kinder. Aber auch unter den deutschen Kindern gibt es einige, die ziemlich schwierig sind. Man müßte sich eigentlich mit den Eltern viel öfter treffen und mit ihnen über die Erziehungsprobleme sprechen, aber das kommt leider viel zu kurz. Ich wollte eigentlich schon immer einen Beruf haben, wo ich mit Kindern zusammen bin. Wenn ich Abitur gehabt hätte, wäre ich vielleicht Lehrerin geworden, aber so, mit einem Realschulabschluß, habe ich mich für die Erzieherin entschieden. Nach der Schule habe ich mich auf einer Fachschule für Sozialpädagogik beworben. Ich hatte Glück, damals gab es noch keine so strenge Zulassungsbeschränkung wie jetzt. Vorher habe ich ein einjähriges Praktikum in einem Kindergarten gemacht. Anschließend kam die Ausbildung auf der Schule, die zwei Jahre gedauert hat. Ich hatte dort u. a. Fächer wie Musikerziehung, Jugendliteratur und Werken, aber auch Deutsch und Politische Bildung. Nach der Abschlußprüfung mußte ich noch ein Anerkennungsjahr im Kindergarten machen, das noch einmal mit einer Prüfung endete. Dann hatte ich endlich die staatliche Anerkennung als Erzieher. Und jetzt bin ich seit zwei Jahren in einem Kindergarten, dem auch ein Tagheim angegliedert ist. Manche Kinder bleiben also den ganzen Tag hier.

Ob ich immer im Kindergarten arbeiten werde, weiß ich noch nicht. Vielleicht lerne ich später noch weiter und werde Sozialpädagogin, dann kann ich auch ältere Kinder und Jugendliche betreuen. Möglichkeiten, sich weiterzubilden, gibt es in diesem Beruf genug.

Frauenberufe

Marianne, Brigitte, Renate und Heike haben, so unterschiedlich ihre Ausbildung und ihr Beruf auch aussehen mögen, alle ganz typische Frauenberufe. Denn Frauen arbeiten nur in wenigen Bereichen, oder – anders herum ausgedrückt – sie tun eigentlich fast alle dasselbe.

Die meisten Mädchen, die heute von der Schule abgehen, wollen einen pflegerischen oder erzieherischen Beruf, in einem Büro oder Geschäft arbeiten. Sie werden Verkäuferin, Sekretärin, Erzieherin oder Krankenschwester. Geändert hat sich in den letzten Jahren nur, daß der Beruf der Sekretärin nicht mehr ganz so viele Mädchen lockt wie vor zehn Jahren, dafür möchten mehr Mädchen in einer Arztpraxis oder im Kindergarten arbeiten. Daß die Frauen nur in wenigen Berufen tätig sind und meistens nur untergeordnete Aufgaben erledigen, hat mehrere Gründe. Einmal haben sie im allgemeinen keine so gute Schulbildung wie die Jungen; immer noch machen zum Beispiel weniger Mädchen als Jungen das Abitur,

und noch weniger trauen sich ein Studium zu; nur jeder dritte Student ist eine Frau.

Viele Berufe wie Arzt oder Richter sind den Mädchen also schon aus diesen Gründen versperrt, es sei denn, sie entschließen sich später, versäumte Schulbildung nachzuholen und auf dem Zweiten Bildungsweg die Fachhochschule oder die Universität zu erreichen. Hinzu kommt, daß die Mädchen meist nur eine kurze Berufsausbildung absolvieren wollen. Sie denken, lange zu lernen lohnt sich nicht für sie, weil sie ja doch einmal heiraten und, wenn sie Kinder bekommen, den Beruf aufgeben.

Dabei übersehen sie, daß sie vielleicht doch weiterarbeiten müssen, entweder weil das Gehalt ihres Mannes nicht ausreicht oder weil sie sich scheiden lassen oder Witwe werden oder auch ganz einfach deswegen, weil sie sich zu Hause langweilen. Immerhin ist jede zweite berufstätige Frau verheiratet, und – auch das haben Umfragen gezeigt – von den Frauen, die ihren Beruf aufgegeben haben und Hausfrau sind, möchte jede zweite lieber wieder arbeiten und Geld verdienen.

Ein weiterer Grund dafür, daß die Frauen alle dasselbe tun, ist, daß sie von vornherein Berufe anstreben, die seit Jahrzehnten als typische Frauenberufe gelten, also dienende, pflegerische oder erzieherische Tätigkeiten. So gehen sie eben ins Büro, in die Schule oder in ein Kinderheim. Auf die Idee, daß sie auch einen technischen oder handwerklichen Beruf ausüben könnten, kommen die meisten gar nicht. Ingenieur, Radio- und Fernsehtechniker oder Konditor sind, so meinen sie, Männerberufe. Natürlich denken auch die meisten Männer so. Ein Mädchen, das die Technikerschule besucht, wird heute noch angestaunt wie ein bunter Hund, und viele Handwerksmeister wehren sich, ein Mädchen als Auszubildende anzunehmen. Trotzdem gibt es die Möglichkeit, so einen Beruf zu ergreifen, wenn man auch damit rechnen muß, auf Hindernisse und Vorurteile zu stoßen. Daß es ebenso gut anders geht, zeigen die Ostblockländer: dort ist eine Ingenieurin keine Seltenheit mehr, und in der Sowjetunion durfte sogar eine Frau in den Weltraum fahren: Die erste Astronautin war Valentina Terechkowa. Aber auch in Deutschland gibt es gelegentlich Frauen, die beweisen, daß sie mehr können als Kinder hüten und an der Schreibmaschine sitzen. Sie können beispielsweise auch Bier brauen.

»Auf höchst irdische Weise hat Schwester Doris Engelhard das Ansehen des niederbayerischen Klosters Mallersdorf vermehrt. Die 26jährige Braut Christi, die erst vor vier Jahren die Schwesterntracht der Armen Franziskanerinnen anlegte und das zeitliche Gelübde ablegte, ist nicht nur der einzige weibliche, sondern auch der beste Nachwuchs-Braumeister der Bundesrepublik. Bei der Meisterprüfung für Brauer und Mälzer vor der Handwerkskammer Ulm zeigte die fromme Jungfrau ihren 26 männlichen Kollegen, wo der Bartl den Most holt: Mit drei Einsern und einem guten Zweier schlug sie dem Faß den Boden aus und die weltlichen Brüder aus dem Feld. ›So etwas‹, staunte

der Handwerkskammer-Präsident, ›hat es in der 75jährigen Geschichte der Ulmer Kammer noch niemals gegeben.‹ «
(Süddeutsche Zeitung, 24. 12. 75)

Noch einmal: Marianne

Mariannes Ausbildung war relativ problemlos. Nach der Abschlußprüfung auf der Realschule ist sie auf die Höhere Handelsschule gegangen. Danach hat sie eine Stelle gesucht und auch schnell eine gefunden. Ihr geht es so wie vielen anderen Sekretärinnen: Es war nicht schwer, Arbeit zu finden, aber es ist schwer, in eine Stellung zu kommen, die interessant und abwechslungsreich ist. Um einmal eine verantwortungsvolle Tätigkeit ausüben zu können, hat sie vor, an einem Fortbildungskurs teilzunehmen und das Examen der »Geprüften Sekretärin« zu machen. Denn Sekretärin kann sich bis heute eigentlich jeder nennen, da die Berufsbezeichnung nicht geschützt ist. Es gibt auch viele Ausbildungswege. Entweder man fängt als Stenotypistin an, oder man lernt zwei Jahre lang in einem Betrieb Bürogehilfin. Um sich aber »Geprüfte Sekretärin« nennen zu können, muß man an einem anerkannten Fortbildungskurs teilnehmen.

Aus den Unterrichtsplänen dieser Kurse geht hervor, daß Tippen und Stenografieren nicht ausreichen; eine gute Sekretärin soll auch über Buchhaltung und Kaufmännisches Rechnen Bescheid wissen und sich etwas in Betriebswirtschaft und im Steuerrecht auskennen. Daneben bieten Sekretärinnen-Schulen auch noch andere Kurse an, z. B. für Direktionssekretärinnen, Fremdspra-

chen-, Vorstands- und Europa-Sekretärinnen. Eine Frau, die an einem solchen Kurs teilgenommen hat, hat natürlich noch keine Garantie dafür, daß sie nun auch einen ganz tollen Job in einer Chef-Etage bekommt. Aber sie hat ihre Berufschancen verbessert und kann eher hoffen, eine Tätigkeit zu finden, bei der sie selbständiger arbeiten kann und nicht nur eintönige Schreibarbeiten erledigen muß.

Noch einmal: Brigitte

Brigitte meint, ein noch so toller Sekretärinnenposten könne sie nicht reizen. Sie will nicht ein ganzes Leben lang mit Aktenordnern, Schreibmaschine und Diktiergerät, sondern mit Menschen zu tun haben. Was sie als Krankenschwester erwartet, ist aber nicht leicht. Sie muß mit Überstunden und Notdiensten rechnen; außerdem kann die Arbeit sehr anstrengend sein, ganz abgesehen davon, daß der tägliche Umgang mit kranken Menschen auch seelische Belastungen mit sich bringt. Aber Brigitte nimmt das in Kauf, denn sie verspricht sich eine abwechslungsreiche Tätigkeit; außerdem bekommen Krankenschwestern heute ein ganz gutes Gehalt, und sie müssen sich nicht lange bemühen, eine Stellung zu finden. Krankenschwestern werden gesucht, und das wird auch noch längere Zeit so bleiben. Es sei denn, die Krankenhäuser müssen sparen und stellen aus finanziellen Gründen weniger Personal ein. Trotzdem muß, wer im Krankenhaus arbeiten möchte, ein gutes Schulzeugnis haben. Außerdem kann es ihm passieren, daß er ein bis zwei, manchmal sogar drei Jahre warten muß, bis er mit seiner Ausbildung beginnen kann. Denn obwohl überall Krankenschwestern fehlen, wurden in den letzten Jahren nicht so viele Pflegeschulen gebaut, wie eigentlich nötig sind.

Wer Krankenschwester oder – so heißt der Beruf bei den Männern – Krankenpfleger werden möchte, muß 17 Jahre alt sein und vor der eigentlichen Ausbildung ein Praktikum absolvieren; manche Schulen nehmen nur 18jährige Bewerber an. Die Ausbildung dauert drei Jahre und findet an einer Krankenpflegeschule statt, die einem Krankenhaus angegliedert ist. Brigitte lernt dort, kranke Kinder zu versorgen und zu pflegen. Krankenschwestern haben mehrere Möglichkeiten, sich in ihrem Beruf weiterzubilden. Nach einer ein- oder mehrjährigen Berufspraxis können sie an Fortbildungskursen teilnehmen und dann beispielsweise die Stationsleitung übernehmen. Sie können auch Operationsschwester werden oder auf einer Intensivstation arbeiten, wo sie sich um Schwerkranke und um Patienten kümmern müssen, die gerade eine Operation hinter sich haben. Die Tätigkeit im Krankenhaus ist relativ krisenfest, und schon aus diesem Grund für viele Frauen und auch Männer wieder attraktiv geworden. Trotzdem geben viele ihren Beruf bald wieder auf; Krankenschwestern bleiben im Durchschnitt nur drei Jahre im Krankenhaus. Warum? Viele Frauen gehen, weil sie heiraten und Kinder bekommen. Aber es gibt noch andere Gründe: manche Frauen stören sich an den Nacht- und Notdiensten; manche leiden auch unter dem Betriebsklima. In vielen Krankenhäusern herrscht nämlich eine strenge Rangordnung, wo »die unten« das tun müssen, was »die oben« ihnen vorschreiben. Die Schwestern müssen also das ausführen, was die Stationsschwester ihnen sagt, die Krankenpflegehelferinnen und -schülerinnen die Routinearbeiten übernehmen, wozu die fertig ausgebildeten Schwestern keine Lust oder keine Zeit haben. Krankenschwestern und -pfleger haben außerdem, was ihre Tätigkeit betrifft, wenig Mitspracherecht und auch wenig Kontakt zu den Ärzten. So erfahren sie selten, warum sie etwas tun müssen und welche medizinischen Überlegungen hinter den Anordnungen stehen.

Noch einmal: Heike

Heike geht es ähnlich wie Brigitte: sie möchte Kontakt mit Menschen haben. Der Entschluß, Erzieherin zu werden, fiel ihr leicht, auch deshalb, weil sie immer gehört hatte, daß Erzieherinnen gebraucht werden. Heike hatte, als sie mit ihrer Ausbildung anfing, noch Glück, denn zu ihrer Zeit gab es noch keine so strenge Zulassungsbeschränkung wie heute. Zur Zeit haben nur Schüler mit guten Zeugnissen eine Chance, angenommen zu werden. An vielen Schulen kommt heute auf drei bis vier Bewerber ein Ausbildungsplatz. Hier verhält es sich so wie bei vielen anderen medizinischen und sozialen Berufen: Krankenpfleger, Sozialarbeiter, Heilgymnasten werden gebraucht, aber diejenigen, die diese Berufe lernen möchten, müssen viel Geduld haben und warten, bis sie aufgenommen werden. Denn der Ausbau der Schulen hat mit dem Bedarf an Ausbildungsplätzen nicht Schritt gehalten, was unter anderem auch daran liegt, daß für Schulneubauten und Lehrer nicht genug Geld da ist.

Wie die Berufschancen für Erzieher in den nächsten Jahren aussehen werden, kann man zur Zeit nicht voraussagen. Eigentlich könnten noch viele eingestellt werden; dann wäre es möglich, die Kindergruppen, die jeder betreuen muß, zu verkleinern, und die Erzieher hätten mehr Zeit für jedes einzelne Kind. Doch hier ist es wie bei den Krankenpflegern, den Lehrern und vielen anderen Berufen: wenn wenig Geld da ist, werden auch wenig Leute eingestellt.

Wenn Heike eines Tages nicht mehr im Kindergarten arbeiten möchte, dann hat sie mehrere Möglichkeiten, sich weiterzubilden. Sie kann z. B. Heilpädagogin werden. Ihre Aufgabe wäre es dann, sich um besonders schwierige, verhaltensgestörte Kinder zu kümmern, oder auch um Kinder, die geistig oder körperlich behindert sind. Eine andere Möglichkeit wäre ein Studium in Sozialpädagogik. Da besteht aber aller Voraussicht nach wieder das Hindernis, daß es an diesen Fachhochschulen einen Numerus clausus gibt.

Noch einmal: Renate

Renate ist schon jetzt, kaum nach Abschluß der Ausbildung, mit ihrem Beruf unzufrieden. Ihr wird jetzt bewußt, daß sie sich damals, als sie noch in der Schule war, besser hätte informieren müssen. Sie hat der Berufsberaterin und ihren Eltern zu viel Glauben geschenkt und merkt jetzt, daß deren Ratschläge zwar gut gemeint, aber doch falsch waren. Ein Berufswechsel wird für sie nicht leicht sein, denn die Anforderungen der Betriebe an die Auszubildenden sind höher geworden, mit dem Hauptschulabschluß hat sie kaum eine Chance. Ihr wird also nichts anderes übrig bleiben, als die Realschule zu besuchen und dort die zehnte Klasse zu absolvieren.

Problem Berufswahl

Wie Renate und Marianne, der Sekretärin, geht es vielen Jungen und Mädchen. Denn den Beruf zu finden, der einem Spaß macht, und das für längere Zeit oder sogar fürs ganze Leben, ist schwierig, zumal wenn man sich schon mit 15 oder 16 Jah-

Arbeitsamt

ren entscheiden muß. In der Schule werden die Schüler meistens wenig über die Berufswelt informiert; oft verlassen sie sich deshalb auf ihre Eltern, die aber auch nur ihre eigene Arbeit kennen und von anderen Berufen häufig falsche Vorstellungen haben.

Auf sie ist also nur bedingt Verlaß. Von der Berufsberatung sind andererseits viele Jungen und Mädchen enttäuscht. Das liegt auch daran, daß die Berater viel zu tun haben und sich deshalb nicht so ausgiebig um jeden einzelnen kümmern können, wie er es vielleicht erhofft hat. Ganz abgesehen davon ist es für sie oft schwer, für Jugendliche den Traumjob oder den idealen Ausbildungsbetrieb zu finden, entweder weil der Ratsuchende selbst gar keine bestimmte Berufsvorstellung hat

oder weil es in dem gewünschten Beruf zu wenig Ausbildungsplätze gibt.

Wenn ein Mädchen zum Beispiel Bankkaufmann werden möchte, dort aber alle Lehrstellen besetzt sind, so wird der Berater ihr vielleicht vorschlagen, Verkäuferin zu werden.

Kein Wunder also, wenn viele Jugendliche mit ihrer Arbeit unzufrieden sind. So hat z. B. bei einer Umfrage, die 1973 in Hamburg durchgeführt wurde, jeder zweite Lehrling im dritten Lehrjahr angegeben, daß er seinen Beruf nicht noch einmal wählen würde.

Wenn man heute so eine Umfrage machen würde, sähe sie wahrscheinlich noch deprimierender aus. Denn in den letzten Jahren ist es noch schwieriger geworden, in dem Beruf zu landen, der einem Spaß macht, denn es gibt zu wenig Ausbildungsplätze.

Während vor zehn Jahren noch viele Betriebe klagten, daß es keine Auszubildenden gibt, klagen heute die Jugendlichen, daß es keine Ausbildungsbetriebe gibt. Lehrstellen sind in den letzten Jahren knapp geworden.

Wie kommt das?

Einmal haben viele Betriebe, die bis vor kurzem Lehrlinge ausgebildet haben, Pleite gemacht. Zum anderen nehmen manche Betriebe heute keine Lehrlinge mehr an, weil ihnen die Ausbildung zu teuer geworden ist, denn einen Jugendlichen auszubilden kostet Geld.

In einigen Berufen sind in den letzten Jahren neue Ausbildungsordnungen erlassen worden; darin ha-

ben die Vertreter des Staates, der Gewerkschaften und der Arbeitgeber festgelegt, was der Ausbildungsbetrieb seinem Lehrling beibringen, bzw. was der Lehrling in den drei Jahren alles lernen muß. So sind z. B. in den kaufmännischen Berufen und in der Elektrobranche die Anforderungen an den Lehrherrn wie an den Lehrling gestiegen. Das bedeutet aber, daß der Lehrherr sich mehr um den Lehrling kümmern und für ihn auch mehr Lehrmittel – dazu gehören Maschinen und Handwerkszeug – bereitstellen muß. Das aber macht die Ausbildung teurer als früher, und viele Betriebe nehmen deshalb keine Lehrlinge mehr an. (So bildeten 1974 nur noch 16% aller Betriebe aus, in Industrie und Handel sind es 10%, bei den Handwerksbetrieben 26%.)

Aber nicht überall ist die Ausbildung von Lehrlingen ein Zuschußgeschäft; es gibt auch Berufssparten, wo die Ausbildungsordnungen noch nicht wesentlich verändert wurden, die Ausbildung also auch noch nicht viel teurer geworden ist. Deswegen können manche Betriebe an ihren Auszubildenden verdienen. Man hat z. B. errechnet, daß es für jeden zehnten Ausbildungsbetrieb ein ganz gutes Geschäft ist, einen oder mehrere Auszubildende einzustellen.

Das gilt vor allem für die kleineren Handwerksbetriebe. Denn dort werden Lehrlinge häufig nicht in erster Linie ausgebildet, sie müssen statt dessen gleich richtig mitarbeiten. Oft werden ihnen jedoch immer wieder dieselben Routinearbeiten übertragen, so daß von einer vielseitigen Ausbildung gar keine Rede

sein kann. Und sie bekommen keinen Gesellenlohn, sondern die viel niedrigere Ausbildungsbeihilfe. Die Meister können an ihren Lehrlingen also oft ganz gut verdienen.

Es gibt auch Betriebe, die gar keine Gesellen, sondern nur Lehrlinge beschäftigen. Wenn zum Beispiel in einer Hotelküche nur ein Koch und zehn Lehrlinge arbeiten, so kann man sich vorstellen, daß der Koch wenig Zeit für den einzelnen Lehrling hat. Viele Jugendliche meinen deshalb auch, sie würden nicht ausgebildet, sondern ausgebeutet.

Aus einer Umfrage:

Frage: Einige Leute meinen, daß viele Betriebe heute eher darauf aus sind, die Arbeitskraft ihrer Auszubildenden für sich auszubeuten, als ihnen eine gute Ausbildung zu geben. Wenn Sie an Ihre eigene Situation denken, was halten Sie von dieser Meinung?
Antwort: Von allen Hamburger Auszubildenden gaben an »trifft zu« bzw. »es ist viel Wahres dran«: im

1. Lehrjahr	2. Lehrjahr	3. Lehrjahr
51%	*63%*	*71%*

Frage: Glauben Sie, daß Sie in ihrem Betrieb planvoll und systematisch ausgebildet werden? Von allen Hamburger Auszubildenden gaben »ja« und »im wesentlichen ja« an: im

1. Lehrjahr	2. Lehrjahr	3. Lehrjahr
60%	*45%*	*32%*

(Quelle: Hamburger Lehrlingsstudie, Bd. 2: Daviter/Crusius/Wilke: Der Lehrling im Betrieb, München 1973, S. 165 und 157.)

Sicherlich treffen diese Vorwürfe für viele Betriebe nicht zu. Daß sie aber nicht ganz aus der Luft gegriffen sind, darauf deuten auch andere Statistiken hin. Man hat nämlich festgestellt, daß die Handwerksbetriebe insgesamt doppelt so viele Auszubildende einstellen als sie später an Gesellen und Meistern brauchen, d. h. sie sind an den billigen Lehrlingen interessiert, nicht aber an den teureren Gesellen. Wenn man also in den Zeitungen liest, daß die Handwerksbetriebe mehr Lehrlinge ausbilden als früher, so bedeuten diese Angaben allein noch wenig und sagen nichts über die berufliche Zukunft der Auszubildenden in diesen Berufssparten aus.

Viele Handwerker können nach der Ausbildung mit ihrem Beruf nicht viel anfangen und müssen sich nach einer anderen Arbeit umsehen. Viele landen dann in der Industrie als ungelernte Arbeiter. Von denjenigen, die Bäcker gelernt haben, ist heute nur noch jeder dritte in diesem Beruf tätig, von den ehemaligen Schneidern nur noch knapp jeder zweite. Daß Auszubildende als Aushilfskraft für eintönige Routinearbeiten beschäftigt werden oder daß sie einen Beruf lernen, der ihnen später nicht viel nützt, das geschieht aber auch in anderen Berufssparten. So hat zum Beispiel der Ausbilder von Renates Freundin Claudia ein ganz gutes Geschäft gemacht, indem er sie als Verkäuferin in seiner Drogerie arbeiten ließ. Nur hat sich Claudia selbst unter einer Ausbildung zur Apothekenhelferin sicherlich etwas anderes vorgestellt. Ähnlich ging es auch einem Mädchen, das Industriekaufmann werden wollte, während der Ausbildung aber jeden Tag bügeln mußte:

»Wer nichts lernt, kann klagen«
»Wer nicht richtig ausgebildet wird, kann Schadenersatz verlangen« – das entschied das Arbeitsgericht Duisburg in einer Feststellungsklage, die Eltern gegen die Ausbildungsfirma ihrer Tochter erhoben hatten.
Das Mädchen sollte in einem Textilbetrieb zum Industriekaufmann ausgebildet werden, lernte aber nichts über Werbung, Absatzmarkt, Einkauf und Verkauf, sondern wurde an die Bügelpresse gestellt. Es war – so steht es im Urteil – weniger eine Auszubildende als eine Arbeitskraft, die mit Routinearbeiten betraut war und statt des Lohns die erheblich geringere Ausbildungsbeihilfe erhielt. Der Schaden wurde von den Klägern mit rund 7500 DM beziffert, da das Mädchen in einem anderen Betrieb ein ganzes Lehrjahr wiederholen mußte.
(Brigitte 17/73)

Das mag ein besonders krasses Beispiel von »ausbildungsfremder Arbeit« sein; von ähnlichen, wenn auch harmloseren Fällen können aber sehr viele Auszubildende berichten. Dazu gehören Tätigkeiten wie Ausfegen und Putzen, Bier und Brötchen holen und andere Botengänge. Einige Jungen und Mädchen empfinden das vielleicht als willkommene Abwechslung, andere jedoch als Zeitverschwendung oder sogar als Schikane, vor allem dann, wenn sie es jeden Tag tun müssen. Tatsache ist jedoch, daß sie diese Arbeiten nicht übernehmen müßten, denn Brötchen holen hat ja mit der Ausbildung nichts zu tun. Im Berufsbildungsgesetz § 6 heißt es: »Dem Auszubildenden dürfen nur Verrichtungen übertragen werden, die dem Ausbildungszweck dienen und seinen körperlichen Kräften angemessen sind.«

In Wirklichkeit wird diese Bestimmung aber immer wieder übertreten, und viele Lehrlinge müssen während der Ausbildung ab und zu oder regelmäßig Kellner oder Putzfrau oder Büglerin spielen.

Viele Auszubildende müssen aber nicht nur »ausbildungsfremde Arbeiten« übernehmen, sondern sie müssen auch länger arbeiten, als sie es eigentlich dürften.

Das Jugendarbeitsschutzgesetz schreibt u. a. vor:

»Jugendliche dürfen nicht mehr als acht Stunden täglich und nicht mehr als 40 Stunden wöchentlich beschäftigt werden.«

In der Praxis sieht es aber so aus, daß jeder zweite Lehrling länger arbeiten muß. In einzelnen Berufssparten arbeiten viele Jungen und Mädchen häufig oder regelmäßig sogar mehr als neun Stunden täglich.

Das Gesetz gilt für alle Jugendlichen, für Auszubildende und Anlernlinge, für Arbeiter und Angestellte, für Volontäre und Praktikanten. Es soll Jungen und Mädchen unter 18 Jahren vor Streß und Arbeitsüberlastung schützen. Deswegen verbietet es u. a. auch bis auf wenige Ausnahmen Akkord- und Nachtarbeiten, und es schreibt vor, daß mit der Beschäftigung eines Jugendlichen nur dann begonnen werden darf, wenn dieser innerhalb der letzten neun Monate von einem Arzt untersucht worden ist.

Aber auch diese Bestimmungen werden sehr oft übergangen. Daß sie nicht sinnlos sind, zeigen ärztliche Untersuchungen. Viele Jugendliche sind nämlich nicht gesund und können deshalb nicht jede Arbeit annehmen. *»Etwa ein Drittel der berufstätigen Jugendlichen hat körperliche Schäden. Wie das baden-württembergische Sozialministerium mitteilte, waren von rund 71 500 nach dem Jugendarbeitsschutzgesetz vor Eintritt in das Berufsleben 1973 untersuchten Jugendlichen rund 30% bei bestimmten Tätigkeiten in ihrer Gesundheit gefährdet.«* (Stuttgarter Zeitung, 29. 11. 74)

Wie kommt es aber, daß die Gesetze so oft nicht eingehalten werden?

Das liegt einmal daran, daß die Überwachung der betrieblichen Ausbildung Aufgabe der Kammern – der Industrie- und Handelskammern und der Handwerkskammern – ist. Die Kammern sind aber Organisationen der Wirtschaftsunternehmen selbst. Es ist also verständlich, daß die Kammern nur sehr selten in die Arbeit und Lehrlingsausbildung der einzelnen Betriebe eingreifen.

Dann gibt es noch die staatlichen Gewerbeaufsichtsämter. Sie sollen kontrollieren, ob die Betriebe das Jugendarbeitsschutzgesetz einhalten. Aber sie haben so wenig Personal, daß jeder Betrieb nur alle drei bis vier Jahre kontrolliert werden kann, und das ist ganz sicher viel zu wenig.

Rechte wahrnehmen

Was kann ein Lehrling aber tun, wenn er seine Situation im Betrieb verbessern möchte? Welche Möglichkeiten hat er, wenn er länger als acht Stunden arbeiten muß, oder während der Arbeitszeit keine Ruhepausen einlegen darf?

SICHERHEITSBÜGEL
WÄHREND DER FAHRT
NICHT ÖFFNEN

Wie schon gesagt, müssen die Gewerbeaufsichtsämter die Betriebe überwachen, ob sie das Jugendarbeitsschutzgesetz einhalten. Wer also meint, dieses Gesetz würde von seinem Lehrherrn nicht besonders ernst genommen, kann sich dorthin wenden und Gesetzesverstöße anzeigen. Er darf aber nicht erwarten, daß eine Anzeige in jedem Fall für den Betrieb wesentliche Folgen hat. Die bisherige Rechtspraxis zeigt, daß Arbeitgeber nur selten und dann nur in besonders schwerwiegenden Fällen bestraft werden. Meistens bleibt es bei einer Ermahnung oder bei einem relativ niedrigen Bußgeld. Man kann sich denken, daß es für einen Betrieb nicht besonders ins Gewicht fällt, wenn er 200 – 500 DM zahlen muß. Die höchste Geldstrafe, die verhängt werden kann, beträgt 20 000 DM; aber das geschieht erfahrungsgemäß äußerst selten. Trotzdem ist es richtig, sich auf seine Rechte zu besinnen und Verstöße gegen das Gesetz anzuzeigen, denn wenn sich niemand wehrt, wird sich an den Verhältnissen in den Betrieben auch nichts ändern.

Wohin kann man sich aber in Konfliktfällen wenden, für die das Gewerbeaufsichtsamt nicht zuständig ist? Wenn man schlecht ausgebildet wird oder immer wieder ausbildungsfremde Tätigkeiten aufgebrummt bekommt? Um es gleich vorwegzunehmen: Patentrezepte gibt es nicht, und deshalb können wir hier auch keine anbieten. Die Situation hängt von vielerlei äußeren Umständen ab; ob der Betrieb groß oder klein ist, ob man der einzige Lehrling ist oder ob noch andere Auszubildende in diesem Betrieb sind.

Schließlich sind – wie überall – auch persönliche Sympathien und Antipathien mit im Spiel, ob Ihr Euch mit den anderen Auszubildenden und den älteren Kollegen versteht und im Ernstfall mit deren Unterstützung rechnen könnt oder auch nicht.

Wo könnte sich also ein Auszubildender im Konfliktfall hinwenden? Die erste Möglichkeit wäre natürlich, mit dem Lehrherrn oder dem Ausbilder selbst zu sprechen und ihm genau auseinanderzusetzen, was einem nicht gefällt und wie man sich eine Veränderung der Ausbildung vorstellt.

Wenn das aber aussichtslos erscheint oder kein Ergebnis bringt, könnte man zur Kammer gehen, die für die Berufsausbildung zuständig ist, also zur Handwerks- oder Handelskammer; in Renates und Claudias Fall wäre das die Apothekerkammer.

Die Kammern haben vom Staat die Aufgabe übertragen bekommen, die Ausbildung ihres Berufsnachwuchses zu organisieren und zu überwachen. Da die Kammern aber Einrichtungen der Arbeitgeber sind, werden Anzeigen der Lehrlinge selten etwas nützen, d. h. eine wesentliche Verbesserung der Ausbildung bewirken. Im Gegenteil: Manche Betriebe erfahren von der Kammer, welcher ihrer Lehrlinge sich beschwert hat, und ziehen ihn dann zur Rechenschaft.

Ein anderer Weg wäre, sich bei der Vertretung der Arbeitnehmer im Betrieb, also beim Betriebsrat und bei der Jugendvertretung zu beschweren. In größeren Betrieben gibt es in der Regel einen Betriebsrat. Wo mindestens fünf Jugendliche unter 18 Jahren beschäftigt sind, kann auch eine Jugendvertretung gewählt werden, die sich für die Interessen der Jugendlichen einzusetzen hat.

Die Jugendvertretung kann unter anderem zu den Betriebsratsversammlungen Vertreter schicken und hat – so steht es im Betriebsverfassungsgesetz – »Stimmrecht, soweit die zu fassenden Beschlüsse des Betriebsrates überwiegend jugendliche Arbeitnehmer betreffen«. Allerdings darf man sich vom Betriebsrat und von der Jugendvertretung keine Wunder erhoffen. Wie wir alle vermeiden sie gern Ärger und Unbequemlichkeiten. Sie brauchen die volle Unterstützung ihrer Kollegen und sind darauf angewiesen, daß man sie auf Mißstände aufmerksam macht.

Die meisten Lehrlinge arbeiten aber in Betrieben, wo es keinen Betriebsrat und keine Jugendvertretung gibt; denn nicht jeder Betrieb hat einen Betriebsrat; wo solch eine Interessenvertretung gebildet werden soll, müssen sich die Arbeitnehmer erst einmal dafür stark machen. Welche Möglichkeiten, sich als Lehrling für seine Interessen einzusetzen, gibt es sonst noch?

Man könnte z. B. die Eltern um Unterstützung bitten. Eine Beschwerde der Eltern kann manchmal helfen, denn der Lehrherr hat ja mit ihnen den Lehrvertrag abgeschlossen und möchte unnötigen Ärger vermeiden. Wenn mehrere Lehrlinge in einem Betrieb sind, müßten sich mehrere, am besten alle Eltern bereiterklären, gegen Mißstände anzugehen. Sonst wird nur die Situation des einen Jugendlichen geändert, dessen Eltern sich beklagt haben, oder noch schlimmer: der eine, der aufgemuckt hat, wird bestraft.

Allerdings haben viele Eltern kein Verständnis für ihre Kinder. Auch berechtigte Kritik an der Ausbildung wird von ihnen häufig als Nörgelei, als sinnloser Protest oder sogar als Faulheit ausgelegt. »Lehrjahre sind keine Herrenjahre«, heißt es dann. Wenn ein Auszubildender also unzufrieden ist, müßte er seine Behauptung, er werde schlecht ausgebildet, mit Beispielen untermauern. Im Notfall müßte er sich die Unterstützung von anderen Auszubildenden oder Mitschülern in der Berufsschule holen.

Über eines muß man sich aber bei allen Beschwerden und Protesten im klaren sein: Der Arbeitgeber sitzt am längeren Hebel, denn er ist derjenige, der Arbeits- und Ausbildungsplätze bereit stellt. Diese Tatsache darf allerdings nicht zur Resignation oder Untätigkeit verführen. Denn der Arbeitgeber ist auch auf die Menschen angewiesen, die bei ihm arbeiten, nicht auf einen einzelnen, aber auf die Belegschaft als Ganzes. Wenn er sie nicht hätte, könnte er nichts produzieren, also kein Geld verdienen. Proteste nutzen also meistens nur, wenn sich die Kollegen zusammentun und sich gemeinsam beklagen.

Wenn Auszubildende ihre Lage verbessern wollen, müßten sie sich also zusammenschließen. Einen einzelnen Auszubildenden kann der Lehr-

herr leicht einschüchtern, gegenüber einer Gruppe hat er es schon schwerer.

Nun sind Lehrlinge in einem Betrieb aber meistens nur eine kleine Gruppe, oft gibt es auch nur einen einzigen Auszubildenden. Dann gibt es also nur die Möglichkeit, mit älteren Kollegen, mit Mitschülern in der Berufsschule, mit dem Berufsschullehrer oder mit gewerkschaftlichen Jugendgruppen (auch außerhalb des Betriebs) Erfahrungen auszutauschen, sich Informationen zu holen, sich von ihnen beraten und eventuell auch unterstützen zu lassen.

Wenn in der Berufsschule wenig über Rechtsfragen und Konflikte im Betrieb gesprochen wird, dann sollte man – wenn nötig mit den anderen Schülern gemeinsam – den Lehrer bitten, es zu tun und versuchen, mit ihm zusammen eine Lösung für die Probleme zu finden.

Falls man aber nach reiflicher Überlegung zu der Überzeugung gekommen ist, daß einem der Ausbildungsbetrieb oder sogar der Beruf, den man dort lernt, nicht zusagt, sollte man sich umsehen, ob man nicht etwas anderes findet.

Während der Probezeit kann das Ausbildungsverhältnis von beiden Seiten, vom Lehrherrn und vom Lehrling, jederzeit ohne Angabe von Gründen und ohne Einhaltung einer Kündigungsfrist gelöst werden.

Nach Ablauf der Probezeit kann der Ausbildungsvertrag nur aus einem wichtigen Grund ohne Einhaltung einer Frist gekündigt werden. Der Auszubildende kann außerdem kündigen, wenn er die Berufsausbildung aufgeben oder eine andere Ausbildung anfangen möchte.

Allerdings sollte man den Ausbildungsbetrieb erst dann verlassen, wenn man schon einen neuen gefunden hat; ein Ratschlag, der angesichts des Mangels an Ausbildungsplätzen schwer zu befolgen ist.

Notwendige Verbesserungen in der Lehrlingsausbildung

Wenn man auf Mißstände in der Lehrlingsausbildung hinweist, bekommt man oft zu hören, das sei doch alles gar nicht so schlimm. Schließlich würden alle Auszubildenden einen anständigen Beruf lernen und später etwas leisten, denn deutsche Facharbeiter und die Produkte mit der Aufschrift »Made in Germany« seien auf der ganzen Welt anerkannt. Das mag sein, nur für den einzelnen sieht die Lage eben doch oft nicht so rosig aus. Vorhin wurde bereits erwähnt, daß viele Auszubildende mit ihrem Ausbildungsbetrieb unzufrieden sind, weil sie dort nicht gründlich genug ausgebildet werden. Sehr viele Jugendliche würden sogar gern ihren Beruf ganz aufgeben und etwas Neues lernen.

In den nächsten Jahren wird die Zahl derjenigen, die bald nach der Lehre ihren Beruf aufgeben möchten, noch wachsen. Das liegt einmal daran, daß heute viele Jungen und Mädchen aus lauter Angst, gar keinen Ausbildungsplatz zu finden, die nächstbeste Chance ergreifen und einen Beruf lernen, der ihnen keinen Spaß macht. Ein anderer

Grund ist, daß manche Berufe aus der Mode kommen oder zeitweise nicht mehr so gefragt sind. Wenn z. B. Öl und Benzin teurer werden und deshalb nicht mehr so viele Autos gekauft werden, dann sind auch Tankwarte und Kraftfahrzeugmechaniker weniger gefragt.

Weil das aber in vielen Berufen passieren kann, muß schon die Lehrlingsausbildung die Jugendlichen besser auf einen eventuellen Berufs- oder Arbeitsplatzwechsel vorbereiten. Die Lehrlingsausbildung muß deshalb gründlicher werden und mehr theoretisches Wissen vermitteln als bisher. Jeder sollte eine so breite Grundausbildung bekommen, daß er, wenn er später umsatteln will oder muß, leicht auf diesem Grundwissen aufbauen kann. Außerdem müßten die Jugendlichen schon in der Schule und auch während der Ausbildung darauf vorbereitet werden, daß sie ihr ganzes Leben lang lernen müssen. Wissenschaftler kommen immer wieder zu neuen Forschungsergebnissen, Techniker überraschen uns mit immer neuen Erfindungen, mit denen wir einigermaßen Schritt halten müssen. So mußten die Fernsehtechniker vor ein paar Jahren lernen, wie ein Farbfernseher funktioniert; ein Zahntechniker muß sich auf dem laufenden halten, welche neuen Zahnprothesen und -füllungen entwickelt werden, und auch eine Hausfrau kann viel Zeit sparen, wenn sie mit der Gefriertruhe und anderen technischen Küchengeräten umgehen kann.

Wir alle müssen lernen zu lernen. Wer nach der Schule keine Bücher mehr sehen will, der hat vielleicht Glück und findet eine Tätigkeit als ungelernter oder angelernter Arbeiter oder als Aushilfe. Nur sind solche Arbeiten auf die Dauer meistens eintönig; außerdem hat sich gezeigt, daß in wirtschaftlichen Krisenzeiten Arbeitnehmer ohne oder mit schlechter Ausbildung am schnellsten arbeitslos werden. Auf eine Verkaufshilfe können die Betriebe im allgemeinen eher verzichten als auf einen gelernten Einzelhandelskaufmann, auf eine Bürohilfe eher als auf eine gute, selbständig arbeitende Sekretärin. Auch eine Schmalspurausbildung, wo der Auszubildende nur ein paar Handgriffe übt, hilft auf die Dauer wenig. Meistens merkt der Betroffene das aber erst dann, wenn er den Betrieb wechselt und andere Fähigkeiten von ihm verlangt werden, als er gelernt hat.

Weil viele Betriebe die Gesetze nicht einhalten, weil viele Auszubildende unzufrieden sind oder ihren Beruf wechseln müssen, weil viele Jugendliche nicht genug lernen oder gar keine Ausbildungsstelle finden und arbeitslos sind, muß die Lehrlingsausbildung reformiert werden. Aber wie? Darüber streiten sich die Politiker der verschiedenen Parteien, die Vertreter der Arbeitnehmer, also die Gewerkschaften, und die der Arbeitgeber seit Jahren. Einmal müßte der Unterricht in der Berufsschule verbessert werden. Denn von den 10 bis 12 Stunden, die wöchentlich auf dem Stundenplan stehen, fallen heute durchschnittlich zwei bis vier Stunden aus. Es fehlt an Schulen und an Lehrern; und seit einiger Zeit fehlt es auch an Geld, um mehr Lehrer einzustellen. Außer-

dem wursteln die Schule und der Betrieb nebeneinander her, d. h. zwischen der Ausbildung im Betrieb und in der Schule besteht wenig Zusammenhang. Es kann also sein, daß die Auszubildenden in der Schule einen Lehrstoff durchnehmen, der im Betrieb gar nicht oder noch nicht behandelt wird, oder daß sie im Betrieb etwas lernen, ohne daß sie das theoretische Wissen in der Schule dazugeliefert bekommen.

Ebenso wie der Unterricht in der Schule muß auch die Ausbildung im Betrieb reformiert werden.

Viele, vor allem der SPD angehörende Bildungspolitiker möchten, daß die Betriebe mehr als bisher vom Staat kontrolliert werden. Die Betriebe wehren sich aber dagegen.

Der Streit hält schon seit ein paar Jahren an, geändert hat sich in den letzten Jahren wenig. Es gibt nur ein paar kleine Verbesserungsversuche, z. B. die Stufenausbildung und das Berufsgrundbildungsjahr.

Die Stufenausbildung

Die Stufenausbildung sieht so aus: Im ersten Jahr bekommen die Auszubildenden eine breite Grundausbildung. In der zweiten Stufe werden ihnen genauere Kenntnisse für eine Berufsgruppe vermittelt, und in der dritten Stufe findet dann die Spezialisierung auf einen bestimmten Beruf statt. Der Auszubildende braucht sich also nicht gleich zu Beginn der Ausbildung für einen Beruf zu entscheiden, er kann sich noch ein Jahr damit Zeit lassen. Außerdem hat diese Ausbildung noch einen weiteren Vorteil: Wenn man später einmal seinen Beruf nicht mehr ausüben kann oder will, so kann man immerhin auf die Grundausbildung zurückgreifen; ein Berufswechsel ist also leichter. Die Stufenausbildung gibt es erst in einigen Bereichen, z. B. in der Elektrotechnik, im Textil- und Bekleidungsbereich und im Einzelhandel. Das Einteilen der Ausbildung in drei Abschnitte kann neben den Vorteilen aber auch Nachteile haben. Dann nämlich, wenn der Betrieb den Auszubildenden nur bis zur ersten oder zweiten Stufe ausbildet oder selbst bestimmt, wer von den Auszubildenden die dritte Stufe absolvieren, d. h. die beste Ausbildung machen darf, und damit auch

die besseren Berufschancen und Verdienstmöglichkeiten hat.

Im Einzelhandel wird z. B. erst zum Verkäufer, dann zum Einzelhändler ausgebildet. Meistens wird aber nur eine kleine Gruppe – und das sind im allgemeinen eher die Jungen als die Mädchen – zum Einzelhändler ausgebildet, die anderen bleiben als Verkäufer hängen. Wer einen Beruf lernen möchte, für den die Stufenausbildung bereits eingeführt ist, der sollte also darauf achten, daß er einen Vertrag für drei Jahre bekommt.

Das Berufsgrundbildungsjahr
Einen ähnlichen Zweck wie die Stufenausbildung verfolgt das Berufsgrundbildungsjahr, das auch Berufs-

grundschuljahr genannt wird. Es gibt bisher erst einige Versuchsklassen, das Berufsgrundbildungsjahr soll aber nach und nach an immer mehr Schulen eingeführt werden.

In diesem Jahr, das entweder nur an einer Schule oder in einer Schule und in einem Betrieb stattfindet, wird der Schüler erst einmal in einem Berufsfeld unterrichtet, also z. B. im sogenannten Berufsfeld »Bau – Holz«. Er braucht sich dann erst nach diesem Jahr zu entscheiden, auf welchen Beruf er sich spezialisieren möchte.

Aber auch um diesen Reformversuch gibt es viel Streit. Eigentlich sollte dieses Jahr, auch wenn es nur an einer Schule stattfindet, als erstes Ausbildungsjahr anerkannt werden. Viele Betriebe wehren sich aber dagegen, weil sie die Lehrlingsausbildung nicht – auch nicht teilweise – aus der Hand geben wollen.

Tips für die Berufswahl

Wenn auch viele Frauen ihren Beruf wechseln oder ganz aufgeben, so solltet Ihr doch versuchen, einen Beruf zu finden, der Euch Spaß macht, von dem Ihr leben und in dem Ihr selbständig arbeiten könnt, und in dem Ihr auch Weiterbildungs- und Aufstiegsmöglichkeiten habt.

Auch wenn Ihr auf jeden Fall heiraten und Kinder haben wollt, ist es besser, eine gute Ausbildung zu absolvieren, denn erstens ist die Ehe kein Versorgungsinstitut – in der Bundesrepublik kommen auf 100 Eheschließungen rund 23 Scheidungen, jede vierte berufstätige Mutter lebt ohne Ehemann, muß also allein für ihre Kinder sorgen – zweitens kann es auch sein, daß

Euch der Haushalt allein nicht ausfüllt.

Wenn ich mal 40 bin . . .
Es ist schwer, sich vorzustellen, wie man in 25 Jahren leben wird. Ist man verheiratet, Mutter, Hausfrau oder unverheiratet, berufstätig und selbständig? Vielleicht ist man auch schon Witwe oder geschieden. Es gibt Vor- und Nachteile in einer Ehe. Das Positive in einer Ehe ist, man ist nicht allein, weiß, daß man gebraucht wird und von den Familienmitgliedern Hilfe erwarten kann. Außerdem braucht man als Frau meist nicht für den Lebensunterhalt zu sorgen. Berufstätige Frauen werden immer im Vorteil sein, denn im Falle einer Scheidung fällt es ihnen leichter, ihren Lebensunterhalt zu verdienen und sich an eine neue Lebensform zu gewöhnen. Sie können sich leichter von der Familie und dem Haushalt auf das Leben in einer Fabrik oder an einem anderen Arbeitsplatz und das Leben ohne Familie umstellen.

Freiheit und Unabhängigkeit, keine Rücksicht auf die Familie nehmen müssen, in der Freizeit tun und lassen was man will – das sind alles Vorteile des Unverheiratetseins. Aber es gibt auch genau wie in der Ehe Nachteile. Man muß sein Geld selbst verdienen und hat nicht immer jemanden, dem man seine Probleme anvertrauen kann.

Petra, 15

Wenn ich mal 40 bin . . .
Für mein Alter noch ziemlich schlank, gut aussehend und im Sport noch sehr aktiv. Glücklich

verheiratet lebe ich mit meiner Familie (meinem Mann und zwei Kindern) am Waldrand in einer wohnlichen Villa ... Mein Mann ist einfach ein Engel, jeden Wunsch und jede Bitte erfüllt er mir. Zur Arbeit muß ich nicht gehen, denn das Geld verdient mein Mann alleine. Da ich nicht zur Arbeit gehe, kann ich schlafen, so lange wie es mir gefällt, denn um das Frühstück brauche ich mich nicht zu kümmern, das macht alles die Haushälterin. Mittags werde ich meist mit meinem Hund spazierengehen. Ich habe wirklich alles, was ich möchte.

Beate, 13

Aber wie kann man heute noch seine Berufswünsche verwirklichen, wenn es fast überall an Ausbildungsplätzen fehlt?

Zugegeben, es ist heute schwierig, einen guten Ausbildungsplatz zu finden; trotzdem solltet Ihr Euch so gut wie möglich darum bemühen, denn die Berufswahl ist wichtig für Eure Zukunft und auch für Euer Privatleben. Berufs- und Privatleben sind eben nicht so leicht zu trennen, wie man sich das manchmal vorstellt.

Doch nicht nur der Beruf, sondern auch die Entscheidung für einen bestimmten Lehrbetrieb ist von Bedeutung, denn erst eine gute Ausbildung gibt Euch die Sicherheit, daß Ihr genug lernt, um Euren späteren Beruf darauf aufbauen zu können. Gerade weil es heute so mühsam ist, einen Ausbildungsplatz zu finden, müßt Ihr Euch gut darauf vorbereiten, schon in der Schule. Denn Abschlußzeugnisse sind wichtig; Hauptschüler mit guten Zeugnissen haben erfahrungsgemäß bessere Chancen als Hauptschüler mit schlechteren Zensuren, und von sehr vielen Betrieben werden Realschüler vorgezogen. Wer die Wahl hat, sollte sich daher gründlich überlegen, ob er nicht das Abschlußzeugnis auf einer Realschule macht.

Überlegt auch, ob Ihr vielleicht danach noch eine Schule, Fachoberschule oder ein Berufliches Gymnasium besuchen wollt oder die Ausbildung ganz oder teilweise durch den Besuch einer Berufsfachschule oder Handelsschule ersetzen könnt.

Wichtig ist, daß Ihr Euch genau über Berufe und Schulen erkundigt. Fragt Freunde, Bekannte, Lehrer, den Berufsberater beim Arbeitsamt. Stellt ihm gezielte Fragen, vielleicht könnt Ihr zur Unterstützung einen Freund oder eine Freundin mitnehmen; zu mehreren ist man mutiger, und es fallen einem auch mehr Fragen ein.

Erkundigt Euch, ob Euer angestrebter Beruf eine Zukunft hat, ob er ausbaufähig ist und Weiterbildungschancen bietet. Informiert Euch über mögliche Lehrbetriebe. Fragt Auszubildende, Arbeiter, die dort arbeiten. (Wenn möglich »unter vier Augen«, damit Ihr eine ehrliche Antwort bekommt.) Fragt den Lehrherrn und – wenn vorhanden – den Betriebsrat oder den Ausbilder, ob die Ausbildung vielseitig ist, wer Euch ausbildet, ob – das gilt vor allem für handwerkliche Berufe – eine Lehrwerkstatt oder zumindest eine Lehrecke für Euch da ist.

Wenn Ihr einen Beruf lernen wollt, für den es mehrere Ausbildungsstufen gibt, erkundigt Euch, ob Ihr alle

Stufen im Betrieb durchlaufen könnt und laßt das gleich in den Ausbildungsvertrag aufnehmen.

Für die Auswahl des Lehrbetriebes gilt die Faustregel: in größeren Betrieben erhält man meistens eine bessere und umfassendere Ausbildung als in kleinen, obwohl es auch hier Ausnahmen gibt.

Erkundigt Euch bei den für die Lehrlingsausbildung zuständigen Referenten der Gewerkschaften (im Telefonbuch nachsehen unter »Deutscher Gewerkschaftsbund« oder »Deutsche Angestelltengewerkschaft«), ob sie Informationen, eventuell auch Broschüren haben, oder ob sie Euch Jugendgruppen nennen können, die Euch weiterhelfen.

Schließt Euch mit Mitschülern und Freunden zusammen, dann habt Ihr mehr Mut. Fragt in Jugendzentren, ob es dort Gruppen gibt, die sich speziell mit Auszubildendenproblemen auseinandersetzen.

Bevor ihr einen Ausbildungsvertrag abschließt, lest das Jugendarbeitsschutzgesetz, das Berufsbildungsgesetz und ein Ausbildungsvertragsmuster, damit Ihr später Euren Vertrag auf Abweichungen von den gesetzlichen Bestimmungen überprüfen könnt.

Der Vertrag muß Angaben über das Berufsziel, die Dauer, die sachliche und zeitliche Gliederung der Ausbildung enthalten. Außerdem müssen im Vertrag die tägliche Arbeitszeit, die Probezeit und die Urlaubsdauer geregelt werden. Darüber hinaus müssen die Voraussetzungen genannt werden, unter denen der Vertrag gekündigt werden kann.

Vielleicht sagt Ihr jetzt, was soll das alles, die Lage ist sowieso trostlos. Ihr nehmt die erstbeste Ausbildungsstelle, die Ihr bekommen könnt.

Natürlich sind die Wahlmöglichkeiten begrenzt, aber gerade deshalb ist es besonders wichtig, Bescheid zu wissen, um wenigstens von zwei Übeln das kleinere zu wählen.

Ob Lehre oder Studium – noch immer lassen sich viel zu viele Jugendliche ins Bockshorn jagen – vor allem Mädchen. Durch schlechte Noten in der Schule zum Beispiel oder auch durch einen Test, bei dem sie schlecht abgeschnitten haben. Bei den Mädchen spielt dazuhin noch viel zu oft der Gedanke eine Rolle, daß sie ja »nur« Mädchen sind. Lohnt es sich denn, so viel Gedanken auf den künftigen Beruf zu verwenden, wenn man ohnehin vielleicht in ein paar Jahren schon heiratet?

Zu dumm für die Schule?

Monika Hörburger

Die Allwissenheit von Noten. Wie zuverlässig sind Tests? Der Traumberuf. Ist für Mädchen eine gute Berufsausbildung nicht so wichtig? Wie steht es im Berufsleben um die Gleichberechtigung? Kann man später Ehe, Kinder und Beruf unter einen Hut bringen?

Es gibt viele Schüler, die angriffslustig oder auch teilnahmslos auf das Wort »Schule« reagieren und der eigenen Ausbildung desinteressiert gegenüberstehen, weil sie den Lehrstoff weder auf ihre eigene Umwelt noch auf die zukünftige Arbeitswelt übertragen können. Vielleicht auch, weil ihnen der – oder die – Lehrer unsympathisch sind, weil sie glauben, nicht begabt genug zu sein oder weil sie so viele private Probleme haben, daß ihnen der Schulstoff dagegen nebensächlich erscheint. Dies alles ist oftmals schuld daran, daß viele keineswegs unbegabte Schüler kurzerhand die Schule abbrechen und auf Arbeitssuche gehen. Sicherlich sind die oben angeführten Gründe meist schwerwiegend und wert, genauer untersucht zu werden. Doch zu einer Kurzschlußhandlung, wie es ein unüberlegter Schulabbruch nun einmal ist, dürften sie eigentlich nicht führen. Dieser Schritt ist meist nur schwer rückgängig zu machen, und der »zweite Bildungsweg« ist sehr viel dornenreicher als der »erste«.

Ein unbequemer Lehrer oder Unlustgefühle dem Lernen gegenüber können einem den Schulalltag ganz schön vergällen. Schlimmer aber ist für den Schüler oftmals der Zweifel

114

an der eigenen Begabung, an Intelligenz und Leistungsfähigkeit. Das ist für den einzelnen oft deshalb so beunruhigend, weil er sich nicht selbst einzuschätzen weiß, und als Maßstab nichts weiter hat als die Beurteilung der Lehrer, seine Schulnoten.

Die Allwissenheit der Noten

Es wäre gefährlich, sich bei der Wahl des weiteren Ausbildungsweges ausschließlich auf Schulnoten zu stützen, denn Noten haben sicherlich keinen absoluten Wahrheitsgehalt. Zudem kommt es immer noch darauf an, wie man wiederum die eigenen Noten bewertet. Für manchen schon war ein »befriedigend« in allen Fächern ein Grund, die Schule frühzeitig zu verlassen – an-

dere dagegen (und das durchaus zu Recht) halten diese Note für ganz passabel. Die Vergabe der Noten ist nicht objektiv. Der Lehrer, der die Noten »macht«, mag mit noch so großer Gewissenhaftigkeit urteilen – er wird nie in der Lage sein, persönliche Gefühle, Vorurteile den Schülern gegenüber völlig auszuschalten, und er wird bei der Beurteilung immer von bestimmten Erwartungshaltungen ausgehen. Diese Erwartungen sind dem Schüler unter Umständen fremd, weil er vielleicht aus einer anderen Gesellschaftsschicht, aus einem anderen Milieu kommt. Wäre es möglich, jeden aufgrund seines speziellen Lebensbereiches zu fördern, könnte diese Art der Beurteilung gerechter sein. Es hat schon Fälle gegeben, wo fünf Lehrer einen

Aufsatz fünfmal anders bewerteten – in der Notenskala von sehr gut bis mangelhaft. Doch auch eindeutiger nachprüfbare Leistungen, sprachlicher oder mathematischer Art, werden vielfach ungerecht beurteilt, weil der vorausgehende Unterricht nicht allen Schülern die gleiche Chance bot. Noten sind unzuverlässig. Sie zeigen oft nicht das, was sie ausdrücken sollen, den Leistungsstand und die Leistungsfähigkeit der Schüler, sondern werden von vielen anderen Faktoren mit beeinflußt. Belastungen seelischer Art, Angst vor Klassenarbeiten oder vor den Lehrern können die durch Noten gemessenen Leistungen des Schülers stark beeinträchtigen. Mit der tatsächlichen Begabung hat das nichts zu tun. Leider wird jedoch im Hin-blick auf die Numerus-clausus-Situation an den Hochschulen und auch bei den Ausbildungsplätzen immer mehr Wert auf die Aussage der Noten gelegt – die Folge sind Leistungsdruck und Konkurrenzdenken unter den Schülern . . .

Karen bleibt sitzen

Karen war bis zu ihrem 15. Lebensjahr eine gute bis mittelmäßige Schülerin, die ohne besondere Anstrengungen den Lehrstoff bewältigte. Mit dem Beginn ihrer Tanzstunde wurde das anders. Gleich am Anfang lernte sie einen Jungen kennen, in den sie sich verliebte, und von da an waren ihr die Schule, die Lehrer, die Klassenarbeiten völlig gleichgültig, vor allem deshalb, weil die Beziehung zu ihrem Freund sehr

schwierig wurde, als ihre Eltern ihr den Umgang mit ihm verboten. – Sie hielten Karen noch für zu jung für »so etwas«.

Karen war nun Tag für Tag damit beschäftigt, sich Alibis bei ihren Freundinnen zu besorgen, um ihren Freund heimlich treffen zu können. Sie lebte und dachte überhaupt nur noch von einem Rendezvous zum anderen, denn alles, was nichts mit ihrem Freund zu tun hatte, schien ihr äußerst unwichtig zu sein. Schularbeiten verlegte sie grundsätzlich auf die frühen Morgenstunden. Sie stellte ihren Wecker auf fünf Uhr, um dann das Nötigste zu erledigen, doch meistens verschlief sie, und so kam sie immer häufiger unvorbereitet in die Schule. Sie arbeitete in der Stunde nicht mehr mit, ihre Klassenarbeiten wurden immer schlechter, und am Ende des Schuljahres blieb sie sitzen.

Ihre Eltern waren entsetzt. Da sie ihrer Tochter keine teuren Nachhilfestunden ermöglichen konnten und sie nicht glaubten, daß Karen ihren Wissensrückstand ohne fremde Hilfe aufarbeiten könnte, wollten sie sie von der Schule nehmen.

Bei dieser Entscheidung aber wurde Karen plötzlich wach. Ihr wurde klar, wie tiefgreifend sich ihr ganzes Leben, ihre Zukunftsaussichten mit dem Schulabgang ändern würden, und sie war fest entschlossen, die Schule weiterhin zu besuchen.

Mit ihren Schulfreunden besprach sie schließlich ihr Problem, und einige der besseren Schüler beschlossen, in Zukunft gemeinsam mit Karen zu lernen, ihr kostenlos eine Art Nachhilfeunterricht zu geben, bis sie wieder »am Ball« wäre.

Die Sache wurde nicht nur geplant, sondern auch durchgeführt, und sie hatte soviel Erfolg, daß Karen am Ende des nächsten Schuljahres wieder zum Durchschnitt ihrer neuen Klasse gehörte.

Dieser Nachhilfeunterricht durch ihre Mitschüler kann nicht nur als freundschaftliche Hilfeleistung gesehen werden. Er war in gewisser Weise außerdem eine politische Aktion gegen die Strebermentalität, die oftmals eine Folge des Numerus clausus ist.

Karen bemühte sich in der folgenden Zeit immer mehr, ein ausgewogenes Verhältnis von Schule und Privatleben herzustellen. Das fiel ihr oft sehr schwer, da sie die Strenge der Eltern und die Konflikte mit ihrem Freund stark belasteten.

Trotzdem schaffte sie es, Abitur zu machen und Jura zu studieren – von ihrem damaligen Freund hat sie sich längst getrennt.

Normalerweise sind es nicht Intelligenzgründe, weshalb ein Schüler scheitert. Hat man das Pech, sitzenzubleiben, ist es ratsam (vor allem dann, wenn man selbst die Gründe nicht so genau kennt), allein oder auch mit den Eltern eine Beratungsstelle aufzusuchen, um dort die Probleme zu besprechen.

Es ist keine Schande, sitzenzubleiben, es ist ein Mißgeschick. Die Hintergründe, die dazu geführt haben, müssen auf jeden Fall aufgedeckt werden. Sitzenbleiben ist kein Grund, sich minderwertig vorzukommen. Viele, im späteren Leben berühmte und bedeutende Menschen sind »Schulversager« gewesen – vielleicht waren sie für die Schule zu begabt!?

Kann man sich auf Tests verlassen?

Wie kann man seine Fähigkeiten, seine Begabungen messen? Noten, Lehrerurteile, Ansichten der Eltern, dies alles sind nur bedingt Maßstäbe, um die Schul- und Berufswahl danach auszurichten. Bleibt noch die Möglichkeit der psychologischen Tests. Tests messen Intelligenz, Leistungsfähigkeit, Interessen, die Persönlichkeit eines Menschen. Leistungstests werden häufig von den Berufsberatern der Arbeitsämter vorgenommen. Die Beratung stützt sich dann auf das Testergebnis. Intelligenz- und Interessentests werden in vielen Fällen auch bei der Schullaufbahnberatung in den Bildungsberatungsstellen bzw. von den Schulpsychologen verwendet.

Doch auch der Test kann bei der Beurteilung der individuellen Fähigkeiten nur eine Teilhilfe darstellen.

Er zeigt Daten über Intelligenz, über Begabungen und die Persönlichkeitsstruktur eines Menschen auf, die jedoch in vielen Fällen nicht eindeutig sind, so daß sie der Interpretation eines Fachmannes bedürfen. Dieser kann wiederum nicht objektiv urteilen, weil auch er abhängig ist von seinem eigenen Erfahrungsbereich, weil er in den meisten Fällen den Menschen, den er beurteilen soll, nicht kennt, und weil der Test immer nur einen kleinen, auf den Zeitpunkt des Tests festgelegten Lebensabschnitt beleuchten kann.

Die Ergebnisse des Tests sind also

nicht absolut und sicherlich keine Offenbarung. Sie sind abhängig von der augenblicklichen Verfassung des Menschen, in der der Test vorgenommen wird und von den bisherigen Umweltbedingungen, in denen der Getestete lebt; von Faktoren, also, die *änderbar*, die nicht endgültig sind. Vom Getesteten wird das Testergebnis jedoch meist hundertprozentig akzeptiert und bildet oft die entscheidende Grundlage für die Schul- und Berufswahl. Eine zu große »Testgläubigkeit« kann dazu führen, daß sich der Getestete plötzlich eingefangen sieht in ein System von Daten, das ihn nicht mehr freigibt. Er sieht sich auf eine bestimmte Stufe festgelegt und glaubt, sich nicht mehr ändern, nicht mehr weiterentwickeln zu können. Dieses Bewußtsein schränkt die Handlungsfreiheit und -möglichkeiten sehr ein und kann unter Umständen starke Minderwertigkeitsgefühle verursachen, ohne die man im Schul- und Berufsleben in jedem Fall besser vorankommt ... Problematisch ist der Test auch dann, wenn er von Arbeitgebern durchgeführt wird. Oft werden die Testergebnisse der Personalakte beigefügt. Jeder, der sie in die Hand bekommt, wird die betreffende Person nicht mehr vorurteilsfrei betrachten können, sondern immer unter dem Eindruck der Testergebnisse stehen – ob diese nun gut oder schlecht ausgefallen sind. Er wird entsprechende Erwartungen an den Getesteten herantragen, der Test wird insgesamt überbewertet und beeinträchtigt unter Umständen das gesamte Arbeitsverhältnis.

Noch gefährlicher, weil wissenschaftlich fragwürdiger sind graphologische Untersuchungen, die bei Einstellungen ebenfalls oft eine Rolle spielen. Aufgrund von handgeschriebenen Lebensläufen untersucht der Graphologe z. B. Größe, Länge und Form von g- und l-Bogen, prüft die Größe und Breite der Schrift usw. Anhand dieser Kriterien wird dann ein Gutachten über Persönlichkeit und Charaktereigenschaften des betreffenden Menschen erstellt. Die Handschrift ändert sich jedoch im Laufe des Lebens ganz erheblich, auch haben gefühlsmäßige Schwankungen großen Einfluß auf die Schrift, so daß man diese Art der Untersuchung mit großer Vorsicht genießen sollte.

Wie man sieht, sind also die am häufigsten verwendeten Kriterien für die Schul- und Berufswahl, die Schulnoten und Testergebnisse, nicht kritiklos einsetz- und verwendbar. Sie können zwar Orientierungshilfe leisten, mehr aber nicht. Es ist nicht möglich, die Begabungen und Neigungen eines Menschen zuverlässig mit Tests oder Schulnoten zu erfassen, denn als denkendes Wesen hat er die Möglichkeit, sich durch Umwelterfahrung, durch Kommunikation mit anderen Menschen weiterzuentwickeln.

Die Frage ist nun, wie die Berufswahl ablaufen soll, wenn die genannten Kriterien nicht zur Entscheidung ausreichen.

Berufswahl – aber wie?

Es gibt kein Patentrezept. Ausschlaggebend dürfte wohl doch die *Neigung* des einzelnen Menschen sein. Jeder sollte versuchen herauszufinden, womit er sich am liebsten und auf die Dauer beschäftigen möchte und auf welche Weise. (Tierliebe zum Beispiel macht noch niemanden zum Tierarzt oder zum Förster, denn zu diesem Beruf gehören außer der Zuneigung zu Tieren sehr viele theoretisch-naturwissenschaftliche Interessen und Kenntnisse.)

Da man mit der Art der Ausbildung, der Wahl des Berufes einen großen Teil seines Lebens festlegt und vorausplant, sollte man versuchen, sich vorzustellen, ob die gewählte Tätigkeit wohl für ein ganzes Leben befriedigend und ausfüllend sein wird; denn nur in diesem Fall wird der Beruf den Menschen zufriedenstellen. Eine schlechte Berufswahl wäre daher diejenige, die sich nur an Verdienstmöglichkeiten und gesellschaftlichem Ansehen orientiert: Die Zeit, in der man das ersehnte Geld verdient, wird sonst zur Quälerei.

Weiter ist zu bedenken, daß der Beruf, dem der Mensch tagtäglich nachgeht, auch auf ihn selbst, auf seine Entwicklung einwirkt und ihn prägt; man sollte die Berufswahl also auch von dieser Seite her kritisch beleuchten.

Der Traumberuf

Unterschieden werden muß vor allem zwischen »Berufsträumen«, die fast alle Jugendlichen irgendwann einmal haben (wenn sie z. B. Schauspieler, Sänger oder Mannequin werden wollen), und realisierbaren Berufsneigungen. Träume sind durchaus legitim. Sie werden erst in dem Augenblick gefährlich, wo sie Ursache zu unüberlegten und überstürzten Entscheidungen sind.

Wenn ich mal 40 bin . . .
Wenn ich verheiratet sein werde, so wünsche ich mir, daß mir meine Frau auch noch mit 40 beisteht und einem in jedem Problem hilft. Ich werde mit ihr und meinen Kindern zusammenhalten, so gut es geht. Mein Haus wird am Waldrand auf Südseite stehen. Maschinen, die bequem zu bedienen sind, erledigen die Arbeit im Haushalt. Die Zimmer werden so gut es geht mit schönen, bequemen Möbeln ausgestattet sein, denn ich will mich auch nach der Arbeit ausruhen. Aber um das alles zu beschaffen, brauch ich einen Beruf. Mein Chauffeur wird mich am Morgen hinfahren und am Abend nach anstrengender Arbeit wieder abholen. Bis ich dann nach Hause komme, steht das Essen auf dem Tisch. Meine Frau hat natürlich dabei nichts zu tun. Die Küche und die Vorratskeller wird meine Köchin versorgen. Und mich und meine Frau versorgt mein Butler . . .
Walter, 15

Es gibt nur sehr wenig Menschen, die Glück, Beziehungen, Geld und Begabung genug haben, um einen solchen Traum verwirklichen zu können. Doch meistens gleicht die Realität dann nicht mehr den Träumen . . .

Künstlerische Berufe stehen auf der Liste der Traumberufe ganz oben. Die meisten bieten jedoch relativ wenig soziale Sicherheit. Faustregel auch hier: Eine abgeschlossene Berufsausbildung ist für den Künstler unabdingbar – obwohl auch sie kein Garant für Wohlstand und Erfolg ist.

Als Schüler weiß man meist nur

sehr wenig über berufliche Möglichkeiten: Man kennt außer dem Schulbereich nur die Berufe der Eltern, der Verwandten und einiger Bekannten. Deshalb ist es besonders schwer, die Überlegungen zur Berufswahl auf Gebiete auszudehnen, die man nicht aus eigener Erfahrung beurteilen kann. Aus diesem Grund ist es angebracht, bei dieser schwerwiegenden Entscheidung Beratungsstellen in Anspruch zu nehmen, sich mit Menschen in Verbindung zu setzen, die der uns unbekannten beruflichen Tätigkeit nachgehen. Dadurch erreicht man den bestmöglichen Informationsstand, von dem aus Berufswahl im eigentlichen Sinne des Wortes erst möglich wird.

Niemand darf erwarten, daß die Berufs- oder Abiturientenberater dem einzelnen die Entscheidung abzunehmen vermögen oder ihm ein Rezept in die Hand drücken. Auch sie können nur über die bestehenden Möglichkeiten informieren, »Hilfe zur Selbsthilfe« bieten und versuchen, dem Ratsuchenden das so komplizierte Bildungssystem transparent zu machen.

Frauen sind genügsam

Es ist weitgehend zu beobachten, daß das Thema der Ausbildungs- und Berufswahl von Mädchen und Jungen nicht in gleicher Weise ernstgenommen wird. Viele Frauen begnügen sich – viel eher als Männer – mit einer minderwertigen Schul- und Berufsausbildung. Sie entspricht oft gar nicht unbedingt ihren Fähigkeiten und Neigungen, obgleich sie bestimmt nicht minder begabt sind als ihre männlichen Al-

tersgenossen, die sehr viel anspruchsvollere berufliche Ziele vor Augen haben. Schuld daran ist sicherlich nicht das, was die Frau zur Frau macht, nämlich ihr Körper und seine biologischen Funktionen, sondern vielmehr die gesellschaftliche Rolle, die der Frau traditionell übertragen wird. Von klein auf wird sie auf ihre Rolle als Hausfrau und Mutter vorbereitet und darauf, »weiblich«, das heißt demütig, treu, bescheiden, sanftmütig und kinderlieb zu sein. Diese künstlich aufgesetzten Eigenschaften dienen dazu, den Mann in seiner privilegierten Stellung zu bestätigen, zielen auf die Unterordnung der Frau und lassen ihr kaum die Möglichkeit, sich ein unabhängiges und selbständiges Leben aufzubauen. Ein *gesellschaftlich* bedingtes Phänomen wie dieses, ein *von Menschen eingerichteter* Zustand, wird jedoch oftmals im Bewußtsein der Allgemeinheit – weil es ja schon immer so war – sehr leicht zu einer »natürlichen«, das heißt »biologisch bedingten« und dadurch unveränderbaren Tatsache.

Wenn ich mal 40 bin . . .
Ich bin 40 Jahre alt, lebe in guten finanziellen Verhältnissen, habe einen guten, intelligenten und warmherzigen Mann und viele, viele Kinder. Ich bin Nur-Hausfrau und bin damit sehr zufrieden, denn dieser Beruf füllt mich aus und befriedigt mich. Den ganzen Tag gibt es irgend etwas zu tun, vor allem fällt in einem Einfamilienhaus wie dem unsrigen immer was zu putzen an. Es soll doch sauber sein, wenn Besuch kommt – außerdem mein Mann, er ist in dieser Beziehung be-

sonders eigen. Wenn er nach Hause kommt, will er sich in ein sauberes Wohnzimmer setzen und nicht in eine Räuberhöhle. Er kommt um sechs Uhr von der Arbeit (Beamter), dann möchte er natürlich gleich etwas Warmes essen und dabei die Tageszeitung lesen, wobei ihn niemand stören darf. Er hat ja soviel um die Ohren. Wenn er gegessen hat, muß ich abspülen, ihm den Fernsehapparat anstellen und die Kinder ins Bett bringen. Danach setze ich mich zu ihm ins Wohnzimmer, schaue fern und berede mit ihm, wo wir am Sonntag mit unserem neuen Wagen hinfahren. Meistens bin ich so müde, daß ich um 9 Uhr ins Bett gehe. Vor dem Einschlafen kommt mir oft der Gedanke, wie gut es uns geht, und wie glücklich ich bin, meinen Mann und die Kinder verwöhnen zu dürfen.

Claudia, 15

Wenn ich mal 40 bin . . .
Mit 40 möchte ich drei bis vier Kinder haben und einen netten Mann, der mir treu bleibt. Ich möchte auch einen schönen Beruf, z. B. Krankenschwester ausüben. Am Sonntag oder übers Wochenende werden meine Kinder, mein Mann und ich öfters Wanderungen oder schöne Spazierfahrten ins Blaue machen . . . Im Grunde möchte ich mit 40 eine große Familie mit Enkelkindern, Kindern und einem Mann haben und ein schönes, ruhiges Leben.

Sabine, 14

Wenn ich mal 40 bin . . .
Ich bin 40 Jahre alt. Habe vor 15 Jahren geheiratet und habe 5 Kinder: Marina (14), Corinna (12), Nandine (11), Bianca (5) und Nicola (2). Ich habe ein Haus mit Swimmingpool, es ist wie in meinen Träumen: Erdgeschoß: Swimmingpool, Keller, Bügelzimmer, WC, Bad, Heizungskeller, Vorratskammer. Obergeschoß: Fünf Kinderzimmer, Schlafzimmer, Bad, WC, Küche, Eßzimmer, 10 Meter langes und 10 Meter breites Wohnzimmer. Einen Balkon um das ganze Haus. Unten eine Glaswand am Swimmingpool, durch die man, wenn sie geöffnet wird, in den Garten gehen kann. Im Garten haben wir ein Freibad und einen großen Rasen. Ich bin sehr reich und glücklich. Die Diener, die ich habe, helfen mir im Haushalt, daß ich mehr Freizeit habe.

Birgit, 14

Dabei war dies gar nicht immer so, nämlich zu der Zeit »als Männer noch Frauen waren« *. Im Matriarchat waren Männer kleiner als Frauen, sie machten die Hausarbeit und versorgten vom ersten Tag nach der Geburt die Kinder. Frauen dagegen besorgten die öffentlichen Geschäfte und führten Kriege. Vor unserer Zeitrechnung z. B. gab es mehrere hochzivilisierte Amazonenstaaten (u. a. Libyen, Ägypten und Sparta).
Mit dem Übergang von der Frauengesellschaft (Matriarchat) zur Männergesellschaft (Patriarchat), dem gesellschaftlichen Rollenwechsel der Geschlechter, aber war gleichzeitig die Unterdrückung der Frau verbunden.
»Weiber tragen Kinder und ziehen

* Frauenkalender '75

123

sie auf, regieren das Haus und teilen ordentlich aus, was der Mann hineinschafft und erwerbet, daß es nicht unnütz vertan werde ...

Daraus erscheint, daß das Weib geschaffen ist zur Haushaltung, der Mann aber zur Politik, zu weltlichem Regiment, zu Kriegen und Gerichtshändeln, die zu verwalten und zu führen.« *

Diese »Arbeitsteilung« Luthers zeigt deutlich die ausschließliche Festlegung der Frau auf den häuslichen Bereich, ein Umstand, der es ihr verbot, sich am öffentlichen Leben, das einzig dem Mann vorbehalten war, zu beteiligen, obgleich natürlich durch den Arbeitsprozeß des Mannes, durch die von Männern gemachte Politik auch ihr Schicksal bestimmt wurde. Vorgesetzter war ihr Mann, der sie und die Kinder durch seine Arbeit versorgte.

Die Geschichte aber hat gezeigt, daß es nicht ewig möglich blieb, die Frau aus dem Produktionsprozeß herauszuhalten. Man brauchte sie – man brauchte ihre Arbeitskraft. Doch auch durch die Teilnahme der Frau am Arbeitsleben änderte sich grundsätzlich nichts. Es waren nur die ungebildeten, unwissenden Frauen, die zur Arbeit, zur schwersten und niedrigsten Arbeit herangezogen wurden und die mitarbeiten mußten, weil ihre Familien sonst verhungert wären.

Trotz gleicher Leistungen wurden – und werden sie oft auch noch heute – nicht gleich bezahlt wie der Mann. Damen der besseren Gesellschaft waren dagegen nach wie vor »Hüte-rinnen des Hauses«, die eigentlich nur die Aufgabe hatten, Kinder zu gebären und gesellschaftlich zu repräsentieren.** Zu letzterem gehörte ein wenig Konversation, oberflächliche Literaturkenntnis und Klavierspiel, um den Gatten und die Gäste zu unterhalten. Erfahrungen aus der Arbeitswelt und die Kenntnis beruflicher Arbeit gehörten nicht dazu.

Wenn ich mal 40 bin ...
Ich stelle es mir so vor, daß ich verheiratet bin und ein oder zwei Kinder habe, daß mein Mann sehr lieb ist und für die Kinder und für mich Verständnis hat, wenn wir ein Problem haben. Ich weiß nicht, ob ich nur Hausfrau sein werde oder einen Beruf ausübe. Wir beide, mein Mann und ich, sollten uns im Haushalt abwechseln, so daß die Kinder nicht nur von mir, sondern auch von meinem Mann erzogen werden. Ich wollte nicht wie die meisten Leute zum alten Eisen zählen, denn mit 40 wird man meistens dazu gezählt. Ich wollte aktiv sein bei Diskussionen und vielleicht um Dinge kämpfen, die für die Kinder nötig sind, z. B. Kinderspielplatz und Kindergarten oder auch bessere Schulen.

Christiane, 15

Wenn ich mal 40 bin ...
Ich möchte keineswegs ein Leben wie meine Eltern führen. Damit ist dann natürlich verbunden, daß ich nicht unbedingt heirate, einen Stall voll Kinder aufziehe und das Heimchen am Herd spiele. Wenn es eines Tages doch soweit kommen sollte,

* Martin Luther, Tischreden I/12

** Das Theaterstück »Nora« von Henrik Ibsen zeigt diese Situation der Frau im 19. Jahrhundert deutlich.

würde ich mein Leben als fehlgeschlagen betrachten.

Mein Lebensziel würde da schon in eine ganz andere Richtung gehen: ich möchte einmal einen Beruf ausüben, der mir wirklich Spaß macht, der aber nicht nur mir etwas bringt, sondern mit dem ich den Menschen helfen könnte, und damit vielleicht ein klein wenig die Welt verbessern, z. B. Entwicklungshelfer.

Andererseits möchte ich mein Leben genießen, gemeinsam mit Freunden, die ähnlich denken wie ich, vielleicht auch eine Zeitlang in einer Wohngemeinschaft, z. B. in Indien oder Schweden. Von diesen Freunden sollte ich aber anerkannt werden als Frau, nicht wie es heute noch allgemein üblich ist, daß die Frau unterdrückt wird, und daß überhaupt ein falsches Rollenverhalten üblich ist.

Hinzu kommt noch das Problem des Alterns. Ich möchte mich mit zunehmendem Alter nicht abkapseln, sondern auch noch irgendwie aktiv sein und den Mitmenschen helfen. Ich bin mir noch nicht im klaren, ob ich die Verantwortung, Kinder in die Welt zu setzen und sie aufzuziehen, tragen könnte. Es käme auch auf den Partner an, mit dem ich diese Kinder hätte, wie er sich zu diesem Problem stellt.

Sieglinde, 16

Und wie ist es heute?

Ist die juristisch festgelegte Gleichberechtigung von Mann und Frau tatsächlich realisiert?

Auf dem Papier ist sie es, doch praktisch durchgesetzt hat sie sich sicherlich bisher nicht. Noch immer gibt es häufig Fälle, bei denen Frauen für gleiche Arbeit weniger Lohn erhalten, hochqualifizierte Positionen sind noch immer vorwiegend den Männern vorbehalten – die Angst der Betriebe, daß Frauen als Vorgesetzte sich nicht behaupten können, nicht akzeptiert werden, daß sie – aufgrund ihrer Familienplanung – frühzeitig wieder aus dem Arbeitsprozeß ausscheiden, verhindert den beruflichen Aufstieg der Frau. Doch auch an vielen kleinen alltäglichen Beispielen ist abzulesen, wie weit wir noch von der tatsächlichen Emanzipation der Frau entfernt sind.

Noch immer besteht die festgefügte Vorstellung, daß die Frau als Untergebene des Mannes ihm äußerlich zu gefallen hat. Erst auf den *zweiten* Blick werden bei der Frau andere Eigenschaften und Qualitäten registriert; Maßstäbe hierfür sind in der Regel eher häusliche Tüchtigkeit, Treue und Anschmiegsamkeit als beruflicher Erfolg, der in manchen Fällen immer noch als »unweiblich« abqualifiziert wird, vor allem dann, wenn es um akademische bzw. allgemein technische oder naturwissenschaftliche Berufe geht.

Wenn ich mal 40 bin . . .

Wenn ich 40 bin, möchte ich schon lange verheiratet sein und höchstens zwei Kinder haben. Ich möchte etwas Geld auf der Kante haben und eine schöne, bequeme Wohnung besitzen und mit meiner Familie viel in der Welt herumreisen. Ich will nicht nur Hausfrau sein und immer in der Küche sitzen und kochen und Geschirr spülen, sondern das soll alles mit Maschinen und Strom gehen. Ich möchte viel Freizeit haben für andere Dinge, ich will viele schöne Kleider besitzen für Partys und Feste.

Corinna, 13

Wenn ich mal 40 bin ...
Ich werde wahrscheinlich mit 40 verheiratet sein und Kinder haben. Aber nur allein Hausfrau, wie meine eigene Mutter, möchte ich nicht sein, das könnte ich auf die Dauer nicht aushalten. Ich möchte, wenn die Kinder ungefähr ein Jahr alt sind, sie tagsüber in eine Kinderkrippe geben und meinen Beruf ausüben. Als Berufsziele kommen entweder Krankenschwester oder Handarbeits- und Turnlehrerin in Frage ... Ich finde das Alter von 18 bis 30 am schönsten. Mit 40 wird es schon etwas langweilig.

Sabine, 13

Schlimm ist, daß sich die meisten Frauen und Mädchen nicht gegen diese Auffassung wehren. Sie haben Angst, in dem Konkurrenzkampf um Schönheit und Weiblichkeit schlecht abzuschneiden, wenn sie nicht sehr viel Geld und Zeit für Kleidung und Kosmetik aufwenden. *»Ein Mann kann als ein großer Geist vor dem Herren gelten und dabei wie ein Vagabund angezogen sein. Eine Frau muß schon sehr berühmt sein, um es sich leisten zu können, den Unterrock hervorschauen zu lassen.« Jane Thornton** Und kann sie es sich dann wirklich leisten? Wahrscheinlich kommt es auch ein bißchen darauf an, worin ihr Ruhm besteht – als Künstlerin mag sie Nachlässigkeiten in ihrem

* Aus: Das rosarote Mädchenbuch, S. 154.

äußeren Erscheinungsbild noch überspielen können, obgleich sie auch dann kritisch gemustert wird. Wenn sie aber als Gelehrte, als Professorin beispielsweise nicht den Modeanforderungen genügt, so bestätigt dies nur das simple Vorurteil vom »Blaustrumpf«, daß »gelehrte« Frauen eben keine »richtigen« Frauen sein können, sondern höchstens eine Art Zwitter darstellen. Beispiele dieser Art sind in großer Anzahl zu finden. Sie belegen, wie wenig die Gleichberechtigung der Frau tatsächlich erreicht ist, trotz aller verbrieften Rechte. Man öffnet den Frauen die Fabriken, die Büros, die Fakultäten, betrachtet aber die Ehe weiterhin für sie als eine der ehrenwertesten Laufbahnen und als eine, die sie jeder weiteren Teilnahme am Leben der Gemeinschaft enthebt. Und es gibt genug Frauen, die stolz darauf sind, nicht »arbeiten« zu müssen ...

Wenn ich mal 40 bin ...
Mit 40 möchte ich gern verheiratet sein, ein Auto haben und 2 bis 3 Kinder. Hoffentlich habe ich einen guten Job, der mir Spaß macht. Aber ich will nicht jeden Abend vor dem Fernseher sitzen, sondern ab und zu schwimmen gehen, Veranstaltungen besuchen und Sport treiben. Meine Frau soll gut kochen können und die Familie soll glücklich sein.

Martin, 14

» ›Er‹ soll mir überlegen sein ...«
Die Ehe soll hier auf keinen Fall schlecht gemacht werden. Sie kann für beide Partner Erfüllung, gegenseitige Hilfe und ein gutes Zusam-

menleben bedeuten. Doch wenn sie zur Versicherung, zum Versorgungsinstitut degradiert wird und jegliche außerhäuslichen Aktivitäten der Frau lahmlegt, wirkt sich diese Lebensform negativ aus.

Das »Aufschauen-Wollen« des Mädchens zum Mann, der ja, ach, so viel klüger ist (weil er es rollenmäßig sein muß und wehe, er ist es nicht!), ist nichts anderes, als ein Teil des typischen, überlieferten Rollenverständnisses der Frau, das zum einen in der privaten Beziehung der Geschlechter, in dem passiven und demütigen »Erobert-werden-wollen« des Mädchens deutlich wird und sich zum anderen ebenso in der Zurückhaltung der Frau im beruflichen und politischen Bereich offenbart.

Auch bzw. gerade als Frau und als Ehefrau sollte man seine Individualität bewahren. Man sollte auf gar keinen Fall die Sorge um die eigene Existenz und um berufliche Erfolgsmöglichkeiten ausschließlich auf den Freund oder den Ehemann übertragen, und damit auf diesem Gebiet selbst gar nicht mehr zählen.

Wenn ich mal 40 bin ...
Ich bin jetzt 14 Jahre alt und möchte mein Ziel, Sekretärin zu werden, erreichen. Durch Fleiß, Ehrlichkeit und Zuverlässigkeit hoffe ich, daß ich mir in diesem Beruf eine gute Position verschaffen werde und einen gewissen Konkurrenzkampf durchstehen werde. Ich habe vor, mein Geld später zusammenzusparen, um dann größere Anschaffungen zu machen. Zum Beispiel einen flotten Wagen und eine gut eingerichtete Wohnung. *Brigitte, 14*

Wenn ich mal 40 bin ...
Ich möchte einen Beruf haben, der mir gefällt und bei dem ich genug verdiene, um mir eine gemütliche Dachwohnung einrichten zu können. Mir ist egal, ob ich Familie haben werde oder nicht, aber bis dorthin möchte ich mir einen großen Bekanntenkreis aufbauen, so daß ich im Falle des Ledigseins nicht allein bin.

Meine Freiheit will ich soweit für mich allein haben, daß ich oft ausgehen und meinen Interessen nachgehen kann. Mein größter Wunsch ist, daß ich bis dahin noch gesund bin und nicht wie eine »alte Schachtel« aussehe. *Margit, 15*

Es muß gar nicht unbedingt auf das Schlimmste hingewiesen werden, daß z. B. die Frau im Fall einer Krankheit oder des Todes ihres Mannes, oder auch bei einer Scheidung, sehr viel besser dasteht, wenn sie etwas gelernt hat. Man soll diese Notlagen mitbedenken, aber sie sind nicht der entscheidende Punkt. Entscheidend ist vielmehr, daß die Frau auch innerhalb ihrer Ehe eine andere und eher partnerschaftliche Stellung dem Mann gegenüber einnimmt, wenn sie einen Beruf erlernt hat und wirtschaftlich nicht bedingungslos vom Mann abhängig ist.

Minderwertigkeitskomplexe und Unterlegenheitsgefühle treten zudem häufig in Ehen auf, wo ein Partner dem anderen bildungsmäßig und beruflich weit überlegen ist. Sicherlich ist heutzutage – wenigstens den denkenden Männern – eine Partnerin lieber, die sie nicht nur still aufblickend verehrt, son-

dern die selbst bildungsmäßig wie beruflich etwas zu bieten hat.

Ein weiteres Argument für eine qualifizierte Ausbildung der Frau ist – ob sie nun berufstätig ist oder nicht – ihre Funktion innerhalb der Familie (was natürlich nicht heißen soll, daß der Mann nicht in gleicher Weise diese Funktion übernehmen kann!).

Die Erziehung der Kinder und die Haushaltsführung stellen, wo sie ernstgenommen werden (und beides sollte ernstgenommen werden!), sicherlich Anforderungen, die besser und souveräner gemeistert werden können, wenn die Frau auch gelernt hat, sich im Berufsleben zu behaupten und durchzusetzen. Die schulischen und beruflichen Chancen der Kinder hängen nicht zuletzt von der Erziehungsqualität der Mutter ab.

Statistiken zeigen jedoch, daß sich nach wie vor sehr viele Mädchen auf ihre spätere Heirat verlassen und deshalb den kürzesten oder auch gar keinen Ausbildungsweg wählen. Schon früh übertragen sie damit ihre eigenen Wünsche, ihr soziales Ansehen und den beruflichen Aufstieg auf den Mann, den sie einmal heiraten wollen, und vergessen darüber, daß ihnen damit ein ganz wesentlicher Erfahrungsbereich verloren geht.

Der Unterschied in der Berufsauffassung zwischen Jungen und Mädchen liegt keineswegs an der geringeren oder grundsätzlich anders gelagerten Intelligenz der Mädchen, sondern daran, daß sich die Mäd-

chen zu früh aus dem »Rennen« zurückziehen und daher auch keine Beweise ihrer tatsächlichen Fähigkeiten erbringen können.

Tatsache ist, daß den Mädchen heute in punkto Schul- und Berufsausbildung sehr viel mehr Türen offenstehen als noch vor 50 Jahren.

Heute ist die gymnasiale Bildung für Mädchen so selbstverständlich wie das Studium von Frauen an den Hochschulen. Auch Lehrbetriebe oder Einrichtungen des zweiten Bildungsweges stehen Mädchen zur Verfügung, nur werden all diese Möglichkeiten immer noch nicht genügend genutzt.

Das Vorurteil von der geistigen Andersartigkeit der Frau bewirkt, daß auch heute noch angenommen wird, Frauen seien nur für Berufe geeignet, die den Tätigkeiten in Familie und Haushalt ähneln. Dienende, erzieherische und pflegerische Berufe wie z. B. Krankenschwester, Lehrerin, Verkäuferin, Kindergärtnerin oder Friseuse werden für die Frau als »weibliche« Berufe akzeptiert, während ihr technisch-mathematische Berufe meist nicht zugetraut werden, da Frauen angeblich »nicht logisch denken können« und »technisch unbegabt« sind. Bei solchen und ähnlichen Aussagen bedenkt jedoch niemand, daß der Junge von klein auf, schon durch die Art des Spielzeugs (wie z. B. Baukästen, Autos usw.), ganz anders trainiert wird als das Mädchen. Es spielt auch heute noch mit Puppen und wird eher zur Hausarbeit und zur Betreuung der kleineren Geschwister herangezogen als der Junge. Die sogenannte »technische Begabung« des Jungen wird schon früh gefördert, während die Aufmerksamkeit des Mädchens in andere Bahnen gelenkt wird. Es hält es oft für gar nicht erstrebenswert, auch technisch begabt zu sein. Daher werden oft vorhandene Begabungen unterdrückt und verkümmern im Lauf der Zeit. Tatsache aber ist, daß dieses Feld der »männlichen« Berufe in sehr vielen Fällen besser bezahlte und gesellschaftlich höher bewertete Positionen umfaßt als das der »weiblichen«. Es wäre also auch von daher lohnend, wenn sich Mädchen weitere Berufsfelder eroberten, die bisher dem Mann vorbehalten waren; wenn hier auch noch allgemeine Vorurteile bestehen, ist dies *ein* Weg zur Befreiung aus der angestammten »Frauenrolle«, *ein Stück* auf dem Weg zur Gleichberechtigung. Sicherlich gibt es viele Menschen, deren Stärke nicht auf technischem oder naturwissenschaftlichem Gebiet liegen, doch das hat nichts mit dem Geschlecht zu tun.

Wenn ich mal 40 bin ...
Ich werde eine durchschnittliche Frau sein. Ich bin verheiratet und drei Kinder werde ich auch haben, die noch zur Schule gehen. Ich bin Hausfrau und mein Mann arbeitet in einem kleineren Geschäft als Frisör. Unser Einkommen ist nicht sehr hoch, so daß wir uns nicht allzu viel leisten können. Wenn meine Kinder aus der Schule sind, werde ich auch wieder Arbeit für mich suchen.
Hannelore, 14

Wenn ich mal 40 bin ...
Falls ich das 40. Lebensjahr erreichen sollte, möchte ich einen kri-

sensicheren Arbeitsplatz eingenommen haben, der mir Spaß macht, wobei ich jedoch nicht unter dem Zwang stehen möchte, diesen Arbeitsplatz nicht mehr wechseln zu können, sondern etwas anderes erlernen kann, da ich mich sonst in meiner Freiheit eingeengt fühlen würde.

Ebenso wünsche ich mir eine Partnerin, mit der ich mich über »unsere« Probleme unterhalten kann und mit der ich diese auch zu lösen imstande bin. Auch möchte ich einige Freunde, die auch bereit sind, meine Freunde zu sein und mir zu helfen. Ich kann mir jedoch nicht vorstellen, daß sich dies alles so erfüllen wird, da ich nicht weiß, ob die Erde in 40 Jahren noch existiert.

Jürgen, 15

Viele Männer sind umgekehrt in einer ähnlichen Zwangssituation wie die Frauen, weil sie nämlich glauben, ihre Rolle erfüllen und »typisch männliche« Berufe ergreifen zu müssen, während sie viel lieber etwas anderes täten. Hier wäre beiden geholfen, wenn die Wahl von Ausbildung und Beruf sich mehr an den Neigungen als am Geschlecht orientierte, und dies allgemein als richtig und »normal« anerkannt würde.

Emanzipation sollte *nicht* Rollentausch bedeuten, es geht nicht darum, die jetzige dominierende Rolle des Mannes zu übernehmen. Emanzipation der Frau bedeutet vielmehr die Annäherung beider Geschlechterrollen, einen Lernprozeß der Frau, der ihr die Möglichkeit gibt, am öffentlichen Leben teilzunehmen wie der Mann. Der Mann andererseits müßte sich ebenfalls emanzipieren, und zwar von *seiner* Rolle, die ihm im Höchstfalle erlaubt, »männliche« Hausarbeit, wie z. B. »aus Spaß« das Kochen am Sonntag zu übernehmen, die ihm aber die weniger amüsanten Tätigkeiten des Haushaltes wie Fensterputzen, Staubwischen usw. verbietet, weil sie angeblich »unmännlich« und daher »lächerlich« sind, wenn sie von einem Mann erledigt werden. Das Überwinden dieser Vorurteile ist für den Mann in der Regel nicht einfach. »Liebe Nachbarn«, »liebe Verwandte« haben oft nichts Besseres zu tun, als den Mann aufgrund seiner Bemühungen einen »Pantoffelhelden« oder Schlimmeres zu schimpfen. Auch der Mann muß einen Lernprozeß durchmachen, der ihm allmählich die Möglichkeit gibt, *seine* anerzogene Rolle zu überwinden und Vorurteile nicht mehr ernstzunehmen.

Von Berufen, Berufswahl und all den Fragen, die damit zu-sammenhängen, war jetzt genug die Rede. Bis man stolz das erste selbstverdiente Geld auf seinem Konto hat, ist es meist ein weiter und oft mühsamer Weg. Bis dahin ist man – vom Geld für Ferienjobs, Babysitterdienst oder ähnlichem einmal abgesehen – darauf angewiesen, daß man von zu Hause be-kommt, was man braucht. Meistens braucht man ja bedeu-tend mehr, als man bekommt! So steht es zum Beispiel auch in Evas Brief an ihre Mutter, ganz am Anfang dieses Buches. Ums liebe Geld, genauer gesagt ums Taschengeld, geht es denn auch im folgenden Kapitel.

Reizwort »Taschengeld«
Ito Ulrich

Tarifverhandlungen im Familienrat. Geld für Hilfe im Haushalt oder für gute Noten in der Schule? Sparen oder kaufen? Ta-schengeld und Wirtschaft – Jugendliche sind gern gesehene und umworbene Kunden.

In vielen Familien ist das Taschen-geld ein dauernder Grund für Rei-bereien zwischen Eltern und Kin-dern. So mancher Vater hält eine Mark pro Woche, gezahlt an seine 14jährige Tochter, für ein »fürst-liches Einkommen«, während es an-dererseits Mädchen gibt, die 100 DM monatlich als »Hunger-lohn« bezeichnen.

Wie bei vielen Dingen im Leben kann man auch beim Thema Ta-schengeld nicht sagen: Dieser Standpunkt ist richtig und jener falsch. Man kann allenfalls Empfeh-lungen aussprechen, Richtwerte nennen, die von Leuten aufgestellt wurden, die viel Kontakt zu Kin-dern und Jugendlichen haben und auch deren Wünsche und Bedürf-nisse recht gut kennen.

Münchener »Taschengeld-Tarif«
Der inzwischen überall als Richt-schnur bekannt gewordene »Ta-schengeld-Tarif« stammt von den Psychologen und Pädagogen des Münchener Jugendamtes und sieht so aus:

7 Jahre	1,00 DM	wöchentlich
8 Jahre	1,50 DM	wöchentlich
9 Jahre	2,00 DM	wöchentlich
10 Jahre	9,00 DM	monatlich
11 Jahre	10,00 DM	monatlich
12 Jahre	12,00 DM	monatlich
13 Jahre	14,00 DM	monatlich
14 Jahre	16,00 DM	monatlich
15 Jahre	18,00 DM	monatlich
16 Jahre	25,00 DM	monatlich
17 Jahre	35,00 DM	monatlich
18 Jahre	50,00 DM	monatlich

Natürlich richtet sich die Höhe des Taschengeldes in erster Linie nach der Vermögenslage der Familie. Wenn die Eltern aufgrund größerer Anschaffungen oder aus irgendeinem anderen Grund kürzer treten müssen, dann ist es sicher für jeden einsichtig, daß auch er seine Forderungen zurückstellen sollte.

**Tarifverhandlungen
im Familienrat**

Wenn alle paar Monate oder jedes Jahr einmal neue »Tarifverhandlungen« über das Taschengeld stattfinden, so müssen solche Diskussionen nicht zwangsläufig in ein Streitgespräch ausarten. Ich kenne eine Familie, in der man solche Anlässe, um den »Familienrat« einzuberufen, sehr schätzt. Warum? – Der Vater begründet es so:
»Ich halte das für eine gute demokratische Übung. Gelernt haben wir im Laufe der Zeit alle daraus. Die Kinder müssen gute Argumente vorbringen, wenn sie eine Taschengelderhöhung haben wollen. Da genügt es nicht, nur das Beispiel ihrer Freunde anzubringen, die alle angeblich soviel mehr bekommen. Das gleiche gilt aber auch für mich:

Keine Vergleiche von anno dazumal

Ich habe es sehr schnell bleiben lassen müssen, Argumente aus der eigenen Vergangenheit zu zitieren. Die Bemerkung, daß ich mit 15 Jahren nur ganze 10 Mark im Monat bekommen habe, zieht bei den jungen Leuten heute nicht mehr. Ganz im Gegenteil: diese Aussage hätte sich beinahe ungünstig auf meine Position als »Tarifpartner« ausgewirkt. Meine Kinder konnten mir nämlich sehr schnell beweisen, daß 10 Mark in meiner Jugendzeit eine viel höhere Kaufkraft gehabt haben als das Taschengeld, das ich ihnen jetzt zahle. Unser 15jähriger Martin konnte das mit Zahlen und Daten aus seinem Wirtschaftskundeunterricht sogar ziemlich schnell nachweisen. Und Bettina, unsere Älteste, fuhr noch schwerere Geschütze auf – von »allgemein gewachsenem Wohlstand« und »gestiegenen Ansprüchen«. Zur Untermauerung nannte sie dann gleich ein paar Punkte aus der eigenen Familie: Auto, Farbfernseher und jedes Jahr eine Urlaubsreise – was ich ja wirklich nicht gut bestreiten konnte. Es ist schon erstaunlich, welche wirtschafts- und gesellschaftspolitischen Gespräche sich aus einer Taschengelddiskussion entwickeln können.

Was die Kinder meinen:

Die Kinder sind übrigens der gleichen Meinung. Auch sie genießen

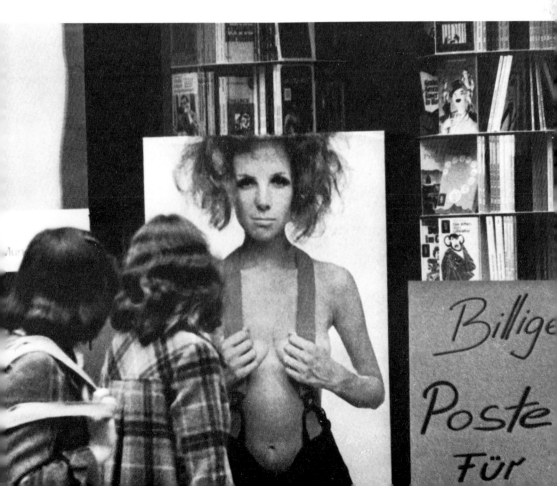

inzwischen die »große Tarifrunde«. Die 16jährige Bettina berichtet voller Eifer:

»Also zu diesen Gesprächen kommt keiner von uns unvorbereitet. Seit unsere Eltern vor einigen Jahren eingeführt haben, die Höhe des Taschengeldes jedes Jahr mit uns neu auszuhandeln, müssen wir einfach stichhaltige Gründe vorbringen können, um mehr Geld zu bekommen. Wir können alle drei frei über unser Taschengeld verfügen, wir müssen auch kein Ausgabenbuch führen oder sonst irgendwie nachweisen, wo das Geld geblieben ist.

Alles ist teurer geworden

Aber wie soll ich meinem Vater klar machen, was alles teurer geworden ist, wenn ich dafür keine konkreten Beispiele bringen kann? Die Eintrittspreise fürs Kino sind gestiegen und die fürs Schwimmbad gleich zweimal in einem Jahr. Das Zeitschriftenabonnement habe ich schon gekündigt, weil es zu teuer für mich geworden war. Und was Kosmetika und solche Sachen betrifft, da habe ich die beste Fürsprecherin in Mutti, die weiß, wieviel Geld dafür draufgeht, auch wenn man nicht mit großer ›Kriegsbemalung‹ rumläuft.

Kosmetika kontra Tonband-Hobby

Ich hab im letzten Jahr übrigens mal versucht, dafür eine Sonderzulage zum Taschengeld zu bekommen. Da hab ich aber gleich den Martin gegen mich gehabt. Der führte sofort sein Tonband-Hobby ins Feld. Das sei bestimmt genauso teuer und außerdem schon so eine

Art Berufsvorbereitung. Da konnte ich also nicht landen.

Ansonsten verstehn wir drei Geschwister uns bei diesen Geldgesprächen aber ganz gut – nach dem Motto: ›Einigkeit macht stark!‹

Fahrrad gestohlen!

Zum Beispiel ist unserem Klaus, das ist mein 12jähriger Bruder, vor ein paar Monaten das Fahrrad gestohlen worden. Er war nicht ganz schuldlos daran, denn er hatte es ohne abzuschließen vor der Bücherei stehen lassen. Aber dennoch tat er uns leid. Er mußte den weiten Schulweg jetzt immer zu Fuß machen, und wenn seine Freunde etwas mit dem Fahrrad unternahmen, konnte er nicht mit. Da haben wir eine ›Sondersitzung Taschengeld‹ einberufen. Meine Eltern waren nämlich nicht bereit, Klaus gleich wieder ein neues Fahrrad zu kaufen. Na, er wollte ja auch selbst dafür sparen, aber bei 4 DM Taschengeld in der Woche hätte das eine Ewigkeit gedauert.

Gemeinsam einigten wir uns dann, daß meine Eltern zwei Drittel vom Kaufpreis übernehmen wollten, sobald Klaus ein Drittel selbst angespart hätte. Und dann setzten wir für ihn noch durch, daß er sozusagen wegen ›besonderer Belastungen‹ für ein halbes Jahr eine Taschengelderhöhung von wöchentlich 2 DM bekommen sollte. Schon nach rund vier Monaten hatte mein Bruder wieder ein Fahrrad, und zwar eines mit allen Schikanen. Nicht nagelneu, aber wirklich kaum gebraucht und – wie gesagt – mit allen möglichen Extras. Er war nämlich auf die Idee gekommen, am

miß; so wie bei Klaus in Form einer Selbstbeteiligung vom Taschengeld oder so . . .«

Auch Martin meldet sich bei diesem Taschengeld-Report noch zu Wort:

Freiwillige Taschengeld-Kürzung – oder: Für Yolly tun wir alles!

»Im letzten Jahr waren wir sogar mit der Kürzung unseres Taschengeldes einverstanden. Wir wollten nämlich endlich einen Hund haben. Immer hatte unsere Mutter gesagt, ein Hund würde viel zu viel Zeit in Anspruch nehmen und dann bliebe auch alle Pflege sicher wieder an ihr hängen, von den Kosten für Futter, Versicherung und Steuer ganz zu schweigen.

Dann ist unser Nachbar in Urlaub gefahren und war froh, daß wir seinen Hund für einen Monat in Pflege genommen haben. Da konnten wir unseren Eltern endlich beweisen, daß das mit dem Hund nicht nur so eine Laune von uns war. Wir haben uns wirklich um alles gekümmert und einen Monat lang vom Fertigfutter über Hundekuchen bis zum letzten Kalbsknochen alles aufgeschrieben, was an Futter gekauft werden mußte. Und dann haben wir die Eltern schon ziemlich ›bearbeitet‹, bei jeder Gelegenheit sind wir auf den Hund zu sprechen gekommen. Ein Langhaardackel sollte es sein. Wir drei wünschten ihn uns gemeinsam zu Weihnachten. Dafür wollten wir gar nichts anderes mehr geschenkt bekommen.

Als der Widerstand bei Mutti und Vati schon ziemlich nachließ, wurde der Familienrat einberufen.

Um's kurz zu machen: dabei herausgekommen ist das süße, aber fre-

Schwarzen Brett in seiner Schule per Zettel nach einem guterhaltenen Jungenfahrrad zu fragen. Er erhielt gleich drei Angebote, und das beste suchte er sich aus. Sogar meine Eltern waren sprachlos, wie geschickt Klaus hier verhandelt hatte und gaben, wie versprochen, ihre zwei Drittel dazu. Das Sondertaschengeld bekam er für das volle halbe Jahr weiter, weil es alle großartig fanden, daß er seinen Anteil schon in vier Monaten zusammengespart und dann auch noch so günstig eingekauft hatte.

Das ist es, was ich einfach prima finde in unserer Familie: man kann über alles reden. Wir können auch Wünsche anmelden, aber das heißt noch lange nicht, daß wir auch alles kriegen, was wir so haben wollen. Meistens finden wir einen Kompro-

che kleine Biest Yolly, das seit Weihnachten unser ganzes Haus, eigentlich die ganze Straße unsicher macht . . .

Aber die finanziellen Abmachungen interessieren ja in diesem Zusammenhang viel mehr als Yollys Streiche. Also: gekauft wurde der Hund von unseren Eltern. Die dann noch nötigen Sachen wie Körbchen, Leine, Halsband, Bürste usw. haben wir drei von unserem Ersparten bezahlt. Versicherung und Steuer tragen wieder die Eltern. Dafür teilen wir uns die Futterkosten. Und damit es dabei keinen Zank und Streit gibt, haben wir von Anfang an beschlossen, daß dafür ein Teil unseres Taschengeldes einbehalten wird, und zwar gestaffelt nach unserem ›Einkommen‹: Bettina kriegt im Monat 6 DM weniger, ich 5 DM und Klaus 2,50 DM.

Das wird auch eisern eingehalten. Und irgendwie hat dadurch jeder von uns das Gefühl, er sei das ›Herrchen‹ von Yolly, jeder fühlt sich für den Hund verantwortlich.

Und der scheint das auch zu akzeptieren. Na, um ehrlich zu sein, er nutzt das eigentlich weidlich aus.

Yolly weiß genau, was er will: Wenn er sich mit aller Gewalt nicht am Metzgerladen vorbeiziehen läßt, dann kriegt er jeden von uns so weit, daß er für die letzten Taschengeldgroschen einen Knochen oder ein halbes Schweineohr kauft.

Und wenn man kein Geld bei sich hat, dann muß man ihn auf dem Arm nach Hause tragen, denn freiwillig kommt er dann nicht mit.«

Nicht alle beherrschen die »Hohe Schule«

So wie in dieser Familie die »Hohe Schule« der Taschengeld-Diskussion beherrscht wird, ist das leider nicht überall der Fall. Es gibt noch immer Eltern, die meinen, ihr Kind brauche kein Taschengeld, weil ihm doch jeder vernünftige Wunsch großzügig erfüllt werde. Und dann sei man ja auch sonst nicht knauserig. Zum Geburtstag oder zu anderen Feiertagen lasse man schon mal einen Zehn- oder Zwanzig-DM-Schein springen. Dazu das Sondergeld, das es hin und wieder von den Großeltern gäbe . . .

Doch bei aller Großzügigkeit sind diese Sonderzahlungen doch kein regelmäßiges Taschengeld, mit dem man fest rechnen und planen kann.

Erst schwimmen lernen – und dann ins Wasser?

Manche Eltern verweigern den regelmäßigen Obolus mit der Begründung: »Die (oder der) soll erst mal mit Geld umgehen lernen!« Ebensogut könnte man sagen: »Die soll erst mal schwimmen lernen, bevor sie ins Wasser darf!«

Immerhin scheint diese Kurzhalte-Taktik unter den Eltern noch weit verbreitet zu sein. Repräsentative Umfragen unter allen Schulkindern haben ergeben, daß Väter, die Beamte oder Angestellte sind, ihren Kindern zu 60 Prozent, Arbeiter und Landwirte nur zu 40 Prozent regelmäßig Taschengeld geben. Gymnasiasten sind mit 60 Prozent stärker in der »Taschengeld-Finanzwelt« vertreten als Realschüler mit 58 Prozent und Grund- und Hauptschüler mit 40,5 Prozent.

Das Recht auf eigene Erfahrungen

Aber wie soll man sich an den Umgang mit Geld gewöhnen, wenn man auf diesem Gebiet nicht eigene Erfahrungen machen kann? Jeder muß doch für sich selbst ausprobieren können, daß man sich mit Geld sehr wohl Wünsche erfüllen, aber daß man sich auch Enttäuschungen einhandeln kann.

Besser als hundert Ermahnungen, mit dem Taschengeld vernünftig umzugehen, ist es, selbst die Erfahrung zu machen, daß man mal einer plötzlichen Kauflust nachgegeben hat und dann bis zum nächsten »Zahltag« mit leeren Taschen herumlaufen muß. Nur so wird man auch die Einsicht gewinnen, daß es sinnvoller ist, durch überlegtes Wirtschaften mit dem Taschengeld für besondere Gelegenheiten »stille Reserven« zurückzuhalten.

Außertarifliche Zulagen?

Wer über Taschengeld spricht, kommt um die Frage nach den »außertariflichen Zulagen« beziehungsweise »Abzügen« nicht herum. Mit anderen Worten: Soll man sich für jede Dienstleistung honorieren lassen, oder ist die gute Tat nicht vielmehr Lohn genug? Wir sind zwar in unserer materiell orientierten Leistungsgesellschaft gewöhnt, für alles bezahlt zu werden. Ob man dieses Prinzip so konsequent auch auf den familiären Bereich übertragen muß? Sicher nicht! Das soll nun aber nicht heißen, daß Eltern in ihren Kindern billige, sprich: kostenlose Arbeitskräfte sehen, die sie hemmungslos mit Aufträgen eindecken können.

Helfen? – Ist doch Ehrensache!

In einer intakten Familie, so meine ich, wird aber soviel Zusammengehörigkeitsgefühl bestehen, daß der eine für den anderen auch mal etwas tut, ohne hinterher gleich die Hand aufzuhalten!

Das beruht natürlich auf Gegenseitigkeit. Warum sollte man sich beispielsweise nicht mal am Autowaschen beteiligen? Schließlich hat man doch auch Vorteile von der »Familienkutsche«. Mal wird man zum Sportplatz oder zur Party gefahren, mal von der Schule abgeholt. Gegenseitige Hilfsbereitschaft ist also eine ganz klare Sache. Ganz davon zu schweigen, daß den meisten ein Dankeschön der Eltern und ein Lob für die geleistete Hilfe noch immer mehr wert ist als klingende Münze für jede Handreichung.

Wenn es sich aber um eine außergewöhnliche Fleißarbeit handelt? Habt Ihr zum Beispiel den ganzen Garten gerichtet oder während Mutters Abwesenheit für längere Zeit den gesamten Haushalt selbständig geführt, dann ist auch eine finanzielle Anerkennung angebracht. Schließlich ist das auch später im Berufsleben ein Wertmaßstab: Gute Arbeit wird gut bezahlt.

Gute Noten kann man nicht kaufen

Und wie ist das bei den Schulnoten? Soll auch hier die gute Leistung in Bargeld umgemünzt werden?

Ein eindeutiges Rezept gibt es wohl auch hier nicht. Ich meine, eine schlechte Note darf kein Grund zur Katastrophe sein. Aber eine gute – oder gar sehr gute – ist immer ein Anlaß zur Freude.

Und wenn dem erlösten Vater, der vielleicht schon die Versetzung gefährdet sah, hierob nicht nur das Herz, sondern auch die Brieftasche überfließt, so geht das schon in Ordnung.

Nur sollte man solche Belohnungen weder zum Prinzip noch zur Taktik erheben.

Ein normal begabter Schüler soll seine guten Noten schreiben, ohne daß er einen Silberling als Ansporn bekommt. Und ein Schüler, der Schwierigkeiten in der Schule hat, wird dadurch nicht besser, daß man ihm große Beträge als Belohnung in Aussicht stellt. Hier wäre es viel wichtiger, den Grund für sein Schulversagen herauszufinden, als einen Leistungsdruck übers Portemonnaie auszuüben.

Zwar kann solch eine finanzielle

Verlockung durchaus zum Büffeln anregen, aber dem Schüler in seinem grundsätzlichen Unglück wird damit nicht geholfen.

Mehr noch: Es gibt Fälle, in denen Eltern ihrem Sprößling für ein gutes Zeugnis Geldbeträge in Aussicht stellen, die nicht nur für Sohn oder Tochter, sondern auch für die Eltern von abenteuerlicher Höhe sind.

Doch wie fühlt man sich dabei? Auf der einen Seite ist man wahrscheinlich von der Höhe des Betrages überwältigt, auf der anderen Seite aber auch von der Größe des Opfers, das diese Summe für die Eltern bedeutet. Dadurch entsteht automatisch ein psychischer Druck, der die Situation nur noch verschlimmert. Am besten lernt man nämlich – und das ist wissenschaftlich erwiesen –, wenn man frei und unbekümmert ist und mit Begeisterung an den neuen Lehrstoff herangeht: wenn man »motiviert« ist – wie die Psychologen sagen. Ihr seht, für Geld läßt sich doch nicht alles kaufen . . .

Wiedergutmachung vom Taschengeld?

Aber kann man mit Taschengeldentzug Wiedergutmachung betreiben?

Teils »ja« – und teils »nein« – will ich meinen. Schlechte Noten mit Taschengeldentzug zu bestrafen muß man konsequenterweise ablehnen, wenn man dagegen ist, eine gute Note mit Taschengeldzuschlag zu honorieren.

Etwas anderes ist es mit dem Schadenersatz. Wenn man mutwillig oder betont fahrlässig etwas zerstört oder beschädigt, dann soll dieses

141

Vergehen auch auf der gleichen Ebene geahndet werden: auf der materiellen. Hier wäre es nur gerecht, einen Teil des Taschengeldes für Reparatur oder Neuanschaffung einzubehalten. Das halte ich nicht nur für angemessen, sondern auch für eine eindrucksvolle Maßnahme, die für künftige Fälle im Gedächtnis haften bleibt. Aber das ist auch wirklich die einzige Rechtfertigung für Taschengeldentzug. Ansonsten sollten Eltern Taschengeld nicht zum Erziehungsmittel degradieren, wie es früher der Rohrstock und die Rute waren. Wenn Kinder Fehler gemacht haben, dann sollte die Strafe oder Aussprache darüber »auf dem Fuße folgen« und nicht erst am nächsten »Zahltag«. Wenn die »Strafursache« schon so weit in der Vergangenheit liegt, wird die Berechtigung der Strafe – in diesem Fall der Taschengeldentzug – doch gar nicht mehr eingesehen. Und die erzieherische Wirkung ist gleich Null.

Haushaltsposten – oder Himmelsgeschenk?

Merksatz für künftige »Taschengeld-Tarifverhandlungen«: »Das Taschengeld ist kein Geschenk aus heiterem Himmel, das sich bei Gewitter über dem trauten Heim in Blitz und Donner auflöst. Taschengeld ist ein fester Posten im familiären Haushaltsplan!«

Und noch ein paar Tips aus der Praxis: Kommt keine Einigung zustande, dann hat es schon manchmal geholfen, wenn die Familienfinanzen insgesamt einmal offen dargelegt werden. Wenn man dann sieht, was von dem Brutto-Verdienst der El-

tern noch alles an Steuern und Versicherungsbeiträgen, an Miete, Ausgaben für Lebensmittel, Kleidung und sonstige »regelmäßige Extrakosten« abgeht, dann bekommt Ihr wahrscheinlich den allergrößten Respekt vor der Planungsarbeit Eurer Eltern und ein bißchen mehr Verständnis für deren Sorgen und Probleme.

Es soll Söhne und Töchter geben, die bei solchen Gelegenheiten zum erstenmal festgestellt haben, daß das Taschengeld ihrer Eltern kärglicher ist als ihr eigenes...

Früher war alles anders...

»Früher« – so hört Ihr ältere Leute öfter sagen – »war der Umgang mit Geld einfacher!« Das stimmt schon. Da wurde nämlich in erster Linie gespart. Das Geld war knapp, aber die Verlockung, es auszugeben, noch knapper. Das galt auch für die Erwachsenen: Autos waren eine Seltenheit, Fernseher gab es nicht, und den Urlaub verbrachte man bei den Großeltern oder in der eigenen Gartenlaube, allenfalls im Schwarzwald, aber nicht auf Teneriffa. Der Motor des Konsums lief noch nicht mit Super. Das hat sich geändert.

Das Geld spielt heute eine andere Rolle. Welche – darüber gehen die Meinungen weit auseinander: Die einen sind gegen jede Form von Sparen: »Das Geld wird doch immer weniger wert« oder »Lieber ein paar Jahre ordentlich hingelangt, als ein Leben lang gedarbt!«

Die anderen suchen, gerade wegen der allgemeinen Unsicherheit, gute Möglichkeiten, Geld gewinnbringend anzulegen (Haus oder Wohnung, Sparbuch oder Wertpapiere). Und wieder andere versuchen, beides zu kombinieren. Auf der einen Seite fröhlich leben, auf der anderen – etwas auf die hohe Kante legen. Wobei allerdings zu befürchten ist, daß bei dieser Methode sowohl die Fröhlichkeit wie die hohe Kante zu kurz kommen. Aber das ist nun mal so bei Kompromissen.

Sparen oder kaufen?

Fest steht, daß der Konsum lockt und seine Rechte fordert (und es macht ja auch Spaß, zu kaufen!), daß aber auch das Bedürfnis besteht, für später etwas auf die Seite zu legen. Die richtige Dosierung von Erfüllung und Verzicht indes ist eine Temperamentsfrage und muß von jedem selbst erprobt werden.

Das gilt für Eure Eltern ebenso wie für Euch selbst. Natürlich werdet Ihr von allen Seiten Ratschläge bekommen – vielleicht auch sanften Druck verspüren –, wie Ihr mit Eurem Taschengeld am besten den Weg zwischen Sparen und Ausgeben findet. Dennoch werdet Ihr Eure Erfahrungen und selbstverständlich auch Fehler selbst machen müssen. Niemand kommt als perfekter Verbraucher, der immer das rechte Mittelmaß findet, auf die Welt.

Taschengeld als Wirtschaftsfaktor

Soviel ist sicher: Die Industrie lebt nicht schlecht vom Taschengeld der Kinder und Jugendlichen. In Marktuntersuchungen wurde festge-

stellt, daß den deutschen Schülern insgesamt eine Summe von 1,3 Milliarden DM im Jahr zur Verfügung steht.

Auch wohin dieses Geld fließt, hat man ziemlich genau ermittelt:

Rund 300 Millionen DM Taschengeld werden in Süßwaren umgesetzt.

250 Millionen geben Kinder und Jugendliche für Lesestoff, vor allem Comic-Hefte und Jugendzeitschriften aus, 120 bis 140 Millionen DM legen sie für Schallplatten und Musik-Kassetten an. Das sind 60 bis 70 Prozent der Jahresproduktion aller Musik-Konserven. 40 Prozent der Fahrrad- und Moped-Industrie und ein großer Teil der Bekleidungswirtschaft leben ebenfalls von den Jugendlichen.

Nicht zu vergessen die Ausgaben für die Freizeit. Wenn man hier vom Kinobesuch bis zum Sport, von den selbstfinanzierten Jugendreisen bis zu den vielfältigen Hobbys alles zusammenzählt, kommt nach Meinung der Marktforscher noch einmal rund eine halbe Milliarde DM heraus.

Diese Kaufkraft ist nicht zu unterschätzen. Kein Wunder also, daß sich auch die Werbung längst auf die Jugendlichen als Konsumenten eingestellt hat.

Wir wollen hier nicht untersuchen, wo die Werbe-Information aufhört und die Werbe-Manipulation anfängt. Dieser Streit ist so alt wie die Reklame selbst.

Der Taschengeld-Paragraph

Nur soviel noch zur rechtlichen Situation: Der Gesetzgeber gesteht den Jugendlichen zu, daß sie über ihr Taschengeld selbst verfügen können. Im »Bürgerlichen Gesetz-Buch« (BGB) steht unter § 110, dem sogenannten »Taschengeld-Paragraphen«:

»Ein von einem Minderjährigen ohne Zustimmung des gesetzlichen Vertreters geschlossener Vertrag gilt als von Anfang an wirksam, wenn der Minderjährige die vertragsmäßige Leistung mit Mitteln bewirkt, die ihm zu diesem Zweck oder zur freien Verfügung von dem Vertreter oder mit dessen Zustimmung von einem Dritten überlassen worden sind.«

Im Rahmen Eurer »beschränkten Geschäftsfähigkeit« könnt Ihr also Kaufverträge abschließen. »Beschränkt« ist Eure »Geschäftsfähigkeit« – wie es so im Amtsdeutsch heißt –, weil Ihr für den Abschluß von Verträgen, die über den Wert eines üblichen Taschengeldes hinausgehen, die Zustimmung des Vaters oder der Mutter braucht.

Mal ehrlich – wieviel vom Taschengeld fließt in die Kassen der Drogerien und Kosmetikabteilungen in Kaufhäusern? Lohnt sich der oft kostspielige kosmetische Aufwand? Schön sein wie die Mädchen in den Werbeanzeigen – ist das ein erstrebenswertes Ziel? Vielleicht zeigt ein Blick in den Spiegel, daß man selbst jemand ist?

Schön sein-um jeden Preis?

Dr. med. Jochen Dethlefs/Evelyn Lattewitz

Kann man Schönheit kaufen? Ist Kosmetik nur Fassadenmalerei? Je teurer um so besser – trifft das für Kosmetika zu? Was darf man Haut und Haaren ungestraft zumuten – und was nicht? Schönheit – eine typisch weibliche Waffe?

Ort der Handlung: Die Kosmetikabteilung in einem großen Warenhaus. Auf Hochglanz polierte Glasvitrinen und Regale, überall Spiegel – goldgelb getönt und mit indirekter Beleuchtung. Personen: Britta und Nicole. Beide in Jeans, verwaschen und am unteren Rand ein bißchen ausgefranst (die Jeans natürlich!).
Außerdem: eine Verkäuferin. Doch was heißt hier Verkäuferin: ein Traumwesen, überirdisch geradezu, offensichtlich direkt der Reklameseite einer Zeitung entstiegen. Mit einer Frisur, die so natürlich aussieht, daß sie bestimmt jeden Morgen eine halbe Stunde Arbeit extra macht. Und das Make-up – einfach perfekt, bis hin zu den makellos lackierten Fingernägeln. Britta und Nicole wollen eigentlich nur rasch ein Döschen Hautcreme kaufen – die für drei Mark fünfzig. Suchend schauen sie sich unter all den Tuben, Töpfchen und Tiegeln um. Und schon schwebt dieses Traumwesen von Verkäuferin auf sie zu, fragt freundlich nach den Wünschen und sagt auch noch »Sie« und »meine Damen« zu Britta und Nicole. Während sie die Creme zu drei fünfzig aus einem der hintersten Regale hervorzaubert, schaut sie Britta prüfend an: »Verzeihung – aber wollen Sie diese Creme für den Teint verwenden?« (Sie sagt »für den Teint« – nicht »für das Gesicht«!). Britta bejaht etwas unsicher – und fühlt richtig, wie die beiden Pickelchen wachsen, die da seit gestern auf der Stirn blühen. »Wissen Sie, für ihre Problemhaut würde ich

Ihnen da gerne zu etwas anderem raten«, fährt die Verkäuferin freundlich fort, »eine antiseptische Tagescreme, die gleichzeitig abdeckt und heilt, und für die Nacht vielleicht ein schwefelhaltiges Präparat. Da müßten Sie natürlich vorher die Haut mit Gesichtsmilch reinigen und mit einem Tonicum klären. Am besten wäre für sie dieses Kosmetik-Set. Es wurde speziell für die jugendliche Haut entwickelt und enthält alles, was Sie für den Anfang brauchen.« Britta ist überwältigt von soviel Fürsorge. Und außerdem ist diese Kosmetik-Serie auch noch spottbillig. So richtig für den jugendlichen Geldbeutel. Alles in allem nur siebzehn Mark neunzig. Das ist zwar gut das Fünffache der ursprünglich eingeplanten Drei-Mark-fünfzig-Creme – aber für die eigene Schönheit muß man schließlich auch Opfer bringen . . .

Natürlich hätte Britta auch standhaft bleiben können. Aber spätestens beim dritten Pickel hätte sie wahrscheinlich reumütig an die liebenswürdige Beraterin zurückgedacht. Vielleicht hätte es ja doch etwas genutzt?

Brittas Mutter war übrigens gar nicht begeistert von der preiswerten Neuerwerbung. Ihrer Meinung nach genügen für ein junges Mädchen Wasser und Seife. »Für Kosmetika hast du später noch Zeit genug. Das schadet deiner jungen Haut mehr, als es nützt.«

Ja, wie ist das nun mit der Kosmetik? Schadet sie, nutzt sie oder bewirkt sie vielleicht gar nichts? Darf man ungestraft schmieren, salben und sprayen, wie es einem gefällt? Auskunft über diese Fragen kann eigentlich nur ein Fachmann geben, ein Hautarzt. Das ist ein Arzt, der zwar nicht auf Kosmetik im eigentlichen Sinn, wohl aber auf die Haut und ihre Krankheiten spezialisiert ist.

Kosmetik – nur Fassadenmalerei?

Was ist das eigentlich – Kosmetik? Ist das nur Make-up plus Lidschatten, Lippenstift und Nagellack? In der Medizin versteht man darunter mehr: Kosmetik ist gesundheitsfördernd. Sie ist hygienische Körperpflege mit all ihren ästhetischen und angenehmen Seiten. Gerade heute, wo die Haut besonders von Abnutzung und Krankheit bedroht ist – durch schädliche Umwelteinflüsse zum Beispiel – ist Kosmetik Gesundheitsfürsorge und -vorsorge. Sie ist aber auch, und das ist mindestens genauso wichtig, für das seelische Wohlbefinden des einzelnen von Bedeutung. Sie kann einen Menschen ausgeglichener machen und damit auch angenehmer für seine Umwelt. Sie hat also auch Auswirkungen auf die Menschen, mit denen man umgeht. Diese seelischen, im zwischenmenschlichen Bereich liegenden Auswirkungen der Kosmetik nennt der Fachmann Psychohygiene. Wenn man jemanden auf Anhieb mag oder nicht mag, dann spielen dabei oft auch kosmetische Gesichtspunkte eine Rolle.

Man fühlt sich wohl in seiner Haut (oder auch nicht!), man möchte am liebsten aus der Haut fahren, aber man kann nicht aus seiner Haut heraus . . . Schon an diesen Redewendungen merkt man deutlich, daß es mit der Haut seine eigene

Bewandtnis haben muß. Die Haut ist ein ganz besonderes Gewebe – und sie erfüllt lebenswichtige Aufgaben. Da gibt es zunächst einmal die »physiologischen«, also die Aufgaben, die die Lebensvorgänge im Organismus betreffen. Dazu gehört zum Beispiel die Regulation von Wärme und Wasser, dazu gehören auch der Mineralstoffwechsel und der mechanische Schutz. Die Haut reagiert auf Schmerz, Temperatur oder Druckreiz, denn sie ist auch ein Sinnesorgan.

Welche Bedeutung die Haut aber für unser »Seelenleben« hat – das wird meist unterschätzt. Jeder möchte ja bei anderen im wahrsten Sinn des Wortes in »gutem Ansehen« stehen. Manche Mädchen oder auch Jungen sind mit ihrem Äußeren rundherum zufrieden. Die meisten aber sind es nicht. Oft genügt schon ein kleiner Fehler – Sommersprossen, ein winziges Muttermal oder was sonst auch immer, und man fühlt sich entstellt. Das ist ähnlich wie bei einem Juckreiz – je mehr man daran denkt, um so schlimmer scheint er zu werden. Man fühlt sich häßlich, unsicher, verliert das Selbstbewußtsein. Natürlich ist man davon überzeugt, daß andere Menschen den kleinen Schönheitsfehler genauso schrecklich finden ... Oft kann in solchen Fällen eine kleine kosmetische Korrektur durch den Facharzt Wunder vollbringen. Aber nicht nur bei mehr oder weniger kleinen Makeln spürt man, welche Bedeutung die Haut für uns selbst und für unsere Beziehung zu anderen Menschen hat: ein Mensch wird rot vor Zorn oder Scham, er wird blaß vor Schreck, oder die Angst treibt ihm den Schweiß aus den Poren. Das alles sind Anzeichen dafür, daß sich auch Gefühlsbewegungen auf die Haut auswirken. Freude oder Trauer stehen uns auf der Haut geschrieben – auch der Mangel an Freude am eigenen Körper, die Wut und das Gefühl, vom Schicksal gestraft zu sein, wenn ausgerechnet vor dem Rendezvous ein Pickel im Gesicht aufblüht. Eine geschickte Kosmetik kann nicht nur die momentane Stimmung retten, sie kann auch das Selbstvertrauen insgesamt stärken. Richtig verstandene Kosmetik – also nicht nur ein mehr oder minder perfektes Make-up, sondern die Pflege des ganzen Körpers – tut also nicht zuletzt der Seele gut!

Was Kosmetika bewirken!

Ein kosmetischer Artikel beginnt erst in dem Augenblick zu »leben«, in dem er mit der Haut, den Haaren oder den Nägeln in Berührung kommt. Dann aber besteht eine enge Wechselwirkung zwischen der Haut und dem kosmetischen Mittel. Es kann die Haut vor schädlichen äußeren Einflüssen schützen, zum Beispiel vor Schmutz, es kann die obersten Hautschichten vor dem Austrocknen bewahren. Ein kosmetisches Präparat kann auch unter die äußersten Hautschichten dringen und bestimmte Wirkstoffe in tiefer gelegenen Schichten zur Geltung bringen. Manche Mittel bleiben aber auch nur oberflächlich an der Haut haften, sie verändern zum Beispiel die Farbe oder den Glanz bestimmter Hautpartien.

Kommt die Haut mit einem kosmetischen Präparat in Berührung, besteht aber auch immer die Gefahr unerwünschter Nebenwirkungen. Kosmetika sind ja im Grunde genommen Fremdkörper für die Haut. Sie können wichtige Vorgänge in der Haut hemmen, sie können bestimmte Bestandteile der Haut chemisch verändern. Sie können auch der Anlaß für allergische Reaktionen sein. Allergien gehören übrigens immer in die Hand des Facharztes. Nur er wird klären können, worauf die Haut im Einzelfall allergisch reagiert. Das aber muß man unbedingt wissen, wenn man seine Haut nicht immer wieder der Gefahr solcher Nebenwirkungen aussetzen will. Wer mit seiner Haut gut umgehen will, muß auch ein bißchen über sie Bescheid wissen, denn Haut ist nicht immer gleich Haut!

Farbe, Glanz und Relief

Farbe, Glanz und Relief – sie bestimmen das Aussehen der reinen, kosmetisch unbehandelten Haut. Da ist zunächst die Farbe. Hier spielen die Durchblutung und die Blutzusammensetzung eine wichtige Rolle. Sauerstoffreiches Blut ist hellrot, sauerstoffarmes blaurot. Sind die Blutgefäße enggestellt, wird man blaß, sind sie weitgestellt, passiert das Gegenteil: man wird rot. Dann ist für die Hautfarbe auch noch das ›Melanin‹ von Bedeutung – dem Laien besser als Pigment bekannt. Es ist für den braunen Farbstoff der Haut verantwortlich. Hellhäutige Menschen haben meist weniger als dunkle Typen, sie werden deswegen auch langsamer braun. Den weißen, undurchsichtigen Ton gibt der Haut das ›Keratin‹, eine Substanz, die die

Verhornung der obersten Haut-schicht bewirkt. Die Hornschicht selbst ist fahlgelblich oder grau. Mit bloßem Auge kann man bei der ge-sunden Haut nicht wahrnehmen, daß sich diese Hornschicht ständig loslöst und abschuppt. Eher kennt man solche toten, verhornten Zellen in der Form von Kopfschuppen.

In der Haut gibt es Schweiß- und Talgdrüsen. Sie bestimmen gemein-sam mit der feinen Flaum-Behaarung

den Glanz der Haut. Je nachdem, wie stark die Talgdrüsen arbeiten, unterscheidet man trockene, norma-le oder fette Haut. Die feinen Här-chen geben der Haut ein mattes, samtartiges Aussehen. Stirn und Nase sind nur schwach behaart und neigen deshalb eher zum Glänzen. Die Hautoberfläche spielt natürlich auch eine Rolle, denn eine rauhe und rissige Haut glänzt nicht, selbst wenn sie ölig ist.

Das Hautrelief wird vor allem von den Falten bestimmt, die sich in der Haut bilden, und von den ganz fei-

nen Hautfurchen, die fast die ge-samte Hautoberfläche in winzige, dreieckige oder rhombische Felder unterteilen. Dann spielen natürlich noch die Poren eine Rolle, die Mün-dungen der Haartrichter, die sich er-weitern können und dann oft als störend empfunden werden. Und schließlich wäre noch die oberste Hautschicht, also die Hornschicht zu nennen. Sie ist im gesunden Zu-stand vollkommen glatt. Aufgerauht und zerklüftet wirkt sie nicht nur unschön, sie neigt dann auch zu Entzündungen.

Falten sind uninteressant!

Für junge Mädchen spielen im Nor-malfall die Falten keine Rolle, sie sind uninteressant, denn sie kom-men ja erst viel später! Trotzdem sollte man ihnen ein paar Gedanken widmen, denn gerade mit den Fal-ten wird in der Werbung eine Men-ge Unfug getrieben. Hier und da wird behauptet, sie könnten verhin-dert oder gar wieder »weggecremt« werden. Der Abstand zwischen Fal-tenhöhe und -tiefe liegt bei etwa 20- bis 30tausendstel Millimeter. Durch Kosmetika kann die Faltenhöhe um höchstens 10 bis 20% verringert werden – das sind also 2- bis 6tau-sendstel Millimeter. Bewirkt wird diese Verringerung der Faltenhöhe durch Feuchtigkeitseinlagerungen in der Haut, also durch Wasser. Dieses Wasser kommt entweder aus den (Feuchtigkeits-)Cremes oder aber aus der Haut selbst, wenn die Flüssigkeitsabgabe der Haut verhin-dert wird. Die Haut quillt sozusagen auf. ›Die Haut‹ heißt hier aber nur : die oberste Schicht, die Hornschicht. Sitzen die Falten tiefer, in den unteren Hautschichten, dann können sie also nicht mehr beeinflußt werden.

Nun könnte man sagen, 2- bis 6tausendstel Millimeter – das ist doch so wenig, das sieht man doch kaum – wozu also der ganze Creme-Aufwand gegen die Falten? Der ›Aufwand‹ lohnt sich aber doch – vor allem auf lange Sicht. Denn regelmäßige Pflege kann das Auftre-

Wassergehalt verdunstet, während das Fett auf der Haut liegen bleibt. Alle Cremes, die bei uns auf dem Kosmetikmarkt zu haben sind, sind Emulsionen, zusammengesetzt aus Fett und Wasser. Dabei gibt es zwei wichtige Gruppen. Die einen sind meist aus wenig Fett und viel Wasser zusammengesetzt (man nennt sie Öl-in-Wasser-Emulsionen). Sie hinterlassen nur einen hauchfeinen Film

ten von Altersveränderungen hinausschieben, man kriegt also erst später Falten. Das beste Mittel gegen frühe und viele Falten sind übrigens „faltenarme" Vorfahren – denn für die Falten sind in erster Linie die Erbanlagen verantwortlich!

Wunderwelt der Cremes

Wenn eine Creme gut »einzieht«, dann wird das meist als angenehm empfunden. In Wirklichkeit zieht sie aber gar nicht ein, sondern ihr

auf der Haut. Die meisten sogenannten »Tagescremes« entsprechen diesem Typ. In den anderen, den Wasser-in-Öl-Emulsionen, ist wenig Wasser und viel Fett enthalten. Sie täuschen den Einzieh-Effekt nicht vor. Bei ihnen bleibt das Fett oft als leicht glänzende Schicht auf der Haut liegen. In diese Gruppe gehören in der Regel die Cremes, die als »Nachtcreme« angeboten werden. Es ist wichtig, sich diesen grundsätzlichen Unterschied zu merken, denn natürlich muß eine fett- und wasserarme Haut anders behandelt werden als eine fett- und wasserreiche. Für alle Hauttypen gibt es heute geeignete Cremes, die zum Teil in sehr komplizierten Verfahren hergestellt werden. Natürlich unterscheiden sie sich durch ihre Grundlagen, ihre Wirkstoffe und ihren Duft. Sie unterscheiden sich aber vor allem durch mehr oder weniger aufwendige Verpackung, durch wohlklingende Namen und vor allem – durch ihren Preis! Am wenigsten unterscheiden sie sich durch ihre Wirksamkeit! Richtige Hautpflege kann man also schon mit geringem finanziellen Aufwand betreiben. Besondere Duftnoten, exklusive Namen und reizvolle Verpackungen sind zwar sehr verlockend, aber nicht notwendig.

Man braucht auch keine aufwendige Hautdiagnose, um seinen Hauttyp festzustellen. Mit ein bißchen Beobachtung kann jeder selbst herausfinden, ob die eigene Haut trocken oder feucht, ölig oder spröde ist. Auch leichte Schwankungen im Fett-Wasser-Haushalt der Haut spürt man in der Regel, bevor sichtbare Veränderungen auftreten – zum Beispiel wenn die Haut juckt oder spannt.

Um die Haut gesund zu erhalten und gleichzeitig Schäden durch äußere Einflüsse zu vermeiden, muß vor allem der Wasser-Fett-Mantel der Haut erhalten oder wiederhergestellt werden. Dieser ›Mantel‹ macht in erster Linie die Haut geschmeidig. Das Austrocknen durch Wind oder Sonne und auch durch die Reinigungsmaßnahmen – das alles muß ja wieder ausgeglichen werden. Ausgleichen durch die richtige Creme – das gilt für die normale und besonders für die trockene Haut. Die feucht-fette Haut braucht dagegen eher häufiges Waschen und vielleicht auch ein alkoholhaltiges Gesichtswasser. Übrigens ist auch der Zustand ein und derselben Haut nicht immer gleich. Er ist zum Beispiel vom Wetter, besonders von der Sonne und Temperaturschwankungen, abhängig.

Eine wichtige Rolle spielen auch Schwankungen im Hormonhaushalt. So unterscheidet sich die Haut eines Neugeborenen in Aufbau und Funktion erheblich von der eines Erwachsenen. Besonders in der Zeit der Pubertät werden komplizierte Vorgänge völlig umgestellt – daher haben Jugendliche gerade in dieser Zeit so oft Schwierigkeiten mit ihrer Haut. Bei Mädchen und Frauen kommt es auch während des Zyklus zu Veränderungen, die sich auf die Haut auswirken. Vor der Periode zum Beispiel nimmt die Hornschicht durch hormonelle Einflüsse mehr Wasser auf, sie quillt. Dadurch werden die Ausgänge der Talgdrüsen enger. Das kann zu einem Talgstau und damit zu einem Bild führen, das der Akne ähnlich ist, den »Pickeln« vor der Periode. Geeignete, das heißt entquellende Maßnahmen können deren Entstehung verhindern. Im Abschnitt »Wasser und Seife« steht mehr darüber.

Der Sonnenkult

Braun sein ist modern! Wir haben heute nicht nur mehr Freizeit, wir haben auch die Möglichkeit, uns in kürzester Zeit in ein anderes, son-

152

nenreiches Klima befördern zu lassen. Um die Jahrhundertwende war es für die Damen der besseren Gesellschaft absolut unschicklich, die Haut der Sonne auszusetzen. Man schützte sich mit Sonnenschirmen und riesigen Sonnenhüten dagegen. Heute heißt das Schönheitsideal dagegen »braun sein«! Wer nicht braungebrannt aus dem Urlaub kommt, der hat sich nicht erholt! Dieses neue Schönheitsideal ist aber der Haut nicht zuträglich, denn ihr Anpassungsvermögen an die ultravioletten Strahlen und an andere Klimabedingungen wird meistens überschätzt und überfordert. Wer sich jahrzehntelang den Einwirkungen des natürlichen und künstlichen (Höhensonne!) ultravioletten Lichtes aussetzt, der läuft Gefahr, chronische Hautschädigungen da-

vonzutragen. »Von Wind und Wetter gegerbt«, »Verwittert wie ein Fels« – wer möchte schon so aussehen? Solche tief eingegrabenen, sich scharf abzeichnende Falten mögen ja vielleicht bei Männern noch interessant wirken. Bei Frauen wirken sie allerdings als das, was sie auch wirklich sind: als verfrühte Alterung!
Der Sonnenkult unserer Zeit zeigt aber auch, wie schwer Sinn und Unsinn ein und derselben Sache auseinanderzuhalten sind. Wir wissen heute, daß die ultraviolette Strahlung der Sonne die Vitamin-D-Bildung in der Haut fördert, wir wissen auch, daß sie Durchblutung und Stoffwechsel günstig beeinflußt. Das alles sind durchaus positive Auswirkungen. Auf der anderen Seite der Sonnen-Medaille stehen aber die

ernsthaften Schäden, die von verfrühter Alterung bis hin zu Hautkrebs reichen. Die Haut hat sozusagen zwei natürliche Sonnenschirme. Einmal die Sonnenbräune, also die zunehmende Pigmentierung, als schattengebender Effekt, zum anderen die Verdickung und Verfestigung der obersten Hautschicht. Es dauert eine Weile, bis sich dieser natürliche Schutz entfaltet. Deshalb ist vor allem am Anfang bei Sonnenbädern Vorsicht geboten. Das gilt insbesondere für die winterblasse Haut bei der ersten Frühlingssonne oder auch beim Skifahren, wo die höhere Lage und die Reflexion der Sonne durch den Schnee erschwerend hinzukommen. Sonnenschutzmittel können hier eine wirkungsvolle Hilfe darstellen. Der Lichtschutz- oder Sonnenschutz-Faktor dieser Mittel gibt an, um wieviel mal länger die Haut der Sonne ausgesetzt werden darf, als wenn kein Lichtschutzmittel verwendet würde. Je stärker die Sonneneinstrahlung, um so höher sollte dieser Faktor sein, will man einen akuten Sonnenbrand verhindern.

Sonnenbrand verhüten ist gut – dauerhafte Schäden vermeiden aber noch besser. Und hier steht an erster Stelle eine vernünftige Lebensweise, was die Sonne angeht – vor allem im Urlaub. Braun werden ist nicht alles – und es macht schon gar nicht allein die Erholung aus! Zu intensive Sonnenbestrahlung kann zum Beispiel störende Pigmentverschiebungen zur Folge haben – die Haut wird fleckig. Übrigens kann dieser

Effekt verstärkt auftreten, wenn man die Pille nimmt. Den »Sonnenanbetern« sei empfohlen, die besonders gefährdeten Stellen wie Gesicht, Hals, Dekolleté und Handrücken durch ein Sonnenschutzmittel mit besonders hohem Lichtschutzfaktor zu schützen. An den Lippen gibt es besonders häufig und auch besonders schwere Lichtschäden, denn hier fehlen die beiden Sonnenschirme Pigment und verhornende Außenschicht. Sonnen- oder Gletscherbrand sind die akuten Schäden. Auf lange Sicht gesehen kann sich die Lippenhaut verdünnen, die Krebsgefahr wird damit deutlich erhöht. Hier erweist sich als hilfreich, was anfangs sicher nicht dafür gedacht war: der Lippenstift. Er sieht nicht nur dekorativ aus, er schützt vor allem. Und schädliche Nebenwirkungen sind beim Lippenstift so gut wie unbekannt.

Wasser und Seife

Wer sich für Kosmetik interessiert, für den ist das Waschen wohl selbstverständlich – oder sollte es sein! Deshalb steht dieser Abschnitt auch nicht am Anfang. Daß er überhaupt hier steht, hat aber seinen guten Grund, denn es ist durchaus nicht unwichtig, womit man sich wäscht. In Frage kommen vor allem Seife und synthetische Waschmittel. Letztere meist in flüssiger Form als Dusch- oder Schaumbäder. Die Seife entzieht der Haut in gewissem Umfang auch Fett und Feuchtigkeit. Synthetische Waschmittel entziehen der Haut weniger Fett und haben eine bessere Reinigungswirkung. Dafür können sie aber wesentlich stärker austrocknen und zu

rauher und rissiger Haut führen. Die Nachteile und Nebenwirkungen dieser synthetischen Waschsubstanzen treten allerdings nur unter bestimmten Bedingungen auf – zum Beispiel wenn man von Natur aus eine besonders trockene Haut hat. Die Haut kann aufspringen, es kann zu Juckreiz und Entzündungen kommen. Schaumbäder mit synthetischen Mitteln sollten in diesen Fällen vermieden oder zumindest eingeschränkt werden. Hier sind Seife und das Nachfetten der noch feuchten Haut angebrachter. Bei fetter und feuchter Haut, erst recht aber bei der Akne, ist dagegen den synthetischen Waschmitteln der Vorzug zu geben, weil sie die Haut entquellen, ihr also Wasser entziehen.

Zwei Millionen Schweißdrüsen

Rund zwei Millionen Schweißdrüsen hat ein Mensch. Besonders wichtig sind sie für die Regulierung der Körpertemperatur. Je heißer es ist, um so mehr schwitzt man, denn durch die Verdunstung größerer Flüssigkeitsmengen soll die Körpertemperatur erhalten werden. Nun schwitzt man aber nicht überall gleich, es gibt zwei Sorten von Schweißdrüsen, und damit auch zwei Sorten Schweiß. Die einen sind über den ganzen Körper verteilt und scheiden eine fast klare, geruchlose Flüssigkeit aus. Die anderen befinden sich nur in den Achselhöhlen, der Brustgegend, am Nabel und in der Anal- und Genitalzone. Diese Drüsen scheiden neben dem Schweiß auch Duftstoffe aus. Frischer Schweiß riecht nur sehr schwach und nicht unangenehm.

Lästiger Geruch entsteht erst durch die Einwirkung von Bakterien, der Schweiß beginnt sich zu zersetzen. Und das schon wenige Stunden nach der Körperreinigung. Nun kann man sich wohl kaum in kurzen Abständen immer wieder gründlich waschen. Aus diesem Grund werden in Waschmitteln antibakterielle Stoffe eingesetzt. Solche Stoffe finden auch bei Deo-Sprays Verwendung, sie bieten also eine zusätzliche Sicherheit neben dem Waschen. Die Wirkstoffe solcher Sprays sind in der Regel hautverträglich. Überempfindliche Reaktionen kommen hier und da vor, weit häufiger sind aber Reizungen durch den Alkoholgehalt der Sprays. Besonders wenn sie zu häufig angewendet werden. Also: nicht zu häufig anwenden und natürlich immer nur auf die frisch gewaschene Haut. Zum Übertönen schon vorhandenen Schweißgeruchs sind die Sprays nicht gedacht!

Nun gibt es neben den Deo-Sprays ja auch noch solche, die das Schwitzen einschränken sollen. Daß solche Antitranspirants übermäßiges Schwitzen einschränken können, ist richtig. Verhindern können sie es aber nicht – hier übertreibt die Werbung ganz einfach! Wesentlich geringer als die Werbung verspricht, ist auch oft die Wirkungsdauer dieser Sprays. Sie hält meist nicht den ganzen Tag, sondern nur wenige Stunden an. Auf alle Fälle ist bei diesen Präparaten die Gebrauchsanweisung besonders zu beachten, denn viele von ihnen dürfen oder müssen nicht täglich angewendet werden. Mehr Vorsicht als bei den Desodorans und Antitranspirants ist bei den Intimkosmetika ange-

zeigt. Vorsicht ist hier vor allem geboten, weil diese Mittel unkontrolliert auf die Scheidenschleimhaut einwirken können. Die Schleimhaut wird gereizt, und diese Reizung fördert wiederum Pilzerkrankungen. Vernünftig und nicht zu häufig angewendet, können Intimkosmetika die tägliche Körperpflege zwar ergänzen, aber man sollte sich genau an die Gebrauchsanweisung halten. Man darf vor allem Intimsprays nicht anstelle von Wasser und Seife anwenden, sondern erst nach dem Waschen.

Ein haariges Kapitel

Schöne und gesunde Haare sind ein natürlicher Schmuck des Menschen. Aber sie waren schon immer mehr als das, denn neben Kleidung und Make-up sind die Haare das einzige, womit ein Mensch seine Einstellung auch nach außen hin demonstrieren kann: er kann sich unauffällig seiner Umgebung anpassen, er kann aber auch eine gewisse Anti-Haltung zum Ausdruck bringen. So waren zum Beispiel die langen Haare bei den Jungen oder jungen Männern zunächst auch Ausdruck von Protest, bis sie dann im Lauf der Jahre zur Mode wurden, und so ihre ursprüngliche Bedeutung verloren. Aber auch ein Blick zurück in die Geschichte zeigt, daß der Haartracht immer eine besondere Bedeutung zukam. So hatten zum Beispiel die Sklaven im Altertum zum Zeichen ihrer Unterdrückung kahlgeschorene Köpfe. Aber auch die einheitliche Haartracht mancher religiöser Gruppen oder ganzer Völkerstämme läßt wichtige psychologische und soziologische Rückschlüsse auf die Träger dieser Frisuren zu. Nun soll das nicht heißen, daß man jemanden gleich an der Frisur ansehen kann, wes Geistes Kind er ist – so einfach ist es sicher nicht. Aber die Bedeutung von Haaren und Frisur macht deutlich, daß Störungen des Haarwachstums oder andere Schwierigkeiten mit den Haaren auch seelische Rückwirkungen haben. Übrigens hat jede zweite bis dritte Frau Kummer mit ihren Haaren.

Jeder weiß, daß Finger- und Zehennägel das ganze Leben hindurch kontinuierlich, das heißt ohne Unterbrechung, wachsen. Von den Haaren verliert man dagegen täglich welche. Bei langem Haar fällt das natürlich mehr auf als bei kurzem. Das einzelne Haar wächst zunächst einmal zwei bis sechs Jahre lang. In dieser Wachstumsphase wird es pro Tag um etwa 0,35 Millimeter länger, hat also schließlich eine Länge von 25 bis 75 Zentimetern. Anschließend tritt das Haar in eine Ruhepause ein, es wächst nicht mehr und fällt dann nach zwei bis vier Monaten aus. Der Ausfall regt zur Bildung eines neuen Haares an, der nächste Haarzyklus beginnt. Insgesamt kann ein- und derselbe Follikel (das ist der Haartrichter) 30 bis 40 Haarzyklen anregen. Unter Normalbedingungen ist das Haarwachstum also für mehr als 100 Jahre angelegt!

Von den etwa 100 000 Kopfhaaren eines Menschen befinden sich 80 bis 85 Prozent in der Wachstumsphase, die übrigen in der Ruhepause. Ein Ausfall von 30 bis 50 Haaren pro Tag, beim Haarewaschen auch bis zu 100 pro Tag, gilt noch als normal. Nun sind aber unsere Haare einer ganzen Reihe von schädlichen Einflüssen ausgesetzt. Zum Beispiel der Sonne oder auch dem Reiben an der Kleidung – davon sind in erster Linie die Haarspitzen betroffen. Wichtiger aber als diese sozusagen natürlichen Einflüsse sind die künstlichen, die kosmetischen. Dauerwellen oder Haarbleichen zum Beispiel haben eigentlich immer ihre negativen Begleiterscheinungen. Zwar kann man sie mit bloßem Auge nicht gleich erkennen, dafür werden sie aber unter dem Mikroskop um so deutlicher. Haarbleichende Präparate machen das Haar vor allem matt und spröde – daran sollten alle denken, die um jeden Preis blond sein wollen! Eine Rolle spielt hier natürlich auch die unterschiedliche Widerstandsfähigkeit des Haares. Dem einen schadet das Bleichen oder die Dauerwelle mehr, dem anderen weniger.

Für mattes und sprödes Haar gibt es Haarkuren. Unter dem Elektronenmikroskop kann man aber leicht feststellen, daß das Material solcher Haarkuren an der Haaroberfläche haften bleibt. Es kann den Haardefekt ausfüllen, nicht aber in das Haar eindringen. Diese Kurpräparate können also krankes Haar nicht heilen, sie können es lediglich vor weiteren schädlichen Einflüssen von außen schützen. Haarfestiger wirken auf das Haar wie ein »Korsett«, sie überziehen den Haarschaft als geschlossene Hülle. Neben den vielen und zum Teil nicht gerade billigen Mitteln, die im Handel sind, erfüllt übrigens Bier den gleichen Zweck. Anders als die Haarfestiger wirken die Haarsprays. Sie sollen die Haare an der Oberfläche der Frisur, an den Stellen, wo sie sich kreuzen, punktförmig verschweißen. Sie sind sozusagen ein flüssiges Haarnetz. Besonders wichtig ist, daß sie sich gut ausbürsten lassen, und daß man das auch jeden Abend gründlich tut! Haarfestiger und Haarspray sind in der Regel unbedenklich. Präparate zum Bleichen und zum Verformen der Haare (Dauerwelle) können dagegen auch bei sachgemäßer Anwendung Schäden hervorrufen. Auch ungeeignete Kämme, Bürsten oder Lockenwickler können das Haar schädigen. Gesägte Kämme sind den gestanzten vorzuziehen. Die gestanzten haben scharfkantige Nähte, die das Haar aufrauhen. Das gleiche gilt für Drahtbürsten oder für Bürsten mit ungeschliffenen Borsten, es gilt auch für Lockenwickler mit Borsten oder Zacken. Schaumstoffwickler oder rundgeschliffene Borsten sind zweifellos besser. Hier ist es also durchaus sinnvoll, nicht nur auf den Preis zu schauen.

Natürlich steht am Beginn jeder Haarpflege das Waschen. Wie oft das Haar gewaschen werden sollte, diese Frage läßt sich eigentlich nur individuell beantworten. Es hängt vor allem davon ab, wie schnell das Haar schmutzig wird. Wer also den ganzen Tag unter der Dunstglocke der Großstadt verbringt, wird in der Regel sein Haar öfter waschen müssen als jemand, der seine Haarpracht nur der ländlich-sauberen Luft aussetzt.

Wer eine sehr trockene Kopfhaut oder gespaltene Haare hat, sollte die Haare nicht allzu häufig waschen. Ansonsten ist es aber nicht nötig, sich strenge Waschbeschränkungen aufzuerlegen. Wer seine Haare gerne häufig wäscht, sollte nur einmal einschäumen, also auf die Nachwäsche verzichten. Das schont Haare und Geldbeutel gleichermaßen.

Grundsätzlich nicht empfehlenswert ist zu heißes Waschen. Das Haar fettet nicht nur schneller nach, es wird auch geschädigt. Das gleiche gilt für das Fönen mit Heißluft. Langsames Trocknen an der Luft (nicht in der prallen Sonne!) ist besser. Das Fetten der Haare ist an sich ein Schutzmechanismus. Für eine besonders überschüssige Talgproduktion gibt es viele Gründe. Leider muß man aber allen, die sich mit besonders fettem Haar herumplagen, sagen, daß hier in der Regel die Erbanlagen den Ausschlag geben. Eine Behandlung der Ursachen ist deswegen auch nur in sehr begrenztem Umfang möglich. Gerade bei besonders fettem Haar aber gilt: Nicht zu heiß waschen und trocknen, Massage der Kopfhaut, enge Mützen oder Perücken vermeiden. Auch bei sprödem Haar gilt: kein heißes Waschen und Trocknen. Dauerwelle und Färben, insbesondere Bleichen, intensive Sonnenbestrahlung, Salzwasser und Toupieren und nicht zuletzt schlechtes Handwerkszeug (Kämme, Bürsten etc.) sind verboten.

Das dekorative i-Tüpfelchen

Zum Schluß noch etwas zur »Malerei« in der Kosmetik. Dazu gehört der Nagellack, gegen den aus medizinischer Sicht nichts einzuwenden ist. Sehr viel einzuwenden ist aber gegen die unsachgemäße Behandlung der Nagelhäutchen. Wer hier mit scharfen Gegenständen herum-

manipuliert, richtet nur Schaden an. Nach einem Fingerspitzenbad in Seifenwasser lassen sich die Nagelhäutchen leicht mit dem Frotteetuch zurückschieben.

Gegen Make-up ist ebenfalls nichts einzuwenden. Kleine Fehler können verdeckt, reizvolle Partien hervorgehoben werden.

Daß der Lippenstift nicht nur als Schmuck dient, sondern auch schützt, wurde weiter vorne schon erwähnt.

Bleiben noch Lidschatten und Lidstrich. Hier kann insbesondere der grüne Lidschatten zu Reizungen, also zu Lidschwellungen mit Juckreiz führen. Natürlich darf man ihn dann nicht weiterverwenden. Auch die sogenannte Abschminke führt in manchen Fällen zu lange bestehenden Gesichtsschwellungen – auch

hier ist also eine gewisse Vorsicht geboten.

Ein guter Schluß . . .

Es sei abschließend noch einmal betont: Die Kosmetik – die pflegende wie die schmückende – dient der Gesundheit. Denn gesund sein heißt heute nicht mehr nur frei sein von Krankheit, es heißt auch mit sich selbst in Einklang stehen, sich nicht nur körperlich, sondern auch seelisch wohlfühlen. Die Kosmetik mit ihren verschiedenen Bereichen kann dazu ihren Beitrag leisten.

Triumph der Kosmetik!

Soweit also der Hautarzt. Und man könnte nach dem ersten Lesen triumphierend zu Sprays, Make-up und Nagellack greifen, so nach dem Motto: »Na bitte, so schädlich sind

159

ja alle diese Kosmetika gar nicht, wie uns viele Erwachsene (mit Vorliebe die Mütter!) oft weismachen wollen.«

Vielleicht wird der Zusammenhang zwischen Kosmetik und Gesundheit tatsächlich manche Väter und Mütter etwas nachsichtiger machen gegen Tuben und Tiegel im Badezimmer!

Allerdings: Daß man Kosmetika – gemeint sind jetzt nur die schmückenden wie etwa Nagellack oder Make-up – ohne Gefahren für die Haut anwenden darf, heißt ja noch lange nicht, daß man sie auch anwenden muß! Erlaubt ist, was gefällt und was zu einem paßt, sagt man gemeinhin. Bloß: was gefällt (einem selbst und den anderen), und wie stellt man fest, was zu einem paßt? Nicht einmal, was einem selbst gefällt, ist immer ganz einfach herauszufinden, denn mit mindestens einem Auge schaut man ja doch immer darauf, was die anderen tun oder lassen! Da malt man sich dann die Augen rundherum kohlschwarz und die Fingernägel blutrot, nur weil eben alle anderen das auch tun. »Alle anderen« heißt bei genauem Hinsehen aber meist, daß eine damit angefangen hat (zu der es möglicherweise wirklich paßt) und daß die anderen es dann unbesehen übernehmen. Den Anfang machen meist die Mädchen einer Klasse oder auch einer anderen Gruppe, die sowieso den Ton angeben. Was sie schick finden, das müssen auch die anderen bewundern, wenn sie nicht abseits stehen wollen. Diese bewußte oder unbewußte Bevormundung (denn etwas anderes ist das nicht) beschränkt sich meist nicht nur auf die Kosmetik. Sie geht oft bis hin zur Meinung, wenn nicht gar zum Urteil über andere Menschen. In jeder Hinsicht – auch in der Kosmetik – seinen eigenen Stil zu finden, heißt also nicht zuletzt, sich von der Bevormundung – man kann das auch feiner »Manipulation« nennen – durch andere frei zu machen. Dazu gehört auch, daß man sich nicht allzu sehr von den Kosmetikvorschlägen der Zeitschriften, besonders der Frauenzeitschriften, beeinflussen läßt. Häufig werden hier die Mädchen und Frauen alle über den gleichen Modekamm geschoren. Besonders beliebt ist dabei die Methode »Vorher – Nachher«, bei der angeblich ach so häßliche Entlein in strahlend schöne Schwäne verwandelt werden. Sicher sind die so behandelten Gesichter hinterher makelloser, hübscher im modischen Sinn. Individueller und mehr sie selbst sind sie aber in der Regel nicht geworden – ganz im Gegenteil, sie gleichen einander wirklich wie ein Schwan dem anderen . . . !

Mit den Schönheitsrezepten aus den Zeitschriften ist das überhaupt so eine Sache . . . Es lohnt sich, vor allem bei den extra für Frauen gemachten Zeitschriften, einmal ganz genau hinzuschauen, wo der redaktionelle Teil aufhört und wo die Werbung anfängt. Oft sind beide so eng miteinander verknüpft, daß man sie kaum noch auseinanderhalten kann. Da heißt es zum Beispiel in einer Frauenzeitschrift unter der Rubrik »Die neuesten Schönmacher«: »Die Firma X hat eine Creme entwickelt, deren Wirksamkeit garantiert und mit klinischen Tests belegt wird . . .« oder »Alles, was junge Mädchen unter 20 zum Pflegen und Schminken brauchen, finden Sie in der neuen Serie ›Y‹ von der Firma Z«. Nicht immer ist der Werbezweck solcher »Redaktionsbeiträge« so offensichtlich wie in diesen Beispielen – meistens schleicht er sich viel unauffälliger ein. Ganz klar, daß man dieser Form von Werbung viel eher auf den Leim geht als der echten. Schließlich glaubt man ja, daß da Leute über eine Sache schreiben, die mehr davon verstehen als man selbst. Also: kritisch lesen (sofern man es überhaupt für lesenswert hält. Aber das ist wieder ein Thema für sich!).

Auch über die echte Kosmetikwerbung lohnt es sich nachzudenken – damit man nicht Dinge kauft, die entweder überflüssig sind oder die man billiger haben könnte – bei gleicher Qualität, versteht sich! Aber es ist gar nicht so einfach, nicht auf die Kosmetikwerbung hereinzufallen. Da strahlt so ein richtiges Traummädchen von der bunten Illustriertenseite: hübsch, makellos, unkompliziert – einfach »zum Anbeißen«. Und das alles, weil dieses Mädchen regelmäßig die Feuchtigkeitscreme der Firma A verwendet – pro Töpfchen für nur 12,80 DM in jeder Drogerie zu haben. Je teurer eine Creme, um so aufwendiger sind in der Regel Aufmachung, Verpakkung und Namen: Cleansing Creme, Creme Moisturizer, Eye Creme, Hand- und Nail Care Creme . . . vor soviel käuflicher Schönheit erstarrt man ja schon beim Lesen in Ehrfurcht! Und genau das ist ja auch der Sinn der Sache. Schließlich klingt »Cleansing Creme« doch viel, viel überzeugender als Reinigungscreme!

Daß man nicht auf alles hereinfällt, was einem die Werbung verspricht – dagegen hilft eigentlich nur Information. Information darüber, was Kosmetika nützen oder nicht nützen oder auch Informationen wie etwa die: ein unabhängiger Test hat bei Feuchtigkeitscremes ergeben, daß es zwar kaum Qualitätsunterschiede, sehr wohl aber Preisunterschiede gibt. Das preiswerteste Produkt kostete 1,63 DM, das teuerste 62,00 DM. Solche Untersuchungsergebnisse findet man meist nicht nur in den entsprechenden Testzeitschriften, sondern auch in Tageszeitungen. Nun soll das alles nicht heißen, daß man immer nur das Allerbilligste kaufen sollte. Wenn einem zum Beispiel bei einem teureren Produkt der Duft besser behagt und der Geldbeutel das verkraftet – warum nicht. Bloß: gepflegt und appetitlich schaut man halt auch schon für 1,63 DM aus – und schöner (was immer man sich darunter vorstellt) wird man für 62 DM auch nicht.

Mit den Waffen einer Frau . . .

Das ist bei aller Emanzipation und bei allem Fortschritt nicht totzukriegen: das Schlagwort von der Schönheit als »Waffe einer Frau«. Der verheißungsvolle Augenaufschlag unter perfekt geschminkten Wimpern hervor, der figurbetonte Pulli, das Kleid aus schmeichelndem Stoff und vieles andere mehr – das alles wird unter diesem Schlagwort angepriesen. Kein Wunder, daß sich viele Mädchen und Frauen sozusagen »wehrlos« fühlen, wenn sie dem gerade gängigen Schönheitsideal nicht entsprechen, wenn sie nicht über das notwendige ›Waffenarsenal‹ – vom neuesten Lidschatten bis zum Nagellack – verfügen.

Waffen braucht man in der Regel, um sich zu verteidigen oder um für oder gegen etwas zu kämpfen. Bei den ›Schönheitswaffen‹ heißt das wohl für die Chancen beim anderen Geschlecht und gegen die weibliche ›Konkurrenz‹: mit dem raffinierten Make-up ein männliches Opfer »erschlagen«, mit dem neuesten Jeans-Modell der weiblichen Konkurrenz um eine Nasenlänge voraus sein – das sind Waffen, die auf die Dauer bestimmt kein siegreiches Ergebnis einbringen. Vielleicht geht einem da manche Freundin verloren, mit der man sich eigentlich zusammentun sollte, und mancher Freund wird vielleicht das Weite suchen, wenn der Lack der Schönheit erst einmal

ab ist. Und er geht schneller ab, als man gemeinhin annimmt.

Das alles soll nicht heißen, daß man nun so vergammelt und ungepflegt durch die Gegend läuft wie irgend möglich, nur um zu demonstrieren, daß man kein Konsumtrottel ist. Gepflegt und mit dem eigenen Spiegelbild zufrieden sein, ist das eine – dabei aber immer nur auf die Wirkung zu schielen, die man auf andere ausübt – das ist das andere und sicher das schlechtere!

Irgendwann in der Freundschaft, in der Ehe, im Beruf oder wo sonst auch immer wird jedes Mädchen einmal zeigen müssen, was es außer Schönheit noch zu bieten hat. Wer immer nur an den »Waffen einer Frau« herumpoliert hat, der wird spätestens dann merken, daß man sich damit allein ganz sicher nicht durchs Leben schlagen kann!

Seine Ferien ausschließlich auf den Urlaubsgrills südlicher Regionen zu verbringen, ist zumindest aus kosmetischer Sicht nicht unbedenklich. Und genau betrachtet – wird es nicht irgendwann einmal langweilig? Vielleicht könnte man doch auch einmal etwas anderes unternehmen – alleine oder mit Freunden. Manche Eltern muß man allerdings erst davon überzeugen, daß es heute viel mehr Möglichkeiten gibt als zu der Zeit, als Vater und Mutter vierzehn waren. Vielleicht lassen sie mit sich reden, wenn man vernünftige Vorschläge zu machen hat!

Reisen - aber wie?

Annemarie Hassenkamp

Wenn man nicht mehr mit der Familie in die Ferien fahren will. Es muß nicht immer gleich Honolulu sein. Reisemöglichkeiten für Jugendliche – es gibt mehr, als man denkt. Von der Qual der Wahl.

Großes Maulen am sonntäglichen Familientisch. »Schon wieder an die Adria«, seufzt Ute dramatisch, während sich die Eltern bedeutungsvoll ansehen und man dem Vater anmerkt, wie er das »Ich wäre früher froh gewesen, nach Italien zu dürfen« herunterschluckt. »Was hast du denn gegen die Adria?« flötet Mama mit dem Versuch, die Wogen zu glätten, die da anzurollen drohen. »Na, doof ist es«, sagt Ute patzig – und nun ist der schönste Sonntagmorgenzwist im Gange. Es geht munter hin und her, und von Zeit zu Zeit wird festgestellt, daß Vetter Christian schon seit langem allein verreisen dürfe, obwohl er kaum älter als Ute sei. Ute ist 14 Jahre alt, geht aufs Gymnasium und hat bisher gemeinsam mit ihren Eltern und dem kleinen Bruder Ferien gemacht – in den letzten Jahren immer an der Adria. Seit einiger Zeit piekt es sie. Sie möchte gern allein verreisen mit einem Club, einer Gruppe, mit Freunden, und wenn schon mit den Eltern, dann irgendwohin, wo es nicht so furchtbar langweilig ist. Im Sand liegen, Schwimmen, mit den Eltern im Lokal sitzen und zuschauen, wie sie Wein trinken, während

man selbst am Cola nippt – ist das vielleicht ein Ferienvergnügen? Wenn sie nur daran denkt, was die Mädchen der oberen Klassen so alles machen: Sprachkurse, Segeln, Pony-Trekking und was es da sonst noch alles gibt! Bloß sie muß jahraus jahrein mit den Eltern und dem dämlichen Michael – wie sie ihren Bruder in Gedanken schwesterlich liebevoll tituliert – immer in dasselbe italienische Kaff gehen, wo sich die Leute auf die Füße treten, kaum Platz zum Spielen vorhanden ist und es einem manchmal vor Langeweile stinkt – wenn auch die Italiener im allgemeinen sehr nett sind und man im Hotel sogar Krach machen kann, ohne daß sich gleich jemand aufregt.

Während Ute später, den Plattenspieler auf höchste Lautstärke ge-

stellt, ihren trüben Gedanken nachhing, sagte Utes Mutter zu ihrem Mann, daß man vielleicht doch mal dran denken könnte, für Ute eine Reise ohne Eltern auszusuchen. Papa schnaubte, wie das in solchen Fällen die meisten Väter zu tun pflegen, aber da er im Grunde ein vernünftiger Mann war, hörte er sich an, was seine Frau ihm da unterbreitete. In diesem Jahr könne man doch eine Ferienreise planen, die mit einem speziellen Programm für Jugendliche gekoppelt sei. Dies sei heute in verschiedenen Ferienzentren, wie sie allenthalben neu entstanden seien, durchaus möglich. Die Kinder wären unter ihresgleichen, machten Ausflüge, trieben Sport, diskutierten, tanzten, spielten – und die Eltern wären ebenfalls für sich. Auch für Michael gäbe es entsprechende Gruppen und: »Nicht wahr, Johannes, uns beiden täte es doch auch mal ganz gut, Ruhe zu haben, das tun zu können, wozu wir Lust haben, ohne uns immerzu nach den Kindern richten zu müssen.« Johannes brummte Beifall: »Ja, dann such du mal so etwas aus«, sagte er. Um das Eisen zu schmieden, solange es heiß war, fügte die Mutter, gleich nachdem sie zugesagt hatte, sich um ein entsprechendes Feriendomizil zu kümmern, hinzu: »Und im nächsten Jahr ist Ute 15 Jahre alt, dann hat sie lange genug Englisch in der Schule gepaukt und sollte nun endlich die Sprache im Land lernen.« »Auch das noch!« stöhnte Papa, »die Prinzessin muß auf Auslandstournee, na das wollen wir erst einmal abwarten.« Nun, Utes Mutter war ganz zuversichtlich, schon in Anbetracht des Zeugnisses, und unterbreitete ihrer Tochter die frohe Botschaft über den Stand der Dinge, was Ute nur ein atemloses »Dufte« entlockte – wobei sie mehr an England als an die zunächst mal zu bewältigenden Ferien mit Eltern und Bruder dachte.

So oder ähnlich läuft es in vielen Familien ab. Nicht immer sind die Mütter so verständnisvoll und die Väter so aufgeschlossen, aber mit gutem Willen und den richtigen Argumenten kann man die Eltern vielleicht doch überzeugen, wie schön Ferien sein können, wenn *jeder* dabei auf seine Kosten kommt. Und man muß ihnen auch beibringen, daß das Ferienvergnügen eines Neunjährigen anders aussieht als das eines Zwölf- oder Vierzehnjährigen. Daß Töchter erwachsen werden, ist vor allem für Väter schwer zu begreifen, die im widerborstigen Teenager immer noch das liebevolle, zärtliche kleine Mädchen suchen. Während Mütter es gar nicht so gern haben, durch ihre hochaufgeschossenen Töchter, die plötzlich an Jungen Gefallen finden, ihr eigenes Alter zu spüren, obwohl sie sich eigentlich noch sehr jugendlich fühlen und ebenso schnell schwimmen, ebenso ausdauernd wandern können wie sie, die Jüngeren.

Es gibt zweifellos engstirnige Eltern, die in starren Konventionen verharren, aber im großen und ganzen kann man doch sagen, daß die jetzige Elterngeneration durchweg recht brauchbar ist. Ihr Nein, wenn es sich um Reisen, womöglich mit einer Freundin, womöglich per Anhalter handelt, resultiert nicht aus Rückständigkeit, sondern aus tiefer Sorge. Es ist ja nun mal so, daß sich niemand groß darüber aufregt, wenn ein paar Jungen lostrampen – sie werden sich schon zu helfen wissen, sie schlafen irgendwo im Schlafsack im Freien, wenn sie kein Quartier finden, oder in irgendeiner Scheune. Bei Mädchen ist das schon schwieriger, denn die Unsicherheit auf unseren Straßen wächst mit jedem Jahr. Es werden jährlich zu viele Gewaltverbrechen an jungen Mädchen oder Frauen begangen, die getrampt sind, als daß nicht eindringlich davor gewarnt werden sollte, auf eigene Faust Tramptouren zu machen oder sie zuzulassen. In diesem Punkt sollten die Eltern unerbittlich sein – und die jungen Mädchen einsichtig genug, dies auch zu akzeptieren. Mag es vielleicht für zwei oder drei Mädchen, die zusammen reisen, weniger gefährlich sein, sie ziehen deshalb keineswegs angenehmere oder nettere Männer an.

Doch alleinreisende Mädchen sind nicht nur in Deutschland gefährdet, im Ausland ist es manchmal fast unmöglich, und es gibt Länder, in denen junge Mädchen ohne männliche Begleitung tunlichst nicht herumreisen sollten. Das gilt zum Beispiel für Italien. Dort ist es zwar nicht gerade gefährlich, aber die jungen Männer sind oftmals sehr aufdringlich, verfolgen einen auf Schritt und Tritt und können es kaum begreifen, wenn ihnen eine Touristin die kalte Schulter zeigt. Wie weit das an ihren Erfahrungen mit den Damen aus dem Norden liegt, wollen wir dahingestellt sein lassen. Nicht viel anders ist es in vielen arabischen Ländern, vor allem in Ägypten. Und die Spanier, die früher recht zurückhaltend waren, sind dank des blühenden Tourismus auf dem besten Wege, von dieser Tugend zu lassen.

Aber müssen wir denn allein herumreisen, müssen wir denn unbedingt trampen? Gibt es nicht eine Fülle von Angeboten – darunter auch sehr preiswerte – so daß jeder garantiert das finden kann, was ihm auch Spaß macht?

Muß das Ferienziel denn so schrecklich weit entfernt sein? Kann es nicht auch einmal im eigenen Land liegen, das wir ja leider Gottes meist sehr schlecht kennen? Radfahren soll ja wieder sehr in Mode gekommen sein, und ein Rad hat ja fast jeder. Wie wär's mit einer Tour? Die ganze Freundschaft zusammen ein paar Tage von Jugendherberge zu Jugendherberge? Das werden die Eltern vielleicht erlauben, aber die Fahrt muß gut vorbereitet sein: Die kleinen Nebenstraßen werden auf einer Karte mit großem Maßstab ausgesucht, damit man nicht im Benzinmief radeln muß. Dazu werden zwei »Pfadfinder« bestimmt, die sich ein Jugendherbergsverzeichnis besorgen und die Route festlegen. Oh Wunder! Sie finden dann tatsächlich die richtigen Wege und die guten Plätze fürs Picknick und wissen die Abstecher zu einigen Sehenswürdigkeiten, die von dem vorher ernannten »Kulturreferenten« erklärt werden. Vielleicht ist sogar jemand dabei, der etwas von Botanik versteht oder von Geologie, dann wird die Fahrt eine runde Sache. Abends in der Jugendherberge, die man heutzutage – mit einer Sondergenehmigung – auch noch nach zehn Uhr abends betreten darf, trifft man eine ganze Menge netter Leute aus den verschiedensten Ländern. Da wird erst etwas zaghaft Englisch oder Französisch gesprochen und siehe da, bald geht's schon besser, man versteht einander.

Da wären wir schon bei den Fremdsprachen. Mit einem Sprachkurs können wir die Eltern am besten dazu bringen, uns von der Leine zu lassen. Sprachkurse sind keineswegs Büffelkurse mit Schuleinschlag. Der eigentliche Unterricht nimmt meist nur zwei bis drei Stunden am Tag in Anspruch, aber da man sowieso den ganzen Tag mit Jugendlichen aus aller Herren Länder zusammen ist, einigt man sich auf die Sprache des Landes, in dem man sich aufhält, und radebrecht schlecht und recht. Und das macht es dann aus, das bringt's! Man sollte übrigens nie mit

einer Freundin in einen Sprachkurs gehen, dann wird nämlich nur Deutsch gesprochen, man steckt immer zusammen, weil man sich fremd fühlt, Hemmungen hat und sich nicht traut, in der fremden Sprache draufloszureden.

Für Sprachkurse im Ausland ist Voraussetzung, daß die Teilnehmer die Grundbegriffe der Sprache beherrschen. Die Veranstalter von Sprachkursen setzen zwei Jahre Schulunterricht voraus. Es gibt heute kaum Sprachkurse ohne die Möglichkeit, irgendeinen Sport oder ein Hobby nebenher zu treiben. Selbstverständlich lernen die Teilnehmer auch Land und Leute kennen, machen Ausflüge, Exkursionen und anderes. So werden Segeln in England und Spanien, Reiten in England und Irland, Skifahren in Frankreich und der Schweiz häufig mit dem Erlernen der jeweiligen Sprache kombiniert. Das sind dann besonders genußreiche Ferien, aber sie sind natürlich nicht billig. Überhaupt sind Sprachferien etwas Besonderes, sie haben ihren Preis, und die Eltern müssen vielleicht ein Opfer bringen. Aber gemessen an den Nachhilfestunden, die anschließend eventuell überflüssig werden, hält es sich immer noch in Grenzen. Daß eine solche Reise in ein fremdes Land den Horizont erweitert, liegt auf der Hand, sie macht den jungen Reisenden seinen Mitmenschen gegenüber toleranter und schenkt ihm Selbstvertrauen.

Eine der besten Methoden, die fremde Sprache zu lernen, ist der Aufenthalt in einer Familie im Ausland. Hier bleibt einem nichts ande-

res übrig, als sprechen zu lernen, es sei denn, man spricht schon in seiner eigenen Sprache nur sehr wenig. Menschen, die nicht gern reden, lernen sehr schwer Fremdsprachen. Da aber die meisten Mädchen gern quasseln, sind sie gerade richtig bei Familie Smith oder Dupont aufgehoben. Aus diesem Grund sind fast alle Angebote für Jugendliche bis zu 16 Jahren als Familienaufenthalt gedacht. Die Schüler wohnen in den Familien, sind aber einer Gruppe zugeordnet, mit der sie täglich ein paar Stunden Unterricht haben, mit der sie mittags – vielleicht in der Mensa der Universität – essen, mit der sie gemeinsam allerlei unternehmen, um das Land kennenzulernen. Die Familie ist als Rückhalt da, mit den einzelnen Mitgliedern muß man sprechen – beim Frühstück, beim Abendessen, zwischendurch. Es bleibt einem gar nichts anderes übrig, als sich irgendwie durchzustottern. Und nach ein paar Tagen – hoppla, da funktioniert es ja tatsächlich. Man kann sich verständlich machen und begreift, was die anderen von einem wollen.

Neben den Sprachkursen mit Unterbringung in Familien, dem Unterricht meist an der Universität, den Veranstaltungen in der Gruppe gibt es den reinen Austausch von Schulkindern, der überwiegend in der Hand der Sprachlehrer an den Schulen liegt. Hierbei ist nur die Fahrt zu bezahlen, die nicht sehr teuer ist. Die Schüler fahren in Sonderzügen von ihrem Heimatort, das heißt von der nächstgelegenen Großstadt nach England oder Frankreich, werden von den Gasteltern in Empfang genommen und leben in einer Familie, in der es meist ein gleichaltriges Kind gibt. Später wird dieses dann zum Austausch nach Deutschland kommen. Außer der Unterbringung in Familien mit und ohne Kursbetreuung, mit und ohne Austausch gibt es zahlreiche Angebote für den Aufenthalt in Studentenheimen, Jugendherbergen, Pensionen oder anderem. Sie fangen überwiegend erst für Teilnehmer ab 16 Jahren an, doch einige Kurse sind auch für Jüngere gedacht.

Das gleiche gilt für das Gros der Ferienreisen, seien sie von den großen Reiseveranstaltern geboten oder aber von den auf Jugendliche spezialisierten Reisediensten. Immerhin, wer sucht, der findet auch Abenteuerferien in England, Segel- und Tennis-, ja sogar Tauchferien und Rundreisen schon ab 15 Jahren oder jünger.

Wer sich für eine Jugendreise interessiert, sollte den Eltern die Mühe abnehmen und vorsortieren, sich in einem Reisebüro erkundigen, Prospekte anfordern und Preise vergleichen, denn es hat sich gezeigt, daß es bei gleichen Leistungen ganz erhebliche Unterschiede zwischen den Angeboten gibt.

Die Jugendreiselandschaft ist etwas wirr, und es bedarf schon eines sorgfältigen Studiums, um hier durchzukommen, zumal die Angaben nicht immer klar sind. So sollte man sich nicht scheuen, auch Rückfragen zu stellen. Zum Beispiel wieviel Auslandsgäste die Familie aufnimmt, in die man vielleicht gehen möchte. Man sollte nur in eine Familie gehen, in der nicht mehr als zwei Sprachgäste sind, sonst kommt für einen selbst nicht viel heraus.

Neben den Angeboten der bekannten und auf Jugendreisen spezialisierten Unternehmen gibt es immer wieder Reisen, die irgendwo in der Zeitung angezeigt werden, und die durchaus empfehlenswert sind, wie zum Beispiel Reisen oder Freizeiten von Volkshochschulen, wie Schüleraustausch von deutsch-französischen oder deutsch-englischen Instituten, die, aus der Besatzungszeit hervorgegangen, heute noch ihre Berechtigung haben. Sie heißen zum Beispiel *»Gesellschaft der Freunde französischer Kultur«*, Stuttgart, Charlottenplatz 17, und ähnlich.

Eine breite Palette an Angeboten hat der *CVJM* zusammen mit der *»Arbeitsgemeinschaft Katholische Ferienwerke«* herausgebracht. Der Gemeinschaftsprospekt umfaßt neben Sprachkursen Reisen in die UdSSR, in die DDR, an die Schwarzmeerküste, nach Israel. Auch bei Indien/Nepal steht »Alter: keine Begrenzung«, aber hier sollten die Teilnehmer schon eine gewisse Reife haben. Der Prospekt ist zu beziehen durch *CVJM*, 3500 Kassel, Im Druseltal 8, durch das *Katholische Jugendwerk*, 5000 Köln, Neumarkt 12 – 14, sowie das *Katholische Jugendferienwerk*, 4200 Oberhausen, Elsa-Brandström-Str. 11, den *Club-Reisedienst*, 5800 Hagen-Haspe, Tilmannstr. 13, den *IFAD-Internationale Fahrten und Austauschdienst*, 7640 Kehl/Rhein, Karlstr. 30. Der *Deutsche Jugendherbergswerks-Reisedienst*, 4930 Detmold 1, Postfach 220, bietet ebenfalls Ferienprogramme an, die reizvoll erscheinen wie Hobbyferien in Dänemark, Bootsfahrten in Frankreich und andere.

Auch die großen kommerziellen Reiseveranstalter nehmen sich in den letzten Jahren immer mehr der jungen Reiselustigen an. Zwar gilt das Reiseangebot in der Mehrzahl den etwas älteren Jugendlichen so ab 16, 17 Jahren, doch wurden auch die jüngeren nicht vergessen. Sei es an Ost- oder Nordsee, sei es in den Robinsondörfern in Kenia, Italien, Frankreich und wo immer, die »Junioren« wie die Acht- bis Sechzehnjährigen gern genannt werden, können Ferien ganz auf eigene Faust machen, obwohl sie in Begleitung Erwachsener anreisen. Sie haben ihr spezielles Unterhaltungsprogramm, finden Gleichaltrige und haben in der Gruppe ihren Spaß. Das bedeutet natürlich, daß man erst mal die Eltern zu dieser Ferienform bewegen muß. Nun gibt es ja genug moderne Eltern, die gern etwas Neues ausprobieren. Da bieten sich einmal die *Clubs Méditerrannées* an, die in Frankreich entstanden und heute über die ganze Welt verstreut sind. Sie sind sehr französisch, auch wenn in einigen Deutsch gesprochen wird. Wenn Eltern eine Vorliebe für Frankreich und die französische Sprache haben, werden sie gut aufgehoben sein. Vor allem sportbegeisterte Menschen kommen hier auf ihre Kosten, denn alle Sportarten sind im Preis inbegriffen. Für Kinder und Jugendliche gibt es innerhalb der Clubs Miniclubs. Ab 17 Jahre darf man auch allein ohne Eltern einen Aufenthalt buchen.

sind, gibt es die *Ferienparks* an fast allen Gestaden Europas, die sich um eine liberale Ferienform, um Unterhaltung und Beschäftigung bemühen und vor allem den jungen Menschen ansprechen. Hier kommt jeder auf seine Kosten. Das Positive an diesen Zentren ist wohl, daß die Familien gern zusammen in Urlaub gehen, daß keiner dem anderen auf den Wecker fällt, weil sich niemand langweilt, und daß sich alle prächtig erholen.

Gemeinsam verreisen und am Urlaubsort getrennt seinem Ferienvergnügen nachgehen – das ist sicher eine gute Übergangsregelung vom reinen Familienurlaub zum Verreisen ganz ohne Eltern.

Ähnlich ist es im deutschen *Robinsonclub*, der nach dem französischen Muster errichtet worden ist. Die Dörfer bieten den Jugendlichen großen Freiraum und eine Fülle von Anregungen, um sich in den Ferien prächtig zu unterhalten und zu beschäftigen, sei es mit Sport, Spiel, Basteln, Malen und was auch immer.

Neben diesen bestimmten Clubs, die zu festen Begriffen geworden

Bei Ute und ihrer Familie hat das auch ganz prima geklappt. Nicht zuletzt der Vater hat es sehr genossen, daß die »Junioren« schon am Morgen verschwanden und erst abends müde und zufrieden wieder auftauchten, während er selbst am Strand faulenzen und mit seiner Frau Besichtigungsfahrten in die Umgebung machen konnte. Gegen Utes Englandreise im nächsten Sommer hat er jetzt auch nichts mehr einzuwenden. Und nicht zuletzt ist Utes Bruder Michael Nutznießer der ganzen Feriendiskussion geworden. Auch er darf in den nächsten Ferien alleine weg – mit den Pfadfindern ins Zeltlager.

Gewaltsame Überleitungen von einem Thema zum anderen sollte man möglichst vermeiden. Aber Reisen gehört zur Freizeit – und zur Freizeit gehört auch das Thema Nummer 1 für viele Jugendliche: Beatmusik, Pop und Schlager. Also vielleicht doch keine gewaltsame Überleitung?

Heiße Musik und Schlager

Bernd Konrad / Hans Kumpf

Rockmusik – und wie alles begann. Die Stars und ihr Image. Schlager sind gesund, zumindest für die, die daran verdienen. Schlagertexte zum Mitfühlen.

1954 in einer nordamerikanischen Großstadt. Ein großer, dicklicher, nicht besonders aufregender Typ steht auf der Bühne. Mit seinem Babygesicht, der großkarierten Jacke und dem schwarzen Samtbändchen um den dicken Hals wirkt er etwas unbeholfen. Er räuspert sich, stellt das Mikrophon ein wenig höher. Ab und zu klatscht er sich mit der Hand seine kunstvoll gelegte, von Haarpomade triefende Locke gegen die Stirn. Er grinst pausenlos.
Noch einmal schaut er sich nach seinen Musikern um, zwinkert ihnen zu und hebt den rechten Daumen: bevor sich der Vorhang ganz gehoben hat, legen sie los – Bill Haley und seine »Comets«, mit dem absoluten Hit der damaligen Zeit: Rock around the clock heißt dieser Hit. »One two three o'clock four o'clock rock . . .«

Haley schreit, stampft auf und schlägt auf seine umgehängte Gitarre. Er verrenkt sich, läuft quer über die Bühne, zeigt auf seinen Bassisten, der auf die seitliche Ausbuchtung seines Kontrabasses springt. Er zupft immer noch, während er, bereits wieder abgesprungen, das Instrument einige Male um die eigene Achse wirbelt: »nine ten eleven o' clock twelve o'clock rock . . .«. Dann spielen sie »Crazy Man Crazy« und »Shake Rattle and Roll« – alle drei Titel wurden Millionenhits.
Haley läuft der Schweiß von der Stirn, doch er grinst immer noch. Er grinst auch noch, als die begeisterten Fans von ihren Plätzen aufspringen, Mädchen in engen »Nietenhosen« und mit Pferdeschwanzfrisur zu kreischen beginnen und ein Pärchen auf die Bühne springt, um Rock'n Roll zu tanzen.

172

Kein Zweifel – mit Bill Haley hatte das Rock-Zeitalter begonnen. »Rock Around The Clock« wurde zum Themasong des Films »Blackboard Jungle« (»Saat der Gewalt«), ein Film, der sich mit der Problematik der Jugendlichen auseinandersetzte. Seine Musik wurde nicht nur als Musik verstanden, sie war auch Verständigungsmittel, »sprachlose Opposition« der aufbegehrenden Generation. Der Hauptdarsteller James Dean aber war mit diesem Film zum Idol dieser Jugend geworden, man identifizierte sich mit ihm.

»Wir hatten noch nie so etwas gehört, aber auf einmal war Bill Haley da, und mit ihm kam mehr als eine neue Musik. Wir trugen Röhrenhosen, bunte Hemden und hatten die Kragen hochgeschlagen. Wir hatten das Gefühl, nicht mehr alleine zu sein . . .« (*Ein Teen 1955*)

Das Teenagerproblem der Nachkriegsgeneration wurde jetzt erkannt, zum Teil aber völlig mißverstanden. Die Presse sprach von der »aggressions- und zerstörungswütigen Jugend in Nietenhosen, Lederjacken und spitzen Schuhen«, als 1958 bei den ersten Haley-Konzerten in Deutschland einige Kinosessel aus der Verankerung gerissen wurden. Statt auf die Bedürfnisse der Jugendlichen einzugehen, stempelte man diese Jugend zum Sündenbock des laut gewordenen Generationskonflikts. Der Rock'n Roll wurde zur Antimusik erklärt, und der spanische Cellist Pablo Casals erkannte darin »alle Widerwärtigkeiten unserer Zeit«.

Wie es zu dieser Musik kam
Mit Bill Haley hatte das Rockzeitalter begonnen. Er war einer der ersten weißen Musiker, die Rock'n Roll spielten und damit Erfolg hatten. Erfunden oder entwickelt hat er diese Musik nicht. »Alles, was wir spielen, kommt vom Blues«, sagte er selbst einmal dazu.
Die Ursprünge dieser Musik liegen Jahrhunderte zurück und sind eng verknüpft mit dem Schicksal der schwarzen afrikanischen Völker.
Als Kolumbus 1492 in Amerika landete und Spanien wenige Jahre später in den angeeigneten Gebieten die Sklaverei einführte, wurden vom 16. bis ins 19. Jahrhundert hinein etwa 15 Millionen Sklaven von Afrika nach Amerika verschleppt. Die damaligen Gesetze verboten es, den Sklaven Lesen und Schreiben

beizubringen, und sie durften auch keine Religion ausüben ohne die ausdrückliche Erlaubnis ihres jeweiligen Herrn.

Erste Sklavenaufstände zu Beginn des 18. Jahrhunderts und die Angst der Weißen vor weiteren Aufständen verschafften den Sklaven nach und nach kleine, für die Weißen ungefährliche Freiräume.

Work-Songs und Gospel

Sie dürfen miteinander sprechen und sie dürfen singen. Sie singen bei der Arbeit auf den Baumwollfeldern und Plantagen, sie hacken und graben im gemeinsamen Rhythmus, wie sie es schon in ihrer alten Heimat getan hatten. Diese Lieder, meist in Ruf- und Antwortphrasen gesungen, werden von den Weißen »work-songs« genannt. Nach getaner Arbeit dürfen die Sklaven jetzt auch bestimmte religiöse Lieder singen. Lieder, die aufgrund der protestantischen Bewegung und Missionierung von »weißer Religiosität« geprägt sind.

Da nach alter afrikanischer Vorstellung der Mensch nur in Ekstase Verbindung mit seinem Gott aufnehmen kann, wobei die körperliche Bewegung sich in eine seelische umsetzt, bilden sich Mischformen, die »Gospelsongs«. Sie sind Verbindungen »weißer« Kirchengesänge und alter afrikanischer Rituale. Bis zum Trancezustand und in einer Art Selbsthypnose singen die Schwarzen ihre Gospelsongs in ihren Kirchen, die ihnen im Lauf der Zeit von liberalen Weißen zugebilligt werden.

Der Blues

Die wichtigste Form, die sich ebenfalls aus der Vermischung der traditionellen afrikanischen und europäischen Kultur entwickelte, ist der Blues. Inhaltlich beschreibt der Blues immer persönliche Probleme und Ereignisse, die auch für die Gemeinschaft von Wichtigkeit sind. In dieser Zeit waren es also meistens Probleme der sozialen Situation der Schwarzen und der Rassendiskriminierung. Weitere Bluesmotive sind das »Nicht-geliebt-werden«, der Liebeskummer, Untreue des Partners und Traurigkeit. »To have the Blues«, den Blues haben, bedeutet meist soviel wie »melancholisch sein« oder »den Moralischen haben«.

Der Blues ist zum Ausgangspunkt der Pop- und Rock-Musik, aber auch des Jazz, vom Dixieland-Stil bis zum Free-Jazz, geworden. Er hat viele Gesichter, entscheidend ist das »Bluesfeeling«, das Gefühl für den Blues.

Mit zunehmender Entwicklung wurde vom Blues zum Teil nur das formale Harmonie-Schema übernommen, das sich aus dem Aufbau der früheren Bluestexte ergibt. Über dieses Gerüst improvisiert der Pop- oder Jazzmusiker.

Doch zurück zu den Sklaven in Amerika. 1865, mit Beendigung des amerikanischen Bürgerkriegs, treten auch die Bürgerrechtsgesetze in Kraft, die Sklaverei gilt als abgeschafft.

Aber nach wie vor sind die Schwarzen benachteiligt. Meist arbeiten sie weiter als Baumwollpflücker oder als Holzfäller. Manche ziehen von Dorf zu Dorf, meist mit einer Gitarre, spielen und singen für ihre schwarzen Brüder. Diese »Countrybluessänger« verdienen sich damit ein bißchen Geld oder ein warmes Essen.

Auch in New Orleans, Chicago und St. Louis, den Städten mit den vielen Amüsierlokalen, entwickelt sich der Blues zu Beginn unseres Jahrhunderts weiter. Die Bands, die hier entstehen, spielen zumeist instrumentalen Blues. Die Weißen werten den aufkommenden instrumentalen Jazz, den »New Orleans Jazz«, als »Niggermusik« ab, und die anklagenden Texte des Blues finden in der Welt der Amüsierlokale wenig Anklang. Musik mit nachdenklichem Hintergrund ist nicht gefragt.

Rhythm' & Blues – Rock'n Roll
Während der Jazz in den folgenden 50 Jahren immer neue Stile entwik-

kelt, sich weiterhin europäisiert und auch von vielen weißen Musikern gespielt wird, entsteht zu Beginn der fünfziger Jahre eine Musik, die sich stark an den Anfängen des Country-Blues orientiert. Es ist eine Musik mit hart gespieltem Schlagzeug und bereits verstärkten Instrumenten, eine Musik, die nur *von* Schwarzen *für* Schwarze gespielt wird: der Rhythm' & Blues. Die großen »weißen« amerikanischen Radioanstalten boykottieren jahrelang diese »Negermusik« – sie wird nicht gesendet.

Erst als ein Disc-Jockey eine Reihe von Rhythm' & Blues-Konzerten mit schwarzen und weißen Musikern für das weiße Publikum produziert und diese Konzerte zum großen Erfolg des Jahres werden, ändert sich die Situation. Der

Rhythm' & Blues wird populär und verliert damit auch bald seine Protestfunktion. Jetzt spezialisieren sich auch weiße professionelle Musiker auf diese Musik, die nicht Rhythm & Blues machen, um einen Zustand anzuprangern oder Mißstände aufzuzeigen, sondern einfach um Erfolg zu haben. Um den ehemaligen negativen Beigeschmack des Boykotts zu umgehen, nennen die Funkanstalten diese Musik jetzt aber nicht Rhythm' & Blues, sondern Rock'n Roll.

Die Stars der Rock'n Roll-Ära der fünfziger Jahre spielen auf der Bühne verrückt. Sie springen auf die Klaviere, traktieren sie mit Händen und Füßen, setzen sie sogar in Brand. Sie toben umher und veranstalten einen Höllenlärm. Sie singen nicht mehr, sie kreischen, fauchen, flehen, brüllen, suchen Kontakt mit dem Publikum: Sie haben gelernt, wie man Erfolg haben kann und wie man das Publikum behandelt. Sie wissen, was gefragt ist – heiße Musik und heiße Shows, je verrückter und ausgefallener, um so besser.

Bis 1956 führte noch immer Bill Haley die Hitparade an. Doch er war alt und dick geworden, war verheiratet, hatte fünf Kinder und genügte so gar nicht mehr den Ansprüchen an ein »Rock-Idol«. Jemand Neues mußte her, jemand, der jung war, den man nicht mit Frau und Kindern zu teilen brauchte, der kompromißlos und unabhängig zu sein schien und mit dem sich die Jugendlichen identifizieren konnten. Elvis Presley schaffte den Durchbruch, nachdem er mehr als eineinhalb Jahre mit Bill Haley und Pat

Boone konkurriert hatte. Seine Karriere wurde durch seinen Manager bestimmt, der sich schon mit Striptease-Shows, Vergnügungsparks und Wundermedizin ein Vermögen erworben hatte. Jetzt probierte er es mit Elvis. Er baute ihn auf, entwikkelte ihn und verkaufte ihn wie eine Ware. Jede Bewegung auf der Bühne wurde einstudiert. Vor Journalisten hatte er die Augen zu senken und von seiner Mutter zu erzählen, auf der Bühne mit anzüglichen Bewegungen und harter Musik die Mädchen zum Schreien zu bringen. Sein Manager verstand sein Geschäft – und jede Platte, die Elvis in den kommenden Jahren aufnahm, wurde ein Spitzenreiter. Bis zu 10 000 Verehrer- und Liebesbriefe erreichten den Star in der Woche – es war die ausdauerndste Teenager-Hysterie, die es bisher gegeben hatte.

Wie jedes Idol im Showgeschäft nutzte sich auch Elvis Presley allmählich ab. Doch sein Manager baute rechtzeitig vor. Aus dem jugendlichen Rebellen galt es, einen gemäßigten Sänger zu machen, den auch die ältere Generation akzeptieren konnte. Statt zu schreien, schmachtete Elvis jetzt die amerikanische Version von »O Sole Mio« ins Mikrofon: »It's Now or Never«. Dieser Titel wurde zu seiner meistverkauften Platte – die Umpolung von der harten Rock-Szene auf die laue Unterhaltungsbranche war gelungen!

Das Image

Das Prinzip, nach dem im Rock- oder Popgeschäft verfahren wird, ist eigentlich immer das gleiche: ein Image muß her, ein Bild des einzelnen Stars oder auch der einzelnen Mitglieder einer Gruppe, mit dem sich die Hörer identifizieren können. So war es zum Beispiel auch beim bislang größten Phänomen der Pop-Musik, bei den Beatles. Hier wurde übrigens zum ersten Mal ein Kollektiv und nicht nur ein einzelner Star in den Popkult einbezogen – aber jedes Mitglied dieser Gruppe bekam seinen eigenen Stempel aufgeprägt. So war Paul der Hübsche, George der Sensible, John intelligent und Ringo wurde für schüchtern und treuherzig erklärt. Obwohl diese Bilder, dieses Image, in keiner Weise mit der Realität übereinstimmten, war das Ziel erreicht: die Fans hatten die Möglichkeit, sich »ihren« Star auszusuchen, sich mit ihm zu identifizieren. Außerdem hatten die Beatles das gemeinsame Image, witzig und ironisch zu wirken, ohne arrogant zu sein. Neben Hemden, Feuerzeugen, Taschentüchern, Mützen, Anstecknadeln, ja sogar Schnürsenkeln, die mit ihrem Namenszug versehen waren, war das Umsichgreifen der Beatles-Frisur, des »Pilzkopfes« unter den Jugendlichen ein deutliches Anzeichen dafür, wie gut dieses Image ankam!

Abgesehen davon aber machten die Beatles tatsächlich eine Musik, die alles vorher auf der Musik-Szene Dagewesene in den Schatten stellte. Sie waren einfallsreicher, musikalischer und virtuoser als die Rock-Stars.

Ein anderes Beispiel für die Bedeutung des Starbildes sind die »Rolling Stones«. Ihre Haare waren länger und unordentlicher, ihre Kleidung verrückter, ihr Auftreten rokkerhafter als das der anderen Gruppen Mitte der sechziger Jahre. Zu einer Zeit, als die linke Studentenbewegung ihren Höhepunkt erreicht, bringen sie den Song »Streetfighting Man«, der den Straßenkampf, die offene politische Revolution fordert. Und ihr Manager gibt die Parole aus: »Die Stones sind keine Musikgruppe, sie sind eine Art zu leben ...« Die Stones haben bewirkt, daß ihre Fans außer Rand und Band geraten. Schlagzeilen machte das Stones-Festival in Altamont, das ursprünglich zu einem zweiten »Woodstock«, einem Fest von »Love and Peace« werden sollte. Das Open-Air-Festival auf der Autorennbahn Altamont wurde umschattet von Terror und Un-

menschlichkeit. 700 Unfälle, Messerstechereien und ein Mord an einem Schwarzen, der von der Ordnungstruppe »Hell's Angels« vor den Augen der Stones begangen wurde, waren das traurige Fazit. Das Festival der Liebe und des Friedens wurde zum schwärzesten Tag in der Rock-Musik.

In allen diesen Fällen (und es sind nur Beispiele, die sich beliebig ergänzen ließen) geht es eigentlich nicht mehr um Musik, es geht nur noch ums Geschäft. Ein Geschäft, das sich offensichtlich mit Jugendlichen besonders gut machen läßt. Ein deutscher Musikmanager drückte das einmal so aus: »Pop-Musik ist eine Ware wie jede andere; das gleiche wie ein Waschmittel; ich muß es verkaufen.«

Und die Schlager?

Nicht nur Beat und Pop bestimmen die Szenerie der Unterhaltungsmusik, zu tagtäglichen »Ohrwürmern« werden auch die Schlager, die Hits, deren Sprache man auf Anhieb versteht: die deutschsprachigen Schlager. Manchen Hörern und Hörerinnen gefallen bestimmte Melodien oder auch dieser oder jener Schlagersänger (es darf auch eine Sängerin sein!). Für manche ist Schlagermusik auch nur eine Berieselung – bei den Hausaufgaben zum Beispiel! Da kann man so ganz nebenbei ein bißchen mitsummen ...

Das Wort »Schlager« tauchte erstmals vor 100 Jahren in Österreich auf und bezeichnete eine »zündende Melodie«, die beim Publikum wie ein Blitz »eingeschlagen« hatte und ein Verkaufsschlager wurde. Damals war mit dem Begriff Schlager das gemeint, was wir heute unter einem »Hit«, also einem Verkaufs-»Treffer«, verstehen. Schlager heißt heute etwa: eine modisch-gängige, leicht nachsingbare Melodie mit einem gereimten und gefälligen Text. Der Hörer wird dabei meist ganz direkt mit dem vertraulich-intimen »Du« angeredet. Ein Produzent der deutschen Schlagerbranche sagte einmal: »Wir kennen den Markt und wissen, was ankommt. Leichte Kost mit ein wenig Pop, leichte Texte mit ein wenig Pep – fertig! Danach muß der Schlager gemacht werden. Ob es ein Hit wird, hängt nicht nur von uns ab, denn Qualität ist ja leider Gottes kein Maßstab.«

Die Schlagerindustrie

Ein Schlager soll ein Verkaufserfolg werden. Und damit er das wird, steht eine ganze Industrie dahinter, die mit vielerlei Tricks ihre Schlagerware an den Kunden zu bringen sucht. In der Bundesrepublik gibt es sieben größere Plattengesellschaften und 40 meist diesen angeschlossene kleinere Firmen. Die Schlagerstars sind nur ein kleines Rädchen im Getriebe, haben viel zu singen und wenig zu sagen, bilden aber – wie bei einem Eisberg – die weithin sichtbare Spitze. Joy Fleming (»Neckarbrücken-Blues«, »Ein Lied kann eine Brücke sein«) äußerte einmal, daß der einzelne Sänger innerhalb des Produktionsprozesses die schwächste Stellung einnimmt: »Der Solist ist an allem schuld, wenn irgend etwas nicht klappt, wenn die Säle nicht ausverkauft sind – immer der Solist ist der Schuldige.«

In und mit den Plattenfirmen arbeiten verschiedene Leute mit mannigfachen Aufgaben. Da gibt es Autoren, die den Text und die Musik machen. Sie müssen darauf bedacht sein, daß ihr neuer Schlager für die Hörer schon irgendwie vertraut klingt, aber doch etwas reizvoll Neues in sich birgt. Deswegen ähneln sich die Schlager auch sehr häufig – sowohl hinsichtlich der Melodie und der verwendeten Instrumente als auch in der Wortwahl der Texte.

Pro verkaufte Single-Platte, die im Laden 6 DM kostet, bekommt ein Autor 10 Pfennig. Wenn die Scheibe ein Millionenhit wird, kommt also schon einiges an Geld zusammen. Wird der Titel im Rundfunk und im Fernsehen gespielt, setzt sich das ebenfalls in klingende Münze um.

Die Autoren stehen in Verbindung mit einem Verleger, der für die kommerzielle Verwertung in Form einer Schallplatte und eines Notendrucks sorgt. Er bietet also zunächst einmal Musik und Text einem Schallplattenproduzenten an. 20 Pfennig je verkaufte Platte bekommt der Verleger für diese Tätigkeit. Aufgabe des Produzenten ist es, den Solo-Sänger und die Begleitmusiker zu engagieren, ein Tonstudio zu mieten und die Aufnahmen zu leiten. Die Produktion einer Single-Platte kostet zwischen 6000 und 10 000 DM. Für den Künstler, den Interpreten, fallen je nach seinem Marktwert 10 bis 48 Pfennig pro Platte ab.

Ins Gespräch kommen . . .

Daß die neue Platte in den Handel und erst recht ins Gespräch kommt, dafür sorgen Manager und Promoter. Sie schicken an Zeitschriften Text- und Bildmaterial – wird daraufhin in mehr oder weniger großer Aufmachung über den Star und seine neueste Platte berichtet, ist das kostenlose Reklame. Ehe die Platte erscheint, bekommen die Rundfunkanstalten ein Vorausexemplar. Hier ist es dann der Discjockey, der für die brandneue Platte wirbt.

Wichtig ist, daß ein Schlager in die ZDF-Hitparade kommt, denn wer hier auftreten darf, verkauft automatisch einige tausend Platten mehr.

Ins Gespräch kommen muß aber vor allem der Star. Er wird mit seiner Musik wie ein Waschmittel verkauft. Ob nun aus Gerd Höllerich ein Roy Black wird, Antonio Schinzel in Christian Anders umbenannt wird oder Hans Rippert den klangvollen Künstlernamen Iwan Rebroff erhält – das alles bestimmt nicht der Star selbst. Hätten die Leute denn einem Sänger mit dem schlichten deutschen Namen Hans Rippert so einfach die russischen Lieder abgenommen?

Da wird genau erforscht, was die Leute hören wollen und welcher Typ Sänger und Sängerin am besten ankommt. Man muß den Menschen beibringen, daß gerade dieser oder jener Star einzigartig ist und daß man unbedingt seine neueste Platte besitzen muß!

Eigentlich ist das auch kein Wunder, denn im Schlagergeschäft geht es um riesige Summen. Bis zu 40 000 DM werden mitunter von der »Entdeckung« des erhofften Stars bis zum ersten Plattenverkauf aufgewendet. 1974 kamen 187 Neulinge auf den Markt, die keine vorherige gezielte Ausbildung genossen hatten. 129 verschwanden nach der ersten Single wieder von der Bildfläche – und das ergab immerhin einen Verlust von 5 Millionen DM.

Der Erfolg eines Sängers hängt weitestgehend von einem cleveren Manager ab. Der Verleger IIans Beierlein, der auch Manager von Udo Jürgens und Michael Schanze ist, sagte dazu einmal in aller Offenheit: »Ich bemühe mich, meine Stars zu Markenartikeln aufzubauen, ihren Bekanntheitsgrad so groß wie möglich werden zu lassen ... Ich betreibe das totale Management: ein klarer Kopf lenkt und leitet das Schicksal der Stars, er entfacht Kampagnen, beeinflußt die Presse, besetzt die Termine, legt die Fernsehauftritte fest, bestimmt die Marschroute der Publicity, entwickelt Strategie und Taktik der Karriere.«

Von Liebe, Glück und Einsamkeit

Die Schlagermacher meinen auch zu wissen, was das Publikum braucht: Jeder Mensch hat Wünsche, Erwartungen, Sehnsüchte und Hoffnungen, die in der Wirklichkeit nicht erfüllt werden. Oft weiß man nicht, was man mit sich anfangen soll, man verspürt eine innere Leere und Beziehungslosigkeit, man hat Ängste und Nöte. Jedem Menschen geht das so. Und gerade der Schlager nimmt sich ja des Einsamen an, der sich so mies fühlt. Der Schlager wird zum Seelentröster, und er sagt: »Du bist jetzt zwar traurig, aber das Glück wartet auf Dich!« Und schon flüchtet man sich mit dem Schlager in die heile Welt der Träume, anstatt den Ursachen für die eigene unglückliche Lage auf den Grund zu gehen. Und Träume sind Schäume ...

Wenn man einmal genau hinhört – wie oft ist in Schlagern die Rede von Träumen. Oder von Liebe, Glück, Herz, Welt, Einsamkeit, Zauber, Nacht, Blumen, Sonne, Mond und Sternen ... Mit jedem Begriff sind so viele Vorstellungen für den einzelnen verbunden. Die Schlagertexter arbeiten mit solchen »Reizwörtern« – je mehr desto besser. Oder schlechter. Da tönt es aus dem Radio: »Heut' kommt mein Herz zu dir. Öffne dem Glück die Tür, und du wirst sehn, die Welt ist nur noch voller Sonnenschein. Heut kommt mein Herz zu dir, weil ich schon lange spür, du bist auf dieser Welt

den bestimmten Einsatz eines Streich-orchesters signalisiert sie Macht, Würde, Feierlichkeit, eine Blaska-pelle spiegelt Jubel, Trubel, Heiter-keit vor, eine Pop- und Jazzband im Hintergrund stehen für das Moder-ne, Zeitgemäße. Dann klammert sich der (unglückliche) Schlager-hörer noch an den Schlagersänger.

Der Star und ich . . .

Man denkt und glaubt – in der »Bravo« stand's doch drin –: Früher lebte der Star in normalen, vielleicht sogar armen Verhältnissen, er war wie du und ich, er hat Glück gehabt, er hat's geschafft. Er hat nun seinen verdienten Erfolg und braucht sich keine Geldsorgen zu machen, er kann sich jetzt alles leisten: schnelle Wagen, Luxusvilla, Reisen, teure Kleidung, Unabhängigkeit.

Von dem Glanz, der den Schlager-star angeblich umgibt, möchte man auch ein Zipfelchen abbekommen. Man bildet sich ein, das sei möglich, wenn man seine Platte kauft oder ein Autogramm von ihm ergattert. Und das betrifft vor allem die Mäd-chen. Die Schlagersängerin Edina Pop erklärt sich die Tatsache, daß es mehr Schlagersänger als Schlager-sängerinnen gibt, so: »Von den jun-gen Leuten beschäftigen sich die Mädchen am häufigsten und lieb-sten mit dem deutschen Schlager und deren Interpreten. Es sind vor-nehmlich Mädchen, die Autogram-me anfordern, Briefe schreiben.« Wahrscheinlich geht das den mei-sten Mädchen irgendwann einmal so: Sie schwärmen so richtig für ei-nen Sänger, er ist ihr Idol. Er ist er-folgreich, hat Geld, sieht blendend aus, ist lieb, charmant, nett, unkom-

sehr einsam und allein.« Eigentlich gar nicht so schwer, die Reizwörter herauszufischen! Der Schlager-Hö-rer soll die Wirklichkeit vergessen. Er steigert sich in die Schlager-Traum-Welt hinein – und findet sich im Leben keinesfalls besser zu-recht!

Die Musik tut dann noch das ihre. Die Melodien sind einprägsam und lassen sich schnell mit- und nachsin-gen. Durch das Mitsingen kommt ein Gemeinschaftsgefühl auf, der Hörer und Mit-Sänger fühlt sich in geborgener Gesellschaft mit dem Schlagersänger. Dieser Eindruck wird noch verstärkt, wenn auf der Platte ein Chor beteiligt ist. Dort ist nun auch der Solist musikalisch nicht so allein! Fröhlichkeit und ein schönes Lebensgefühl »zaubert« die Musik mit flotten Rhythmen, durch

pliziert, fröhlich und freundlich. Zumindest meint man, daß er so ist. Das ganz große Ereignis ist es dann, wenn man den Sänger leibhaftig in einem Konzert erleben kann. Da stürzen dann die Mädchen in Scharen auf die Bühne, drücken »ihrem« Star ein Blumensträußchen in die Hand, und wenn sie ganz großes Glück haben, gibt er ihnen ein Küßchen auf die Wange. Und man glaubt, teilgehabt zu haben am großen, strahlenden Showbusiness. Text, Musik und Idol gemeinsam lullen den Schlagerhörer ein, entführen ihn in eine heile Traumwelt, gaukeln ihm vor, daß ja alles wieder gut wird. Die täglichen Sorgen und persönlichen Probleme können mit Hilfe des Schlagers verdrängt und für kurze Zeit vergessen werden. Gelöst werden sie damit nicht.

Text unter der Lupe

Um festzustellen, nach welchem Muster Schlagertexte gestrickt werden, soll hier einmal einer genauer unter die Lupe genommen werden: Der Hit »Hier ist ein Mensch« mit Peter Alexander (bürgerlicher Name: Peter Neumayer). Auch wenn dieser Schlager vielleicht schon in absehbarer Zeit kaum mehr gespielt werden sollte – das Strickmuster bleibt gültig.
Fangen wir gleich mit dem Refrain an: »Hier ist ein Mensch, der will zu dir. Du hast ein Haus, öffne die Tür.« Interessant, was da behauptet wird! Vor der Haustür soll also ein Mensch stehen, dessen Alter und Geschlecht nicht genannt wird. Dieser Mensch will angeblich zu »dir«, dem Hörer dieses Schlagers. Hat tatsächlich jeder Hörer ein (eigenes)

Haus? Hier wird es zumindest unterstellt – genauso unterstellt wird, daß dieser Hörer ein geborgenes Zuhause hat. Damit wird untergeschoben, daß es einem gut geht – auch wenn man in Wirklichkeit gerade in einer miesen Stimmung ist – und daß man bitteschön so barmherzig sein soll und die Tür öffnen möge, damit der wildfremde Mensch eintreten kann. Wenn man den Text weiterverfolgt, kann man eigentlich nur lachen über die Stumpfsinnigkeit: »Öffne die Tür. Hier ist ein Mensch. Öffne die Tür. Hier ist ein Mensch. Hier ist ein Mensch, ein Mensch, der will zu dir.« Da wird das gleiche ein paarmal gesagt. Das fällt aber kaum auf, weil ja alles in Musik verpackt ist. In diesem Fall findet ein Wechselgesang zwischen Peter Alexander: »Öffne die Tür« und dem Frauenchor: »Hier ist ein Mensch« statt.

Und nun zu den einzelnen Strophen, die stets in den gleichen Refrain münden. Die erste Strophe stellt den großen Unbekannten vor: »Kennst du seinen Namen? Seinen Namen kennst du nicht. Sieh zu ihm hinüber und dann kennst du sein Gesicht.« Nur zum Schein wird die Frage zu Beginn gestellt, denn der Sänger beantwortet sie selbst. Außerdem ist es eine Binsenweisheit, daß man, wenn man jemanden anschaut, dessen Gesicht kennt! Es geht weiter: »Hier ist ein Mensch, schick ihn nicht fort, gib ihm die Hand, schenk ihm ein Wort.« Zunächst tritt hier nochmals die Schlagzeile auf: »Hier ist ein Mensch.« Im Anschluß daran ertönen drei Befehle, die vorschreiben, wie man sich dem fremden Menschen gegenüber verhalten soll. Verblüffend ist, wie oft in Schlagertexten von Händchenhalten die Rede ist. Zum Beispiel plazierte sich Tony Marshall lange Zeit mit »Komm gib mir deine Hand« in den Hitlisten. Die Beatles verdeutschten »I Want To Hold Your Hand« in »Komm, gib mir deine Hand.« Zwischen Tony Marshall und den Beatles war da nur der Unterschied von einem Komma...

Und weiter im Text: »Kennst du seine Sorgen? Weißt du wirklich, was ihn quält? Schenke ihm Vertrauen, weil er dann es dir erzählt«, so fängt die zweite Strophe an. Nach dem unvermeidlichen Refrain natürlich! Wieder zwei Fragen, die der Hörer diesmal im Stillen – mit nein – beantworten darf; und wieder eine Aufforderung, wie man sich Fremden nähern soll. Die zweite Strophe endet wieder mit vier mal vier Silben, die vier Feststellungen oder Anweisungen enthalten: »Hier ist ein Mensch, der ist allein, Du bist es nicht, ruf ihn herein.« Eine weitere Information über den Menschen wird gegeben, die beinahe selbstverständlich ist, wenn man den vorangegangenen Text verfolgt hat: er ist allein! Gleichzeitig wird kühn behauptet, der mit »du« angesprochene Schlagerkonsument sei es nicht. Jedenfalls sind wir damit beim immer wiederkehrenden Stichwort »Einsamkeit« angelangt. Oft gaukelt ein Sänger mit seinem Text vor, er wolle sich höchstpersönlich um das Wohlergehen des unter Einsamkeit leidenden Hörers kümmern. Die Fan-Post, die der Star erhält, beweist, daß viele Leute dies allen Ernstes annehmen. Hier wird schlicht Schindluder getrieben mit der Not und den Gefühlen anderer Menschen.

Peter Alexander hat in seinem Lied hauptsächlich die Rolle eines Erzählers inne, der seine Hörer zum »Seid-nett-zueinander« auffordert. Man kann seine Rolle aber auch so deuten, daß er ein Sprachrohr ist für die Gefühle von einsamen Menschen, die sich vor lauter Verzweiflung und Unvermögen nicht mehr selbst äußern können. Peter Alexander nimmt ihnen das ja ab. Und die Verzweifelten finden wieder Trost in dem Text, der ein Happy End in Aussicht stellt.

Ganz deutlich wird die dritte Strophe: »Du willst das nicht hören. Wer sich plagt, sagst du, gewinnt. Doch du müßtest wissen: auch das Glück ist manchmal blind.« Was heißt das? Sich dem Schicksal ergeben und auf das Glück hoffen. Also: ja nicht nachdenken, welche Umwelteinflüsse, welche gesellschaftlichen Bedingungen für die mißliche Lage verantwortlich sind und wie man eventuell etwas ändern könnte. Nun könnte man einwenden, »Hier ist ein Mensch« sei doch eine rühmliche Ausnahme vom Schlager-Allerlei, weil hier zu sozialem Handeln und zu Gemeinsinn aufgefordert werde. Aber Schlager haben bislang noch nie zu weltverbessernden Leistungen angespornt – auch dieser nicht. Schlager sind ja auch gar nicht dazu da, den Menschen zu helfen. Geld machen wird in diesem Geschäft groß geschrieben. Was tut's, wenn dabei die Gefühle der Menschen schamlos ausgenutzt werden, solange die Kasse klingelt.

Sagt da etwa jemand: »Die wollen uns bloß die Schlager mies machen!«? Wer wird denn gleich so sauer reagieren, wenn man ihn zum Nachdenken auffordert? Wenn Radio oder Kassetten-Recorder schon der musikalischen Dauerberieselung dienen – dann wird es höchste Zeit, auch wieder einmal etwas anderes zu tun. Wie wäre es denn zur Abwechslung mal mit Lesen?

Lesen kann doch jeder!

Klaus Seehafer

Vom Lesen im allgemeinen und guter Literatur im besonderen. Büchereien sind für alle da. Bücher kann man nicht nur kaufen. Vom Umgang mit Buchhandlungen und Büchereien.

»Ich hörte, wie Sherlock Holmes die Pistole zog. ›Paßt auf! Er kommt!‹ In der heranschleichenden Nebelmasse hörten wir ein leises, aber deutliches und rasches Getrappel. Was für ein Greuel würde aus ihr auftauchen? Ich lag an Holmes' Seite und warf einen schnellen Blick in sein Gesicht. Er war blaß, aber offensichtlich frohlockte er innerlich, denn seine Augen glänzten. Plötzlich aber stierte er entsetzt, und seine Lippen öffneten sich vor Erstaunen. Im gleichen Augenblick stieß Lestrade einen Schreckensschrei aus und warf sich mit dem Gesicht auf die Erde. Ich sprang auf, meine zitternde Hand umklammerte den Griff der Pistole, aber ich konnte nicht schießen, denn mein Verstand war gelähmt vom Anblick des grausigen Geschöpfes, das aus dem Nebel hervorgesprungen kam –«

An dieser Stelle des »Hund von Baskerville« wird wohl keiner gern unterbrochen werden. Eigentlich macht Lesen dann am meisten Spaß, wenn alles um einen herum versinkt. Würde man mitten in der Lektüre der »Frau in Weiß« oder »Vom Winde verweht« gefragt: »Warum liest Du überhaupt?«, käme einem diese Frage denkbar überflüssig vor: weil's spannend und unterhaltsam ist, natürlich! Lesen um der Spannung willen: das rührt von einem so starken Bedürfnis her, daß es überhaupt nicht entschuldigt zu werden braucht. Beim Ferienkrimi wird das Gehirn mal von der anderen Seite benutzt – und das ist gut so.

Doch das »Schmökern« hat auch seine Schattenseiten, denn es gibt viele, die danach nur noch schwer in die eigene, möglicherweise gerade sehr konfliktreiche Wirklichkeit zurückfinden. Sie mauern sich mit Lesestoff zu, hören und sehen nichts mehr, und bald merken sie vor lauter »action« auch nicht mehr, was sie lesen. Man kann ihnen dann auftischen, was man will – wenn es nur mitreißend genug geschrieben ist. Und das besonders Fatale dabei ist, daß genügend Druckerzeugnisse hergestellt werden, die dies nach Kräften ausnutzen, vor allem im Zeitschriftenbereich. Sie verkaufen genau die angenehme, konfliktfreie Welt, die von den Lesern angeblich gewünscht wird, und behaupten dann noch, so sei sie wirklich, und man solle nicht immer alles so negativ darstellen. Wer sich nur mit dieser Art von Lesestoff befaßt, wird der eigenen Situation gegenüber immer desinteressierter.

Natürlich gibt es auf die Frage, warum wir lesen, noch eine weitere Antwort: um uns weiterzubilden. Und wer ein besonderes Hobby hat, Ballett, Pferdezucht, Gesteinskunde oder was immer, der wird wissen, das dies nicht immer etwas mit Büffeln zu tun hat.

Dennoch gibt es ernstzunehmende Leute, die voraussagen, daß in einigen Jahrzehnten das »Ende des Buchzeitalters« gekommen sei. Schließlich bekäme man heute schon jede Art von Unterhaltung und Information durch Rundfunk und Fernsehen. Und wer sich etwas besonders einprägen wolle, könne schließlich Tonband und Videorecorder in Anspruch nehmen.

Gut und schön. Wenn man sich aber mal vor Augen führt, daß zur Zeit allein in der Bundesrepublik jährlich 80 000 neue Bücher erscheinen und weitere 14 000 so gefragt sind, daß sie nachgedruckt werden müssen, sieht die Sache schon etwas anders aus. Und da alles was lesbar ist, laut Statistik dreieinhalbmal gelesen wird, kann man sich ausrechnen, daß der wirkliche Lesebedarf noch entsprechend höher liegt. Dabei sind wir keineswegs internationale Spitze. Ganz vorne stehen nämlich – die Isländer und Finnen. In ihren Ländern wird mehr gelesen, als irgendwo sonst auf der Welt. Entsprechend groß ist das Netz der Buchhandlungen und Bibliotheken. Berühmt sind etwa die finnischen »Holzfällerbibliotheken«, Bücherbusse, die weite, einsame Strecken über Land fahren und an einer Kreuzung mitten im Wald halten. Auf einmal ist der Parkplatz voller Menschen, die aus den versteckt in der Umgebung liegenden Gehöften kommen. Und die zwei größten Buchhandlungen Europas, jede so groß wie ein ganzes Warenhaus, stehen, noch dazu nur wenige Schritte voneinander entfernt, in Helsinki.

In England und Amerika erscheint heute schon fast jedes teure Buch gleichzeitig auch als billige Taschenbuchausgabe. In der DDR (wie überhaupt in den sozialistischen Ländern) wird Lesen besonders groß geschrieben. Dort gibt es sogar Unterrichtsstunden, in denen bestimmte Titel zusammen gelesen und diskutiert werden.

Mit dem »Ende des Buchzeitalters« hat es also noch gute Weile. Was ist auch schon so problemlos zu be-

schaffen, so billig und jederzeit verfügbar, wie Gedrucktes? Wer einen Fernsehfilm sehen will, muß unter Umständen sein ganzes Nachmittags- oder Abendprogramm danach ausrichten – bei einer Serie von »Forsythe-Saga«-Länge kann das schwierig werden. Und wer die Sendung ganz mitkriegen will, muß dann bis zu zwei Stunden lang dabei bleiben. Ein Buch aber läßt sich lesen und beiseite legen, wie man gerade Zeit und Lust hat.

Außerdem können Bücher regelrechte Gesprächspartner sein. Man liest eine Meinung, entwickelt vielleicht eine eigene dagegen und erfährt auf diese Weise eine ganze Menge über die Ansicht eines anderen und über sich selbst.

Was »man« gelesen haben muß ...

Jeden Monat kommen einige neue Titel auf die Bestsellerliste und werden uns dadurch besonders nachdrücklich vor Augen geführt. Das ist häufig der Grund, warum jemand meint, dieses oder jenes Buch müsse er gelesen haben. Dabei lohnt es sich gar nicht immer. Mancher Verleger macht viel Werbewind um nichts. Mag das Buch dann auch teuer sein, wert ist es herzlich wenig. Oft verstehen Bestsellerautoren zudem vom Singen, Filmemachen oder Fußballspielen mehr als vom Schreiben. Ihre Bücher werden gut verkauft, nicht wegen der mittelmäßigen Schreibe, sondern weil sich die Autoren schon auf anderem Gebiet einen Namen gemacht haben. Auch der scheinbaren Autorität eines wirklichen Literaturkenners sollte man sich nicht in jedem Fall beugen. Unter Umständen kniet sich dann nämlich jemand in eine empfohlene Lektüre hinein, mit der er beim besten Willen nichts anfangen kann, weil sie ihm einfach nicht liegt. Da bringt dann auch ein noch so nachdrücklich vertretenes »wichtig« oder gar »einmalig« nichts. Bücher haben ein kräftiges, mitunter störrisches Eigenleben. Und zum Lesen reicht eigentlich nur in den ersten Schuljahren das ABC aus, später gehört auch dazu, daß man herausfindet, was einem selber wichtig ist.

Und dann die Sache mit der »literarischen Qualität«. Dieser Begriff kann einem ja so lange um die Ohren geschlagen werden, bis alles Vergnügen an Büchern vergangen ist. Dabei: wenn von einem »literarisch wertvollen Werk« die Rede ist, kann doch eigentlich nur gemeint sein, daß es besser, geschickter, ehrlicher geschrieben ist, als andere. Es lenkt den Leser sicherer dahin, wo er »fündig« werden kann, und langweilt ihn nicht mit Dummheit, Ungeschick und Längen. Ein literarisches Kunstwerk vermittelt also ein intensiveres Lesevergnügen.

Wie sieht es dann aber mit dem »schwierigen« oder gar »unverständlichen« Kunstwerk aus? Wenn es wirklich eins ist, wird das Schwierige daran nicht eine individuelle »Autorenmacke« sein, und es läßt sich dahintersteigen. Vielleicht hat sich der Verfasser gerade um des gesteigerten Vergnügens am Lesen willen eine neue Art, die Dinge zu sehen, ausgedacht, um sie dem Leser plastischer vor Augen zu führen. Dazu ein Beispiel:

Man kann sagen:
Zwischen dem Verkehrslärm hörte man Spatzengeschrei. Der Wind blies Staub über die Straße. Ein Motorrad fuhr vorüber.

Man kann aber auch sagen:
»Spatzengeschrei machte feine Schlitze in den Rundumkrach des Verkehrs. Wind raffte aus allerhand Abfall einen Staubkerl zusammen, der mußte walzen (bis das nächste Auto ihn lang zog und zu Tode schleifte . . .) Ein Motorradfahrer explodierte vorüber.«
(Arno Schmidt »Schulausflug«)

Man merkt den Unterschied: Beim zweiten Beispiel erinnert man sich deutlich an all diese schon selber erlebten Nebensächlichkeiten, sieht und hört sie viel besser. Aber die meisten, die ein Buch, das in diesem Stil geschrieben ist, zum erstenmal lesen, werden sich zumindest wundern. Es kann noch viel vertrackter als hier zugehen, und man versteht zunächst mal gar nichts, bis man dann langsam den Bogen raus hat. Allen zum Trost: dies kann keiner einfach »vom Blatt lesen«, wie es die Musiker ausdrücken. Man findet sich hinein, wie diese es in eine ihnen unbekannte, vielstimmige Partitur tun.

Man sollte meinen, an Bücher zu kommen, sei eine leichte Sache. Aber offenbar gibt es da Schwierigkeiten. Denn immer noch werden Büchereien mitunter nicht als normale städtische Einrichtungen wie Schulen oder Schwimmbäder angesehen. Vielen Benutzern drängt sich drinnen ein Gefühl von »Heiligen Hallen« auf. Sie sprechen leiser und gehen behutsamer. Und wer in eine Buchhandlung kommt, ist dort oft unsicherer als etwa in einem Schuhgeschäft, obwohl sein Geld doch hier wie dort gleich viel wert ist.

Wann warst Du eigentlich das letzte Mal in einer Buchhandlung und warum? Hast Du bloß ein Schulbuch oder Zeichenheft besorgen müssen? Bist Du also mit dem Gesuchten schnurstracks zur Kasse marschiert – bitte schön, das hier, danke, Wiedersehn! – oder hast Du Dich mal in aller Ruhe umgesehen? Verwirrend viele Bücher gibt es da, wie soll man sich zurechtfinden? Aber in jedem Supermarkt ist es eigentlich genauso, und wenn man zweimal mit dem Einkaufswagen die Runde gemacht hat, wird die Sache schon klarer. Auch in einer Buchhandlung hat alles seinen festen Platz. Da stehen die Romane zusammen, alphabetisch geordnet nach den Autorennamen, die verschiedenen Taschenbuchreihen nach Nummern, dahinter vielleicht Kunstbände, Reiseführer, Gartenratgeber. Wer erst mal seine eigenen Interessengebiete gefunden hat, merkt sich das bestimmt schnell. Außerdem: Auf diesen Gebieten ist man selbst ja der Experte. Da macht einem keiner was vor, auch der Buchhändler nicht. Auch er kann nämlich nicht allwissend sein. Er muß nur verstehen, alles Gefragte bereitzuhalten oder wissen, wie und wo es zu beschaffen ist. Er ist ein Kaufmann wie andere auch. Darum überlegt er sich, wie bei den Leuten das umgangen werden kann, was er

die »Schwellenangst« nennt. Nämlich das Zögern vieler, überhaupt eine Buchhandlung zu betreten, weil sie sich offenbar vor etwas fürchten – wohl doch nicht davor, daß ein finsterer Typ auf sie zustürzt und sie fragt: »Was wollen Sie denn Unmögliches? Sie haben doch keine Ahnung!« Dieser Buchhändler wäre schnell pleite . . .

Wenn der Buchhändler etwas von seinem Geschäft versteht, bekommt man eine Menge Anregungen von ihm, was unter der Flut lieferbarer Bücher für einen wichtig sein könnte, von dem man vielleicht gar nicht wußte, daß es das gibt.

Übrigens kann er seine Ware nicht einfach teurer oder billiger verkaufen, sondern ist gesetzlich an feste Ladenpreise gebunden, die überall gleich sind. Damit sollen möglichst viele Geschäfte konkurrenzfähig bleiben, so daß jeder, wo immer er wohnt, leicht und zum gleichen Preis Bücher kaufen kann. Außerdem erspart man sich so den Preisvergleich in verschiedenen Geschäften.

Bücher seien aber trotzdem ziemlich teuer? Wir wollen mal vergleichen: Eine Kinokarte kostet heute, wenn man sich nicht gerade in den ersten Reihen den Hals verrenken will, zwischen 5 und 7 DM, eine Schallplatte mindestens 6 DM (Single), meist aber zwischen 10 und 25 DM (LP). Ein leidlich dicker Roman oder ein Sachbuch kostet zwischen 25 und 30 DM, ein Jugendbuch im Durchschnitt zwischen 5 und 15 DM.

Wem das zu teuer ist, weil er es vielleicht nur einmal durchlesen will, der kann in eine Bücherei gehen und sich das Buch umsonst entleihen. Im übrigen: Für Taschenbücher zahlt man in der Regel zwischen 3 und 8 DM, und es gibt heute schon auf allen Gebieten eine so breite Auswahl, so daß man sich auch mit wenig Geld gut versorgen kann.

Doch es gibt noch andere Möglichkeiten, an Lesestoff zu kommen. Da ist zum Beispiel der Kiosk, der vom »Spiegel« bis zum »Lore-Roman« ein breites, wenn auch qualitativ sehr unterschiedliches Angebot an Zeitungen und Zeitschriften bereithält – in der Regel zwischen 100 und 150 Titeln.

Oder die Kaufhausbuchabteilung: Ein Stand unter vielen, an dem man in aller Ruhe stehenbleiben kann, ohne »Gefahr« zu laufen, daß man angesprochen wird. Immerhin sind hier die 80 bis 100 jeweils populärsten Spitzenreiter und Dauerbrenner vertreten, dazu ein bißchen »modernes Antiquariat«, billige Bücher in Krabbelkisten also, und einige Drehständer mit Taschenbüchern. Auch hier kann das Stöbern Spaß machen, allerdings fehlt meist die fachliche Beratung.

Geschickt machen es auch die Buchgemeinschaften, die für eingetragene Mitglieder relativ wenige Titel in verbilligten Nachdrucken bereithalten. Das ist, bis die Taschenbuchausgabe erscheint, ganz vorteilhaft – und natürlich auch für Leute, die gebundene Bücher vorziehen und Literatur nicht als etwas sehen, das nach Gebrauch weggeworfen werden kann – wozu Taschenbücher ursprünglich gedacht waren. Allerdings fehlen dem Buchklub, wie allen anderen Formen des

Literaturvertriebs, das umfassende Angebot und die Sonderdienste einer Buchhandlung:

Da ist zunächst mal die Beratung. Durch seine Ausbildung und tägliche Arbeit ist der Buchhändler darauf eingestellt, Dich zu informieren und alles zu beschaffen, was Du suchst, selbst wenn Du gar nicht mal genau angeben kannst, wie Autor oder Titel heißen, oder wenn Dir nur ungefähr ein Thema vorschwebt. Wer etwa das Buch sucht, »wo Horst Jansson immer nachmittags im Fernsehen die Liebesgeschichte mit der Ärztin hatte«, dem wird er wohl gleich Barbara Noacks fröhlichen »Bastian« holen. Er weiß auch, daß es zur »Krebsstation« eine Fortsetzung gibt, zum »Winnetou« zwei und zu »Ferien auf Saltkrokan« immer noch keine. Und der »Spion, der zum Regenbogen kam« ist natürlich Simmels »Und Jimmy ging zum Regenbogen«. Der Buchhändler wird also schon herausfinden, was Du willst und hat auch zahlreiche Nachschlagewerke, die ihm dabei helfen.

Wer ein bestimmtes Sachinteresse hat, beispielsweise Pferdebücher oder Reisebeschreibungen, dem wird der Buchhändler nicht nur zeigen, wo diese Bücher stehen, sondern, wenn er Dich schon etwas kennt, auch mal sagen, wenn etwas Neues in Deiner Richtung gekommen ist, oder Dich mit Prospekten auf dem laufenden halten. In den meisten Fällen kannst Du dann sogar ein Buch, das er nicht da hat, »zur Ansicht« bestellen. Das heißt, er läßt es für Dich kommen, Du schaust es Dir bei ihm an, und wenn Du es nicht kaufen willst, schickt er's wieder zurück. Alles kostenlos. Manche Buchhändler sind sogar bei der Beschaffung vergriffener, längst nicht mehr lieferbarer Bücher behilflich und geben eine Suchanzeige für Dich auf.

Jeder von ihnen weiß auch, wie gerne jemand bloß mal zum »Rumschnüffeln« ins Geschäft kommt. Dafür hat er seine ruhige Ecke, manchmal sogar mit Cafeteria. Ich habe auch schon gesehen, daß man sich vor der Ladentür kleine »buttons« anstecken konnte: »Ich möchte bedient werden« oder »Ich will mich bloß mal umsehen«, stand drauf.

Es gibt unter den Buchhandlungen wahre Supermärkte, doch genauso auch winklige Tante-Emma-Lädchen, wo nicht immer alles da ist, was andere führen, aber vieles, was man sonst nie zu Gesicht bekommt. Manche Bücherstuben veranstalten regelmäßig literarische Treffs oder Dichterlesungen. Es gibt »Literaturkneipen«, die nur moderne Dichtung führen, Kinderbuchläden, Sport- und Universitätsbuchhandlungen und andere mehr. Wer Seltenes und Ausgefallenes sucht, wird in den »Alternativläden« auf seine Kosten kommen, wo es zudem meist sehr unkonventionell zugeht. Dort gibt es linke Literatur oder ausgefallene literarische Veröffentlichungen. Zum Teil sind die Bücher in unbekannten Kleinverlagen und sehr niedrigen Auflagen erschienen, dadurch werden diese Läden zu wahren Fundgruben.

Wer Freude an Büchern hat, wird sie gern sammeln wollen. Klar ist aber, daß niemand alle kaufen kann und will, die er bloß mal lesen

möchte. Dafür sind ja auch, wie gesagt, die Büchereien da. Und die Bibliothekare dort tun ebenfalls alles, um die »Schwellenangst« abzubauen. Eine öffentliche Bücherei versteht sich heute als Beschaffungsstelle für Unterhaltung und Informationen, darüber hinaus oft auch als ein Kommunikationstreff.

Es ist Dein Recht als Bürger, die Stadtbücherei zu benutzen. Heute geht das in der Regel sogar zum Nulltarif, das heißt: umsonst. Du verpflichtest Dich nicht zu regelmäßigen Entleihungen und brauchst auch nicht unter bestimmten Bedingungen wieder auszutreten. Wenn Du nicht mehr kommen willst, bleibst Du einfach weg.

Kommst Du aber, stehen Dir außer allen Büchern auch Zeitschriften und Zeitungen zur Verfügung, oft Musik-Kassetten, Dias, Landkarten, neuerdings auch Lern- und Gesellschaftsspiele.

Da Bibliotheken noch viel größer sind als Buchhandlungen, wirst Du vielleicht beim ersten Besuch erschlagen vor den vielen Regalen stehen: Wie finde ich bloß bei diesen Mengen das eine einzige Buch, das ich gerade will?

Aber keine Bange. Viel genauer noch als in einer Buchhandlung ist hier jedes Buch nach seinem Inhalt in einem bestimmten Sachgebiet untergebracht. Das ist ein festes System, das man sich erklären lassen oder als kleine gedruckte Übersicht mitnehmen kann. So eine Systematik (Unterteilung von Sachgebieten) funktioniert etwa folgendermaßen:

Angenommen, Du brauchst eine Interpretation zu »Katz und Maus«

von Günter Grass. Grass schreibt Literatur. Alles über ihn steht also in der Hauptgruppe »Literatur« – Untergruppe »Deutsche Literatur« – Unteruntergruppe »Gegenwartsautoren«; und da im Alphabet zwischen Böll und Hesse.

Nach einer solchen Art der Einordnung ist letzten Endes jede Gruppe aufgebaut, und schon beim nächsten Besuch weißt Du, wo die für Dich wichtigen Bücher stehen. Von dort aus wirst Du leicht mit der ganzen Bücherei vertraut werden.

Während man in den Buchhandlungen annimmt, daß Du bedient werden willst, geht ein Bibliothekar davon aus, daß Du Dich selber umsehen möchtest. Wenn Du aber eine Frage hast, kannst Du zu einer der Auskunftsstellen gehen. Wer da sitzt, ist nur zur Leserberatung da. Du kannst die betreffende Person also jederzeit ansprechen und alles fragen, was mit den Büchern zu tun hat: wo etwas steht, ob es ausgeliehen ist, ob Du's vorbestellen kannst, ob man Dir mal was zum Thema »Urlaub in Südfrankreich« zusammenstellen könnte, wo es die Bücher von Astrid Lindgren oder Materialien für einen schwierigen Schulaufsatz gibt, und so fort.

Mehr noch, die Bücherei ist auch eine Auskunftsstelle. Du kannst dort also auch Fragen stellen, die nicht unbedingt etwas mit dem Auffinden eines Buches zu tun haben. Fragen, von denen Du annimmst, die Antwort werde es ja wohl irgendwo gedruckt geben. Bei uns scheint es noch immer nicht allgemein bekannt zu sein, daß man jederzeit mit solchen Fragen in eine Bücherei kommen kann. In den angelsächsi-

schen Ländern denken die Leute zuerst mal an ihre »public library«, wenn es darum geht, Angaben über eine berühmte Persönlichkeit zu bekommen, oder über den Kometen, der nächste Nacht wieder am Himmel erscheinen soll.

Mitunter sind die Fragen recht sonderbar. Einmal habe ich mit angehört, wie ein älterer Herr die Bibliothekarin fragte, ob bei der Herstellung von Negerküssen – Lachgas verwendet würde. Da seine Frage ernst gemeint war (vielleicht hatte sie gesundheitliche Gründe, oder er wollte es einfach mal genau wissen), wälzte die Bibliothekarin alle möglichen Nachschlagewerke und ging endlich sogar zum Fernschreiber der Bücherei, um bei einer Schokoladenfabrik anzufragen. Gewußt wie! – die Antwort kam schnell, und der ältere Herr zog hochbefriedigt davon.

Auch in Deiner Bücherei werden solche Fragen – natürlich kostenlos – beantwortet. Und wenn das nicht möglich sein sollte, gibt man Dir Hinweise auf andere Einrichtungen, die Dir weiterhelfen werden.

Büchereien können wie gesagt auch Kontaktzentren sein, wo Vorträge, Diskussionen oder Ausstellungen stattfinden. Natürlich ist das Angebot von Bücherei zu Bücherei verschieden, aber irgend etwas davon wirst Du überall vorfinden.

Wieviel eine Bücherei übrigens leisten kann, hängt nicht zuletzt von den Benutzern ab, denn die Finanzierung wird nach den Benutzungszahlen bemessen. Mehr Leser bedeuten also mehr Geld, und das wiederum macht es möglich, mehr leisten zu können.

Wichtig sind auch bibliothekarische Sondereinrichtungen wie die Musikbücherei, wo außer Büchern auch Noten, Schallplatten und Kassetten gesammelt werden, verbunden mit der Möglichkeit, die Musik nach Wunsch abzuhören. Die Blindenhörbücherei speichert Literatur auf Tonbändern und Kassetten. Krankenhaus- und Gefängnisbüchereien sorgen für Lesestoff auch da, wo sich Menschen nicht frei bewegen können. Und natürlich gibt es nicht nur in Finnland die Fahrbüchereien, die mit ihrem Bus überall dort Station machen, wo es noch keine Bibliothek gibt. Auch bei uns sind sie inzwischen zu einer festen Einrichtung geworden.

Soviel also zum Lesen und zu allem, was dazugehört. Um noch ein wenig bei der Freizeit zu bleiben: das Fernsehen gehört auch dazu. Es gibt zwar immer noch Leute, die mit einer gewissen Spitzfindigkeit sagen: »Wir können es uns leisten, keinen Fernsehapparat zu haben!« Fernsehen bietet aber nicht nur Unterhaltung, es bietet auch Informationen – auf das eine kann man nur schwer, auf das andere sollte man nicht freiwillig verzichten. Aber: siehe Überschrift zum nächsten Kapitel!

Fernsehen will gelernt sein
Renate Lotze-Stehle

Fernsehberieselung oder: es gibt auch einen Knopf zum Ausschalten. »Live« und andere Techniken. Der Umgang mit den Nachrichten. Das Fernsehen verkauft Informationen – aber darf man auch alles unbesehen glauben? Kritik an der richtigen Stelle.

Was ist die größte Erfindung aller Zeiten? Man könnte das Rad nennen, die Elektrizität oder das Penicillin – doch häufig wird auf die Erfindung des Buchdrucks durch Gutenberg verwiesen. Was bis ins 14. Jahrhundert nur wenigen Auserwählten von Kirche und Staat in Prachthandschriften zugänglich war, konnte durch die Technik der gegossenen, beweglichen Buchstaben nun jedermann vermittelt werden. Es dauerte allerdings noch Jahrhunderte, bis die Übermittlung von Informationen, Wissen und Meinungen die Ausmaße erreichte, wie wir sie heute in Anspruch nehmen.

Erst im 20. Jahrhundert wurde es durch Telefon, Fernschreiben, Rotationsdruck, Funk und Fernsehen möglich, daß fast jeder – 90 Prozent der Haushalte in der Bundesrepublik Deutschland haben Fernsehen – darüber unterrichtet wird, was sich in der Welt ereignet. Eine umfassende Information ist die wichtigste Voraussetzung für das Funktionieren eines demokratischen Staates. Immer, wenn irgendwo ein Staatsstreich stattfindet, werden zugleich mit den Regierungsgebäuden auch Rundfunk- und Fernsehsender besetzt, die Zeitungen einer Zensur unterworfen oder gar verboten. Zu den drei Gewalten, deren Trennung die Französische Revolution forderte, und die das klassische Fundament jedes demokratischen Staates bilden: die *gesetzgebende* Gewalt – das Parlament, die *ausführende* Gewalt – die Regierung mit ihrem Verwaltungsapparat und die *richterliche* Gewalt – hat sich allmählich eine vierte Gewalt gesellt: die der kontrollierenden und informierenden Medien. Ihre Aufgabe ist es, für umfassende Information zu sorgen, Politik, Wissenschaft und Kultur für Millionen transparent zu machen und gesellschaftspolitische Mißstände aufzudecken.

Die Medien haben – mit oder ohne Absicht, das sei dahingestellt – teilweise Aufgaben von anderen übernommen. So etwa die Aufgaben von Parlamentsabgeordneten, die kontrollieren sollen, wie Gesetze angewandt werden, was die Bürger wirklich davon haben und wo noch etwas im argen liegt. Mehr und schärfer als die Opposition kritisieren sie die Arbeit der Regierung. Nicht selten übernehmen die Medien sogar Aufgaben der Polizei oder der Staatsanwaltschaft: sie decken Verbrechen auf, entlarven Ehrenmänner als Schurken, holen ans Tageslicht, was manche gern im Dunkeln gelassen hätten. Sie tragen nicht selten durch intensive Recherchen und aufsehenerregende Berichte zur Revision von Urteilen bei. Daß Journalisten oft mehr herausfinden als Politiker, liegt nicht am Unvermögen der Volksvertreter, sondern an den Möglichkeiten, die

die Medien haben. In einem freiheitlichen Staat wie dem unseren gibt es für Journalisten ungezählte Wege und Mittel, an Informationen zu kommen und sie weiterzugeben. Jede Amtsstelle ist ihnen gegenüber zur Auskunft verpflichtet. Durch das »Zeugnisverweigerungsrecht«, das der Bundestag bereits verabschiedet hat, soll allen Redakteuren das Recht eingeräumt werden, Aussagen, die die Person des Verfassers oder Einsenders von Beiträgen oder Unterlagen und deren Inhalt betreffen, zu verweigern. Das Recht der Meinungsfreiheit ist in Artikel 5 des Grundgesetzes verankert: »Jeder hat das Recht, seine Meinung in Wort, Schrift und Bild frei zu äußern und zu verbreiten, und sich aus allgemein zugänglichen Quellen ungehindert zu unterrichten. Die Pressefreiheit und die Berichterstattung durch Rundfunk und Film werden gewährleistet, eine Zensur findet nicht statt.«

Aber wo Freiheit ist, ist stets auch die Gefahr, daß sie mißbraucht wird. Und die Trennwand zwischen Information und Manipulation ist hauchdünn. Nur wer ganz dumm ist, und es auch bleiben will, steckt den Kopf in den Sand und liest, sieht und hört lieber gar nichts, weil Zeitungen, Fernsehen und Rundfunk – wie er meint – vielleicht doch lügen. Wie vieles im Leben muß man auch lernen, mit dem, was die Medien bieten, richtig umzugehen. Die Behauptung »Fernsehen will gelernt sein« erscheint manchem unsinnig. Bei »Lernen« denkt er an quälende Schulstunden. Fernsehen aber kriegt man nebenbei mit. Schon die Kindergartenkinder können sich Filme anschauen. Man schaltet einfach ein, läßt die Bilder an sich vorbeiflimmern, hört Musik und Text. Hinterher hat man etwas behalten oder auch nichts. Eher nichts – das zeigen entsprechende Untersuchungen. Die Zuschauer – Erwachsene wie Jugendliche – können sich nur an rund 5 Prozent der Meldungen und Berichte erinnern, die eine Nachrichtensendung enthält.

Was kann man selbst tun, um seine Zeit nicht nur vor dem Fernsehapparat zu verplempern, sondern wirklich etwas davon zu haben? Alles, was man sich anschaut, gehört entweder in die Sparte »Unterhaltung« (dazu zählt jedoch nicht nur die Hitparade, sondern auch Schillers »Kabale und Liebe«) oder in die Sparte »Information«. Und dann gibt es noch eine kleine Sparte »Werbung«.

Beschränken wir uns bei diesem »Kurzlehrgang« aufs Fernsehen, denn im Gegensatz zu den regional unterschiedlichen Rundfunksendungen und Zeitungen gibt es in der Bundesrepublik Deutschland zwei Hauptfernsehprogramme, die bundesweit ausgestrahlt werden. Man kann sie empfangen, ob man nun im Bayerischen Wald oder an der Waterkant den Fernsehapparat einschaltet.

Das Verführerische am Fernsehen ist, daß man schon ziemlich müde, passiv und abgeschlafft sein kann, aber immer noch fähig ist, fernzusehen. Bei allen anderen Freizeitbeschäftigungen – sei es Sport, Lesen, Geselligkeit, Ausgehen, Basteln oder was auch immer, muß man eigene Aktivität, zumindest ein

Quentchen davon, aufbringen. Nur beim Fernsehen nicht. Kein Wunder, daß das in einer Zeit, wo die meisten Menschen abends ziemlich erschöpft von der Arbeit kommen, vielen gerade recht ist. Es dauert meist nicht lange, und schon ist es eine reine Gewohnheitssache, nach Hause zu kommen, auf den Knopf zu drücken und sich berieseln zu lassen. Die Berieselung wird nicht einmal durch das Abendessen unterbrochen. Auch das läßt sich ja bequem vor der Mattscheibe einnehmen! Ausgeschaltet wird oft erst, wenn auch das Programm zu Ende ist. Diese Gewohnheit hat inzwischen zu der statistischen Erkenntnis geführt, daß jeder Deutsche im Durchschnitt mehr als zwei Stunden täglich vor dem Fernsehschirm verbringt.

Die Fernsehzeitungen oder auch die Programmbeilagen der Tageszeitungen dienen den meisten Zuschauern nicht dazu, bewußt eine Auswahl zu treffen. Oft wird nur die kurze Inhaltsangabe überflogen, um zu wissen, was geboten wird, wie die Schauspieler heißen und wie die Handlung in etwa abläuft. Dadurch ist es auch möglich, gleich nach Schluß einer Sendung aufs andere Programm umzuschalten. Man kommt immer noch mit, auch wenn der Film schon angefangen hat.
Jeder weiß, daß das bestimmt nicht die richtige Art ist, fernzusehen. Aber wenn wir ehrlich sind, müssen wir zugeben, daß es uns schon oft so ergangen ist. Man wollte nur mal die Tagesschau sehen, um zu wissen, was sich in der Welt ereignet hat, und bleibt dann vor dem Fernseh-